中华人民共和国法律释义丛书

全国人民代表大会常务委员会法制工作委员会　编

中华人民共和国
未成年人保护法释义

主　编：信春鹰（全国人大常委会法制工作委员会副主任）

副主编：李　援（全国人大常委会法制工作委员会行政法室主任）

撰稿人：田　林　刘海涛　李　辉
张晓莹　郑全红　曹　阳
黄海华　黄　薇

法律出版社

总　序

人类文明的历史上,还没有哪一个时代像中国的改革开放40年一样,在历史长河中掀起如此巨大的浪花——它不仅深刻改变了一个国家的面貌与精神气质、使数亿人摆脱贫困,还极大地改变了世界格局。

1978,在那一年的年底,中共中央一次全体会议——十一届三中全会扭转了中国的前进方向,开辟了一个时代。回首过去,我们发现,一些观念从那时开始在中国出现,一些声音从那时开始逐渐响起,一些人物开始登上历史舞台。从这一年开始,随着"加强社会主义民主,健全社会主义法制"历史性任务的提出,"法制"两个字进入了人们的视野;政法机关开始恢复重建;法律院系开始蓬勃发展。一部部法律从庙堂走进了人们的生活,一次次裁决推动着国家前进的脚步。从"有法可依、有法必依、执法必严、违法必究"到"科学立法、严格执法、公正司法、全民守法";从"法制"到"法治";从法治观念的形成到"依法治国,建设社会主义法治国家"写进宪法,再到"法治国家、法治政府、法治社会一体建设",人们对法治的认识步步深入,中国的改革不断向前推进,结出丰硕的果实。在中国共产党的带领下,这个励精图治的古老国度,再一次创造了改革的奇迹。

40年发生了无数故事,40年产生了许多事物。为了纪念这难忘的40年,本社组织编辑出版了一批“纪念改革开放40周年”主题图书。这些图书,将40年来颁布的重要法律及其释义甄选汇集,将法学领域有代表性的学术论文萃取精编,把有关政法机关的重建、法律院系的重生与发展进行展现,将一批被时代改变命运的人物再次唤起。我们希望从法律与法律人的视角,重新审视过去的40年,认真体会这不平凡的40年。

如江河东下,逝者如斯。岁月总会过去,人事总有代谢,但一个不平凡的时代留下的深刻痕迹,永远不会磨灭。“不忘初心,牢记使命”,习近平总书记在党的十九大报告中向全党发出的号召,使我们有理由期待,下一个40年,中国将更加惊艳!

法律出版社编辑委员会

2018年10月

出版前言

《中华人民共和国法律释义丛书》是由全国人大常委会法制工作委员会组织编辑的一套系列丛书。

该套丛书由一系列法律释义组成。邀请有关专家、学者和部分参与立法的同志编著。该丛书坚持以准确地反映立法宗旨和法律条款内容为最基本要求,在每部法律释义中努力做到观点的权威性和内容解释的准确性。

我们相信,该套丛书的陆续出版,将会给广大读者进一步学好法律提供有益的帮助。

重 印 说 明

本次重印，是为改革开放40周年制作的特别纪念版，为了保持内容原貌，未对正文和附录作实质修改。个别法条内容有修订或修正的，以脚注形式作了标注。特此说明。

2018年10月

前　言

2006年12月29日，十届全国人民代表大会常务委员会第二十五次会议审议并高票通过了修订后的《中华人民共和国未成年人保护法》，这标志着我国未成年人保护工作进入了新的里程碑。现行的未成年人保护法于1991年9月4日第七届全国人民代表大会常务委员会第二十一次会议审议通过。这部法律实施十五年来，对保障未成年人的合法权益发挥了重要的作用。但是，随着我国经济、社会的快速发展，未成年人保护工作出现了一些新情况、新问题，如家庭教育问题、学校保护问题以及未成年人健康成长的社会环境问题。这些问题的出现需要从法律制度上予以回应和解决，以进一步完善未成年人保护的法律制度，调动各方面的积极性，做好未成年人保护工作。此外，我国已经加入了联合国《儿童权利公约》，国务院也已经颁布了《中国儿童发展纲要（2001—2010）》，这些文件中的精神和其中的一些内容也需要在未成年人保护法中得到体现，这些都是此次修订未成年人保护法的主要考虑。

为了配合对修订后的未成年人保护法的学习、宣传，我们编写了这本《中华人民共和国未成年人保护法释义》，参加撰稿的同志都是直接参加了这部法律的立法工作的。本书力求准确、详尽、通俗地逐条解释本法每一条的内容，以帮助广大读者更好地学习和理解法律的规定。

作者

2007年1月

目　　录

第一部分　释　　义

第二部分　附　录

第一部分 释　义

第一章 总　则

第一条 为了保护未成年人的身心健康,保障未成年人的合法权益,促进未成年人在品德、智力、体质等方面全面发展,培养有理想、有道德、有文化、有纪律的社会主义建设者和接班人,根据宪法,制定本法。

【释义】 本条是关于立法目的和立法依据的规定。

法律作为一项具有强制力的社会规范,必然是有的放矢,带有强烈的目的性。一部法律需要将具体条文统一在一定立法目的之下,或者说在一定的立法目的之下,设计出具体法律条文。为更好地表现法律的指导思想和主要内容,便于法律实施者的理解和实施,法律一般都会在其第一条中规定立法目的。宪法是国家的根本大法,规定了国家的根本制度和根本任务,具有最高的法律效力。宪法的最高法律效力包括两层含义:一是必须以宪法为依据,任何法律的“根”都在宪法,都是对宪法有关原则规定的具体展开;二是不得与宪法规定相抵触,对于这一点我国的立法尤其注重。宪法第五条和立法法第四条、第七十八条都规定了“国家维护社会主义法制的统一和尊严”,“一切法律、行政法规和地方性法规都不得同宪法相抵触”。

（一）立法目的

本法是未成年人保护法，保护未成年人是本法的出发点和主要任务。根据保护未成年人的角度和侧重不同，本法的立法目的分为四个层次，这四个层次的立法目的逐步递进、互为补充、缺一不可。

1. 保护未成年人的身心健康。

顾名思义，“身心健康”是指身体和心理的健康。身体健康比较好理解。对于心理健康，有很多标准。根据我国青少年的心理活动特点，未成年人的心理健康主要有下列标准：第一，智力发育正常。智力是个体观察、领悟、想象、思维、推理等多种心理能力的综合体现。智力随年龄增长而提高。正常发育的智力指个体智力发展水平与其实际年龄相称，是心理健康的重要标志之一。第二，稳定的情绪。心理健康的未成年人，乐观、满意等积极情绪体验应占优势。尽管也会有悲哀、困惑、失败、挫折等消极情绪出现，但不会持续长久，他们能够适当表达和控制自己的情绪，使之保持相对稳定。第三，能正确认识自己。心理健康的青少年自尊、自爱、自重，他们能客观地评价他人，更重要的是能正确地认识自己、评价自己和把握自己。第四，有良好的人际关系。心理健康的未成年人，能尊重他人、理解他人，并能用友善、宽容的态度与别人相处，建立起融洽的人际关系。第五，热爱生活。心理健康者热爱生活，能正确对待现实困难，能深切感受生活的美好和生活中的乐趣，积极憧憬美好的未来。第六，心理活动与心理发展年龄特征相适应。心理健康者其心理活动与心理发展年龄特征应是相适应的。

将保护未成年人的身体和心理健康作为本法首要的立法目的，主要有三个原因：一是身心健康是培养未成年人、使未成年人成才的物质基础。未成年人是祖国的未来、民族的希望，社会主义和共产主义事业的建设者和接班人，他们的身心健康直接关系到国家的前途、民族的兴衰，关系到我们的事业是否后继有人。二是未成年人，尤其是处于儿童期的未成年人，力量比较弱小，认识比较幼稚,缺乏起码的自我生存能力和自我防御能力,身心健康容易被社会其他成员侵犯,因此需要对未成年人的身心健康进行保护。三是未成年人,尤其是处于青春期的未成年人,身体发育急速进行,身体各器官及其功能都急剧发生变化。生理的变化带来心理的变化,青春期问题和日益增强的自主意识使得未成年人在适应社会时会遇到一些障碍,如果得不到合理的保护和引导,极易使未成年人的身心发展受到扭曲,甚至走上违法犯罪道路。因此必须对未成年人的身心健康予以保护。

2. 保障未成年人的合法权益。

我国宪法第三十三条规定:"凡具有中华人民共和国国籍的人都是中华人民共和国公民。中华人民共和国公民在法律面前一律平等。国家尊重和保障人权。任何公民享有宪法和法律规定的权利,同时必须履行宪法和法律规定的义务。"根据宪法规定,成为中华人民共和国的公民、享有法定权利并没有年龄的限制,未成年人只要具有中华人民共和国的国籍就是中国公民,和成年人一样依法享有法定权利。在本次修订中,参考《中国儿童发展纲要(2001—2010年)》以及"十一五"规划纲要的规定,从权利角度出发,进一步明确规定了未成年人的权利,"未成年人享有生存权、发展权、受保护权、参与权等权利"。尽管宪法和法律规定未成年人享有法定权利,但由于未成年人身心发育尚未健全,自我实现和主张合法权益的能力还非常有限,其合法权益容易被侵犯,因此需要本法规定切实的制度和措施以保障未成年人的合法权益。在本次修订中,很多增加的内容都是针对实践中出现的侵犯未成年人合法权益的现象而规定的,本法的立法目的也指导着本次的修订。

3. 促进未成年人在品德、智力、体质等方面全面发展。

未成年人保护法的指导思想一是保护,二是育人。"育人"的直接目的是使未成年人在品德、智力、体质等方面全面发展,根本目的是培养有理想、有道德、有文化、有纪律的社会主义建设者和接班人。保护与育人紧密相连,这与我国的教育方针和义务教育法是一脉相通的。我国教育法第五条规定:“教育必须为社会主义现代化建设服务,必须与生产劳动相结合,培养德、智、体等方面全面发展的社会主义事业的建设者和接班人。”品德,是指人品素质和思想道德;智力,包括掌握科学文化知识、技能和养成科学态度、探索精神;体质,包括体格、体能和掌握体育知识、技能、培养高尚情操等。强调促进未成年人在品德、智力、体质等方面全面发展,有利于纠正当前社会上过分重视未成年人智力的培养,而忽视品德、体质方面的发展的不良倾向。

4. 培养有理想、有道德、有文化、有纪律的社会主义建设者和接班人。

党和政府历来重视培养有理想、有道德、有文化、有纪律的“四有”新人,这个培养目标是为了保证我们的社会主义事业后继有人,保证我们党的优良传统代代相传。将建设者和接班人并提,集中反映了我们党和政府为迎接国内外各方面的挑战而对“育人”工作提出的要求,要求培养出来的新一代不仅要精通业务,掌握现代科学技术和文化水平,能经得起经济竞争和技术革命的挑战,同时要具有坚定的政治方向,能够经受住敌对势力的政治渗透和进攻的考验。

(二)立法依据

广义的立法依据将其中的“法”理解为本法,制定本法的依据包括实际情况、宪法和其他上位法的原则或笼统规定、有关立法权限和立法程序的规定等。狭义的立法依据将其中的“法”理解为作为制定本法依据的宪法和上位法。“根据宪法,制定本法”是从狭义立法依据角度作出的规定。宪法作为本法的立法依据,主要是从两个方面体现的:第一,我国宪法确定了四项基本原则和社会主义法制等基本原则,这些宪法精神和基本原则在未成年保护法制定及其修订中都得到了遵循,成为未成年保护法制定和修订的指导思想，并体现在具体的条文中。第二，宪法中涉及未成年人保护的条文有两条。第四十六条第二款规定："国家培养青年、少年、儿童在品德、智力、体质等方面全面发展。"第四十九条第一款规定："婚姻、家庭、母亲和儿童受国家的保护。"未成年人保护法中具体的规定可以说是对宪法原则性规定的具体化，使宪法规定得以操作和真正落实。

第二条　本法所称未成年人是指未满十八周岁的公民。

【释义】　本条是关于未成年人定义的规定。

（一）以年龄标准来界定未成年人

未成年人是相对于成年人而言的，对于未成年人的标准各国的规定不尽相同。联合国在拟定《联合国少年司法最低限度标准规则》时，曾对未成年人的概念有过争论，但最终没有作出统一的规定，只是规定："未成年人，系指按照各国法律制度，对其违法行为可以以不同于成年人的方式进行处理的儿童或少年。""未成年人的年龄限度取决于各国本身的法律制度。"美国规定未满 18 周岁的为未成年人；日本规定未满 20 周岁的为未成年人；印度规定男性未满 16 周岁、女性未满 18 周岁的为未成年人。各国都是以生理年龄作为界定未成年人的标准，但对具体年龄的规定不尽一致，多数国家都是以 18 周岁作为未成年人的标准。

我国未成年人保护法将未满 18 周岁的公民定义为未成年人，遵循了国际上通行做法。从出生之日起至未满 18 周岁的公民都是未成年人，其中包括了多个年龄段。其一般分为：乳儿期（从出生到满 1 周岁）、婴儿期（从 1 周岁到 3 周岁）、学龄前期（从 3 周岁到 6 至 7 周岁）、学龄初期（从 6 至 7 周岁到 11 至 12 周岁）、少年期（从 11 至 12 周岁到 14 至 15 周岁）、青年期（从 14 至 15 周岁到 18 周岁）。未成年人的标准只有一个，即未满 18 周岁。未成年人不仅包括普通的未成年人，还包括有残疾的未成年人、违法犯罪的未成年人;不仅包括男性未成年人,也包括女性未成年人;不仅包括在校学习的未成年学生,还包括按照国家规定从业的已满16周岁不满18周岁的未成年职工。

未出生的胎儿,不属于未成年人。未成年人的前提是公民。宪法第三十三条规定:“凡具有中华人民共和国国籍的人都是中华人民共和国公民。”国籍法第四、五、六条规定:父母双方或一方为中国公民,本人出生在中国或出生在外国,具有中国国籍;父母无国籍或国籍不明,定居在中国,本人出身在中国,具有中国国籍。按照国籍法的规定,要取得中国国籍前提是已经出生。因为胎儿还没有出生,所以其还没有取得中国国籍,也就不是中国公民,更谈不上是未成年人保护法中所称的未成年人。我国民法通则从民事权利能力角度规定了胎儿不是民事主体。民法通则第九条规定:“公民从出生时起到死亡时止,具有民事权利能力,依法享有民事权利,承担民事义务。”

(二)未成年人是公民

未成年人保护法对未成年人的界定,表明未成年人也是中国公民。宪法第三十三条第二款、第三款规定:中华人民共和国公民在法律面前一律平等;任何公民享有宪法和法律规定的权利,同时必须履行宪法和法律规定的义务。根据宪法规定,未成年人和成年人平等地享有各项法定权利。例如,有言论、出版、集会、结社、游行、示威的自由;有宗教信仰的自由;人身自由、人格尊严不受侵犯;有通信自由和通信秘密的权利;有财产所有权和继承权等。未成年人依法享有的这些公民权利,任何组织和公民都不得侵犯。

鉴于未成年人的生理特性,宪法和法律规定有些公民权利未成年人不宜享有或者限制行使。例如,宪法规定选举权和被选举权只有满18周岁的公民才可行使;16周岁以下的未成年人不宜享有劳动的权利。民法通则第十一条规定:“十八周岁以上的公民是成年人,具有完全民事行为能力,可以独立进行民事活动,是完全民事行为能力人。十六周岁以上不满十八周岁的公民，以自己的劳动收入为主要生活来源的，视为完全民事行为能力人。”第十二条规定：“十周岁以上的未成年人是限制民事行为能力人，可以进行与他的年龄、智力相适应的民事活动；其他民事活动由他的法定代理人代理，或者征得他的法定代理人的同意。不满十周岁的未成年人是无民事行为能力人，由他的法定代理人代理民事活动。”对未成年人某些公民权利的剥夺或者限制，必须遵循必要性原则，同时只有宪法、法律、法规才可以。

未成年人在社会中总体上处于弱势地位，因此法律规定了未成年人特有的权利。例如，义务教育法第四条规定：“凡具有中华人民共和国国籍的适龄儿童、少年，不分性别、民族、种族、家庭财产状况、宗教信仰等，依法享有平等接受义务教育的权利，并履行接受义务教育的义务。”刑法第十七条规定：“已满十六周岁的人犯罪，应当负刑事责任。已满十四周岁不满十六周岁的人，犯故意杀人、故意伤害致人重伤或者死亡、强奸、抢劫、贩卖毒品、放火、爆炸、投毒罪的，应当负刑事责任。已满十四周岁不满十六周岁的人犯罪，应当从轻或者减轻处罚。因不满十六周岁不予刑事处罚的，责令他的家长或者监护人加以管教；在必要的时候，也可以由政府收容教养。”预防未成年人犯罪法第四十五条规定：“人民法院审判未成年人犯罪的刑事案件，应当由熟悉未成年人身心特点的审判员或者审判员和人民陪审员依法组成少年法庭进行。对于已满十四周岁不满十六周岁未成年人犯罪的案件，一律不公开审理。已满十六周岁不满十八周岁未成年人犯罪的案件，一般也不公开审理。对未成年人犯罪案件，新闻报道、影视节目、公开出版物不得披露该未成年人的姓名、住所、照片及可能推断出该未成年人的资料。”未成年人保护法第三十条规定：“爱国主义教育基地、国有博物馆、图书馆、青少年宫、儿童活动中心应当对未成年人免费开放；纪念馆、科技馆、展览馆、美术馆、文化馆以及影剧院、体育场、动物园、公园等场所，应当按照有关规定对未成年人免费或者优惠开放。”

第三条　未成年人享有生存权、发展权、受保护权、参与权等权利，国家根据未成年人身心发展特点给予特殊、优先保护，保障未成年人的合法权益不受侵犯。

未成年人享有受教育权，国家、社会、学校和家庭尊重和保障未成年人的受教育权。

未成年人不分性别、民族、种族、家庭财产状况、宗教信仰等，依法平等地享有权利。

【释义】　本条是关于未成年人权利的规定。

作为一部保护未成年人的专门法律，有必要对未成年人享有的权利做出明确规定。本条关于未成年人权利的规定是本次修订增加的内容，保护未成年人权利主要两个方面进行：一是权利的范围，包括哪些权利；二是未成年人平等的享有权利。

（一）未成年人享有的四项重要权利

生存权、发展权、受保护权和参与权是对《儿童权利公约》有关规定的概括。这四项权利包括了四类权利，具有强烈的宣示意义，这四类权利与我国现有法律规定的未成年人权利大部分是重合的，有的还需要其他法律予以具体规定。1989 年，联合国通过了《儿童权利公约》，规定了对儿童权利保护的普遍标准。1991 年，全国人大常委会批准了该公约。值得一提的是，《儿童权利公约》规定“儿童是指十八岁以下的任何人”，即该公约中的儿童概念与我国未成年人的概念是相同的。国际社会通常将《儿童权利公约》中的权利概括为四大类：生存权、发展权、受保护权和参与权。《中国儿童发展纲要（2001—2010）》和《中华人民共和国国民经济和社会发展第十一个五年规划纲要》都规定了“依法保障儿童生存权、发展权、受保护权和参与权”。

生存权是指未成年人享有其固有的生命权、健康权和获得基本生活保障等权利，包括未成年人享有生命、医疗保障、国籍、姓名、获得足够食物、拥有一定住所以及获得其他基本生活保障的权利。发展权是指充分发展其全部体能和智能的权利，包括未成年人有权接受正规和非正规的教育，有权享有促进其身体、心理、精神、道德等全面发展的生活条件。受保护权是指不受歧视、虐待和忽视的权利，包括保护未成年人免受歧视、剥削、酷刑、暴力或者疏忽照料，以及对失去家庭和处于特殊困境中的未成年人的特别保护。参与权是指参与家庭和社会生活，并就影响他们生活的事项发表意见的权利。成年人应尊重未成年人的看法。

（二）受教育是未成年人的一项权利，国家、社会、学校和家庭应予以尊重和保障

所谓受教育权，是指公民通过学校和其他教育设施和途径，学习科学文化知识和专业技能，提高文化素质、政治素质或者业务水平的权利。我国法律历来重视保护公民的受教育权，受教育权在我国是一项宪法性权利。1954 年宪法、1975 年宪法、1978 年宪法和 1982 年宪法都明确规定了"中华人民共和国公民有受教育的权利"。随后颁布的义务教育法、教育法、职业教育法、高等教育法、国防教育法等法律从不同层面对公民受教育权进行了确认和详细规定。

未成年人正处于成长阶段，其最大的任务是上学接受教育。如果在未成年人阶段没有受到很好的教育，将会对其将来的发展产生极大的负面影响。因此，保护未成年人，首先要保护其受教育权，受教育权对于未成年人而言意义重大，需要国家、社会、学校和家庭给予充分重视，尊重和保障未成年人的受教育权。从 1991 年 9 月 4 日七届全国人大常委会第二十一次会议审议通过了《中华人民共和国未成年人保护法》以来，我国未成年人的受教育状况明显改善。与实施未成年人保护法前相比，到 2002 年年底，我国

小学入学率由96.8%提高到了98.6%,初中入学率由69.7%提高到了90%,高中入学率由28.4%提高到了42.8%。我国九年义务教育的总规模已达18844.14万人,全国基本普及九年义务教育的地区人口覆盖率已由1998年的73%提高到了91.22%。国家在“九五”期间设立了“贫困地区义务教育工程”,国家专项经费连同各省的配套资金共投入209亿元,显著改善了我国贫困地区的办学条件;国家设立的“国家贫困地区义务教育助学金”,每年使100多万名因家庭困难面临失学的未成年人得到了资助。尽管我国未成年人受教育状况得到明显改善,但仍存在一些问题,突出的有两个:第一是我国农村普及九年义务教育总体水平不高,发展不平衡。全国2861个县级单位中还有431个未实现“普九”。已经“普九”的部分农村初中生辍学率居高不下,一些省、自治区农村初中生辍学率在5%以上,个别地区达15%左右。第二是城市中教育资源分布不平衡,上学难、择校费等导致未成年人不能平等享有受教育权的情况比较普遍。这些问题的存在,有着社会政治经济的背景,但无疑是对未成年人受教育权的侵害。解决这些问题需要国家采取切实措施,与社会、学校和家庭一起协调统筹处理,因此在本法中重申保护未成年人的受教育权有着重要意义。

(三)对未成年人特殊、优先保护

对未成年人给予特殊、优先保护,即未成年人优先原则,是在1990年联合国世界儿童问题首脑会议通过的《儿童生存、保护和发展世界宣言》中提出的。宣言指出,提高儿童福利必须是非常高度的优先。宣言庄严承诺,对儿童的权利,对他们的生存,及对他们的保护和发展给予高度优先。联合国《儿童权利公约》也规定,关于儿童的一切行动,不论是由公私社会福利机构、法院、行政当局或立法机构执行,均应以儿童的最大利益为首要考虑。《中国儿童发展纲要(2001—2010)》和《中华人民共和国国民经济和社会发展第十一个五年规划纲要》都规定,坚持儿童优先原则。

未成年人优先原则的基本含义是指:对未成年人的权利,对未成年人的生存、保护和发展,国家和社会都要予以高度重视。无论在什么情况下,国家和社会都应该把未成年人放在最优先考虑的地位。本条中"国家根据未成年人身心发展特点给予特殊、优先保护"实际上表达的就是未成年人优先原则。在世界各国中,我国未成年人人数是最多的,明确规定给予未成年人特殊、优先保护有着非常重要的意义:首先是确立了一种理念,在所有涉及未成年人的活动中,都应以未成年人的最大利益为首要的考虑;其次也有利于与世界接轨,促进国际合作,充分展示我国在儿童、未成年人保护方面取得的成就。

(四)未成年人平等地享有权利

宪法第三十三条规定的公民在法律面前一律平等,也包含公民在享有法定权利的时候一律平等。未成年人平等的享有权利,不仅是在未成年人与成年人平等的享有权利意义上讲的,而且也包括未成年人之间平等的享有权利的意思。男女平等是我国的宪法原则,因此女性未成年人与男性未成年人应该平等的享有权利,未成年人不分性别平等地享有权利。民族平等、禁止民族歧视是我国的宪法原则,不论未成年人是汉族还是其他少数民族,都平等地享有权利。公民宗教信仰自由是我国的宪法原则,任何组织和个人都不得歧视信仰宗教的公民和不信仰宗教的公民,不论未成年人是否有宗教信仰,都平等地享有权利。

第四条　国家、社会、学校和家庭对未成年人进行理想教育、道德教育、文化教育、纪律和法制教育,进行爱国主义、集体主义和社会主义的教育,提倡爱祖国、爱人民、爱劳动、爱科学、爱社会主义的公德,反对资本主义的、封建主义的和其他的腐朽思想的侵蚀。

【释义】　本条是关于对未成年人进行教育的规定。

我国教育法规定，国家在受教育者中进行爱国主义、集体主义、社会主义的教育，进行理想、道德、纪律、法制、国防和民族团结的教育。目前，我国18岁以下的未成年人约有3.67亿，未成年人是祖国未来的建设者，是中国特色社会主义事业的接班人。培养和造就千千万万合格建设者和接班人，既是一项长远的战略任务，又是一项紧迫的现实任务。我们要从确保党的事业后继有人和社会主义事业兴旺发达的战略高度，从全面建设小康社会和实现中华民族伟大复兴的全局高度，从树立和落实科学发展观，坚持以人为本、执政为民的高度，抓好对未成年人的教育问题。

对未成年人进行教育，不仅仅是家庭的责任，而且是国家、社会、学校、家庭的共同责任。对未成年人应进行全面的教育，包括理想教育、道德教育、文化教育、纪律和法制教育。理想教育侧重于使未成年人树立远大理想，胸怀中国特色社会主义事业和中华民族的伟大复兴。道德教育侧重于培养未成年人良好的道德品质，使广大未成年人具有高尚品德和社会公德。文化教育侧重于帮助和引导未成年人掌握基本的科技文化知识。纪律和法制教育侧重于使未成年人养成纪律意识，形成法制观念，自觉守法。

对未成年人进行教育时要突出重点，即思想道德教育。2004年《中共中央国务院关于进一步加强和改进未成年人思想道德建设的若干意见》（以下简称《若干意见》）中指出，加强和改进未成年人思想道德建设是一项重大而紧迫的战略任务。面对国际国内形势的深刻变化，未成年人思想道德建设既面临新的机遇，也面临严峻挑战。面对新的形势和任务，未成年人思想道德建设工作还存在许多不适应的地方和亟待加强的薄弱环节。在对未成年人进行理想教育、道德教育的过程中，必须坚持正确的方向，坚持进行爱国主义、集体主义和社会主义的教育。《若干意见》指出，未成年人思想道德建设的主要任务是：（1）从增强爱国情感做起，弘扬和培育以爱国主义为核心的伟大民族精神。深入进行中华民族优良传统教育和中国革命传统教育、中国历史特别是近现代史教育，引导广大未成年人认识中华民族的历史和传统，了解近代以来中华民族的深重灾难和中国人民进行的英勇斗争，从小树立民族自尊心、自信心和自豪感。(2)从确立远大志向做起，树立和培育正确的理想信念。进行中国革命、建设和改革开放的历史教育与国情教育，引导广大未成年人正确认识社会发展规律，正确认识国家的前途和命运，把个人的成长进步同中国特色社会主义伟大事业、祖国的繁荣富强紧密联系在一起，为担负起建设祖国、振兴中华的光荣使命做好准备。(3)从规范行为习惯做起，培养良好道德品质和文明行为。大力普及"爱国守法、明礼诚信、团结友善、勤俭自强、敬业奉献"的基本道德规范，积极倡导集体主义精神和社会主义人道主义精神，引导广大未成年人牢固树立心中有祖国、心中有集体、心中有他人的意识，懂得为人做事的基本道理，具备文明生活的基本素养，学会处理人与人、人与社会、人与自然等基本关系。

对未成年人进行教育必须旗帜鲜明地提倡与反对。由于未成年人是祖国的未来，关系重大，同时未成年人尚未成熟，容易受外界的影响，因此在对未成年人进行教育时必须明确提倡爱祖国、爱人民、爱劳动、爱科学、爱社会主义的良好公德，坚决反对资本主义的、封建主义的和其他的腐朽思想的侵蚀。

第五条　保护未成年人的工作，应当遵循下列原则：

(一)尊重未成年人的人格尊严；

(二)适应未成年人身心发展的规律和特点；

(三)教育与保护相结合。

【释义】　本条是关于对未成年人保护的原则的规定。

(一)尊重未成年人人格尊严的原则

宪法第三十八条规定："中华人民共和国公民的人格尊严不受侵犯。禁止用任何方法对公民进行侮辱、诽谤和诬告陷害。"人格尊严也就是人格权,人格权有广义狭义之分:广义的人格权包括生命健康权、姓名权、名誉权、荣誉权、肖像权、婚姻自主权等权利;狭义的人格权通常是指名誉权。我国人格权法律制度已经基本建立起来。根据民法通则等法律的规定,公民人格权的内容包括生命健康权、姓名权、名誉权、荣誉权、肖像权、婚姻自主权等。民法通则第九十八条规定:"公民享有生命健康权。"第九十九条规定:"公民有姓名权,有权决定、使用和依照规定改变自己的姓名,禁止他人干涉、假冒、盗用。"第一百条规定:"公民享有肖像权,未经本人同意,不得以营利为目的使用公民的肖像。"第一百零一条规定:"公民、法人享有名誉权,公民的人格尊严受法律保护,禁止用侮辱、诽谤等方式损害公民、法人的名誉。"第一百零二条规定:"公民、法人享有荣誉权,禁止非法剥夺公民、法人的荣誉称号。"

作为一项保护未成年人的工作原则,尊重未成年人的人格尊严,不仅是从保护未成年人的人格权角度讲的,更多的是从尊重未成年人独立人格的尊严,使未成年人的自尊心不受伤害、个人价值不被贬低的角度讲的。根据宪法的规定,任何人的人格尊严都应该得到尊重。强调尊重未成年人人格尊严是一项在保护未成年人工作中的工作原则,具有现实针对性。未成年人是一个相对于成年人在生理、心理、智力、社会政治经济地位等方面都处于弱势的群体。未成年人在生理上还处于发育阶段,在体力等方面与成年人尚有一定差距,容易受到疾病和来自他人的侵害。未成年人的心理和智力还没有发育成熟,对事物的辨别能力差,对社会还没有形成全面的认识。未成年人在经济上一般没有稳定、独立的经济收入,并不拥有一定的个人财产,需要依附于成年人。处于弱势的未成年人,其人格尊严更容易被忽视,实践中不尊重未成年人的人格尊严的情形屡屡发生。在进行保护未成年人时,也要注意尊重未成年人的人格尊严。例如,学校在开展保护未成年人的工作时,不能对未成年人实施体罚、变相体罚或者其他侮辱人格尊严的行为。任何组织和个人不得披露未成年人的个人隐私,不得隐匿、毁弃未成年人的信件、日记、电子邮件。对未成年人的信件、日记、电子邮件,除公安机关和人民检察院因追查犯罪的需要,依法开拆、查阅,以及无行为能力的未成年人的父母或者其他监护人代为开拆、查阅外,任何组织或者个人不得开拆、查阅。

(二)适应未成年人身心发展的规律和特点的原则

未成年人的身心还没有成熟,因此有一个由简单到复杂、低级向高级发展的过程。未成年人身心发展有着明显的特点:首先从身体发展来看,其体形经历了一个由小到大、由不健全到逐步健全的过程,如身高由低到高、四肢由短到长;其次组织机能也经历了一个由不健全到健全的过程,如呼吸机能、消化机能等逐步的健全。未成年人的心理发展也是非常明显和快速的,从对外界的刺激反应、条件反射发展到进行分析的思维活动。

未成年人身心发展具有阶段性特点,例如,3 岁以下的婴幼儿的身体比较弱小,行动笨拙,反应迟钝,也不能准确地表达自己的要求;3 岁至 10 岁的幼儿身高体重得到发展,行动逐渐灵活,能自己进行思维,能用语言表达自己的要求,并能接受简单的教育,但行为能力相当不足,没有社会经验,不能对自己的行为及其后果做出判断,不能对自己的行为负责;10 周岁以上、18 周岁以下的未成年人身高、体重继续发展,逐步接近成年人,思维活动由简单到复杂,分析、判断问题的能力逐渐形成,社会经验得到一定积累,能预见到自己行为的一些后果,能对自己的行为承担起一部分责任。

保护未成年人的工作要注意未成年人的身心发展的规律和特点,这样才能切实的保护未成年人。我国现有法律中很多关于保护未成年人的规定都遵循了适应未成年人身心发展的规律和特点原则,特别是未成年人保护法更是如此。例如,未成年人保护法规定,父母或者其他监护人应当创造良好、和睦的家庭环境,依法履行对未成年人的监护职责和抚养义务;禁止对未成年人实施家庭暴力,禁止虐待、遗弃未成年人,禁止溺婴和其他残害婴儿的行为,不得歧视女性未成年人或者有残疾的未成年人。父母或者其他监护人应当关注未成年人的生理、心理状况和行为习惯,以健康的思想、良好的品行和适当的方法教育和影响未成年人,引导未成年人进行有益身心健康的活动,预防和制止未成年人吸烟、酗酒、流浪、沉迷网络以及赌博、吸毒、卖淫等行为。学校应当尊重未成年学生受教育的权利,关心、爱护学生,对品行有缺点、学习有困难的学生,应当耐心教育、帮助,不得歧视,不得违反法律和国家规定开除未成年学生等。

(三)教育与保护相结合原则

未成年人的身心正处于发展过程中,容易接受新事物,是受教育的绝佳阶段。未成年人还没有掌握完整的知识和劳动技能,不具备谋生的手段,需要通过受教育来适应社会的需求。根据未成年人的这个特点,我国义务教育法规定,国家实行九年义务教育制度。凡具有中华人民共和国国籍的适龄儿童、少年,不分性别、民族、种族、家庭财产状况、宗教信仰等,依法享有平等接受义务教育的权利,并履行接受义务教育的义务。当然,未成年人需要接受的教育是全面的教育,不仅包括学校教育,还包括家庭教育、社会教育;不仅包括文化知识教育,还包括思想政治教育、生活教育、劳动技能教育等。

未成年人需要得到保护,这是由未成年人的生理和心理特点所决定的,也是国家和社会繁衍、延续的需要。未成年人的保护工作需要由全社会共同来承担。开展未成年人保护工作,不能片面地只讲保护、忽略教育,也不能忽视保护、只讲教育。保护和教育作为保护未成年人保护工作的两个主旋律,相互结合、相辅相成,不可偏颇。讲保护,不能过度保护,不能“溺爱”,在选择保护的手段、程度时,要同时考虑到教育的因素,在实现保护的同时促进教育,不能忽视教育,更不能对教育产生负面效应。教育使未成年人身心得到发展，促使其完善，这样大大增强了未成年人抵御外界侵害的能力，帮助未成年人实现自我保护。在这个意义上讲，教育对保护未成年人有促进的作用，但教育取代不了保护，毕竟未成年人的自我保护是有限的。在国家、社会、学校、家庭对未成年人进行教育的同时，需要全社会给予未成年人保护。

第六条　保护未成年人，是国家机关、武装力量、政党、社会团体、企业事业组织、城乡基层群众性自治组织、未成年人的监护人和其他成年公民的共同责任。

对侵犯未成年人合法权益的行为，任何组织和个人都有权予以劝阻、制止或者向有关部门提出检举或者控告。

国家、社会、学校和家庭应当教育和帮助未成年人维护自己的合法权益，增强自我保护的意识和能力，增强社会责任感。

【释义】　本条是关于保护未成年人是全社会责任的规定。

未成年人的保护工作关系重大、情况多变复杂、涉及人数众多，是一项非常艰巨的系统工程，需要全社会共同来承担。

承担此责任的社会机构主要有以下：

1. 我国国家机关分为权力机关、行政机关、司法机关等。国家机关在未成年人保护工作中起着主导作用，其承担非常重大的责任：权力机关有责任制定有关未成年人保护的法律、地方性法规，并对法律、地方性法规的执行情况进行监督；人民政府是未成年人保护工作的行政领导机关，在未成年人保护工作中起组织、协调作用，其既是权力机关的执行机关，负责组织实施人大及其常委会制定的法律、决议、各项国家重大决策，又是政府部门和下级人民政府的领导机关，能总揽全局，统筹兼顾，组织、协调不同的政府部门、各地方人民政府之间的工作，使各方面的工作都服从和服务于国家大局，克服部门主义、地方主义等弊端；政府部门是具体保护未成年人的行政机关，其根据自己的职责履行不同的保护任务，对未成年人有着保护职责的政府部门有教育、公安、民政、卫生等部门;检察机关在控检涉及未成年人权益的刑事案件中有着保护未成年人的职责,其中包括控检犯罪、打击侵犯未成年人的犯罪行为、保护未成年人,以及未成年人涉嫌犯罪的,检察机关有职责采取有关措施保护未成年人等;人民法院在审理涉及未成年人权益的各类案件中有着保护未成年人的职责。

2. 武装力量有责任保护未成年人。广义的武装力量是指各种武装组织和装备设置的总称,既包括武装组织,也包括武器装备。狭义的武装力量是指武装力量组织,国防法中规定的武装力量也是指武装力量组织。根据国防法的规定,我国的武装力量组织由中国人民解放军现役部队和预备役部队、中国人民武装警察部队和民兵组成。武装力量是我国和平与安全的保卫者和维护者,在保护未成年人工作中起着重要作用。

3. 政党是现代社会的一种重要政治组织,在我国,中国共产党是社会主义各项事业的领导核心,我们党历来重视未成年人的保护工作,在未成年人保护工作中起到举足轻重的作用。我们党对未成年人的保护主要体现在制定有关方针政策上。新中国成立以来,中国共产党制定了很多保护未成年人权益的政策文件,并在有关涉及青少年问题的文件中强调对未成年人的保护。我国其他民主党派也承担保护未成年人的相关责任。

4. 社会团体是广大人民群众按照一定的章程自愿结合在一起的群众性组织,社会团体有利于吸引、号召广大人民自发组织起来,保护未成年人,同时又能通过集体的力量对未成年人起到切实的保护作用。目前我国承担较多保护未成年人工作的社会团体主要有共青团、少先队、青年联合会、学生联合会、工会、妇女联合会等。

5. 企事业单位也承担相应的未成年人保护责任。企业作为经济组织,是国民生产的主要部门,是经济发展的决定力量,在未成年人保护工作中承担重要责任。例如,生产、销售用于未成年人的食品、药品、玩具、用具和游乐设施等,应当符合国家标准或者行业标准,不得有害于未成年人的安全和健康。文化、教育、卫生、科研、体育等事业单位承担着丰富人民精神文化生活、提高人民文化素质、保障人民身体健康、增强人民身体素质、推动社会科学进步、发展社会公益事业、推动社会全面进步的重要使命。事业单位在保护未成年人工作中起着不可替代的作用,承担较大的责任。例如,创造或者提供有利于未成年人健康成长的图书、报刊、音像制品、电子出版物以及网络信息;青少年活动场所对未成年人免费或者优惠开放等。

6. 城乡基层群众性自治组织的保护责任。村民委员会、居民委员会是农村村民或者城市居民自我管理、自我教育、自我服务的基层群众性自治组织,是基层群众实行民主选举、民主决策、民主管理、民主监督的组织。村委会和居委会的工作经常涉及未成年人的保护,其主要责任有:协调未成年人抚养、监护问题;帮助未成年人实现受教育的权利;帮助未成年人运用法律手段,维护自身的合法权利;协助人民政府和有关部门做好保护未成年人的工作等。

7. 监护人也要履行保护未成年人的责任。家庭保护是未成年人保护体系中最重要的环节之一,监护人应切实承担其保护责任,如创造良好、和睦的家庭环境,依法履行对未成年人的监护职责和抚养义务。禁止对未成年人实施家庭暴力,禁止虐待、遗弃未成年人,禁止溺婴和其他残害婴儿的行为,不得歧视女性未成年人或者有残疾的未成年人;尊重未成年人受教育的权利;不得允许或者迫使未成年人结婚等。

8. 其他成年人也有保护未成年人的义务。例如,不得允许未成年人进入营业性歌舞娱乐场所、互联网上网服务营业场所等不适宜未成年人活动的场所;不得向未成年人出售烟酒;不得在中小学校等未成年人集中活动的场所吸烟、饮酒；禁止拐卖、绑架、虐待未成年人，禁止对未成年人实施性侵害等。

法律的实施需要监督，法律监督是多层次的，以是否能对被监督对象产生法律效力为标准，可以分为直接法律监督和间接法律监督。直接法律监督主要是有权机关实施的监督，包括国家权力机关的监督、司法机关的监督和行政机关的监督。间接法律监督不能对被监督对象直接产生法律效力，其只能通过批评、建议或者申诉、控告、检举等方式向有权部门反映，再由有权部门采取相应措施实现监督的目的。与其他监督形式相比，公民和社会组织的监督具有广泛性、全面性的特点，是一种其他监督方式无法取代的监督形式。公民或者社会组织的检举和控告权是宪法性权利，任何机关和个人都不得限制、剥夺公民或者社会组织的检举或者控告权。为充分和及时地保护未成年人的合法权益，对于侵犯未成年人合法权益的行为，任何组织和个人都有权予以劝阻、制止或者向有关部门提出检举或者控告。

任何组织和个人对未成年人的保护都是一种外在保护，外在保护非常重要，但不足在于无法做到时时处处的保护。为全面保护未成年人，国家、社会、学校和家庭必须通过教育和帮助使未成年人增强自我保护的意识和能力。实践中很多例子都说明了未成年人自我保护意识和能力增强了，会在很大程度上减少受侵害的机会和程度。现代社会是法制社会，国家、社会、学校和家庭应教育和帮助未成年人知法、懂法、守法，积极运用法律武器，维护自身的合法权益。

第七条　中央和地方各级国家机关应当在各自的职责范围内做好未成年人保护工作。

国务院和地方各级人民政府领导有关部门做好未成年人保护工作；将未成年人保护工作纳入国民经济和社会发展规划以及年

度计划，相关经费纳入本级政府预算。

国务院和省、自治区、直辖市人民政府采取组织措施，协调有关部门做好未成年人保护工作。具体机构由国务院和省、自治区、直辖市人民政府规定。

【释义】　本条是关于政府责任的规定。

国家机关是依法设立的、有国家财政予以保障的、管理国家各项事务的组织、未成年人保护工作是国家机关职责的重要组成部分，国家机关有义务做好未成年人保护工作，未成年人保护工作的真正落实也离不开国家机关。根据宪法和有关法律的规定，我国国家机关从横向上可分为国家权力机关、行政机关、司法机关；从纵向上可分为中央、省级、县级及乡镇级四级，各级国家机关都有相应的保护未成年人的职责。

国家权力机关，即各级人民代表大会及其常委会，承担制定法律、地方性法规，监督法律、地方性法规的实施等职责。全国人大常委会制定了未成年人保护法，并根据实际情况，及时进行了修订。全国人大及其常委会还制定了很多涉及未成年人保护的法律，包括宪法、刑法、民法通则、婚姻法、收养法、教育法、母婴保健法、妇女权益保护法、刑事诉讼法、义务教育法、预防未成年人犯罪法等。很多省、自治区、直辖市的人大常委会都制定了有关未成年人保护的地方性法规。

国务院是我国中央人民政府，是国家的最高行政机关，负责管理全国的政治、经济、文化、科技、教育、民族、宗教和其他社会事务，领导国务院各部门和地方各级人民政府开展工作。地方各级人民政府是地方的行政机关，分别负责管理其行政区域内的政治、经济、文化、科技、教育和其他社会事务，领导、监督地方政府部门和下级政府开展工作。中央和各级人民政府主要职能是制定有关未成年人保护的行政法规、地方政府规章和其他规范性文件，发布有关未成年人保护的行政决定、命令；编制未成年人事业发展计划，并将其纳入全国和地方国民经济和社会发展规划及年度计划中；在各自行政区域范围内保证有关未成年人法律、法规、规章的实施及政府决定、命令的执行，组织、协调政府部门、下级地方政府切实做好未成年人保护工作等。

各级政府部门在各自职责范围内做好未成年人保护工作。各级教育行政部门应当保障教育活动的正常进行；根据需要制定应对各种灾害、传染性疾病、食物中毒、意外伤害等突发事件的预案；采取措施鼓励和支持中小学校在节假日期间将文化体育设施对未成年人免费或者优惠开放等。各级公安机关应当采取有力措施，依法维护校园周边的治安和交通秩序，预防和制止侵害未成年人合法权益的违法犯罪行为；在办理未成年人犯罪和涉及未成年人权益保护案件中，应照顾未成年人身心发展特点，尊重他们的人格尊严，可根据需要设立专门机构或者指定专人办理；讯问未成年犯罪嫌疑人，询问未成年人证人、被害人，应当保证有监护人在场等。各级民政部门根据需要设立救助场所，对流浪乞讨等生活无着的未成年人实施救助。各级卫生行政部门对未成年人进行卫生保健和营养指导，提供必要的卫生保健条件，做好疾病预防工作；做好对儿童的预防接种工作，积极防治儿童常见病、多发病，加强对传染病防治工作的监督管理和对托儿所、幼儿园卫生保健的业务指导和监督检查等。

各级检察机关的职责是依照刑法、刑事诉讼法、预防未成年人保护法、未成年人保护法等法律规定，在检控有关涉及未成年人的犯罪时，履行其保护职责。在办理未成年人犯罪案件中，应照顾未成年人身心发展特点，尊重他们的人格尊严，可根据需要设立专门机构或者指定专人办理；讯问未成年犯罪嫌疑人，询问未成年人证人、被害人，应当保证有监护人；对羁押的未成年人，应当与成年人分别关押等。

各级法院在审理涉及未成年人的案件时，有责任保护未成年人的合法权益，如未成年人的合法权益受到侵害，依法向人民法院提起诉讼的，人民法院应当依法及时审理，并考虑未成年人生理、心理特点和健康成长的需要，依具体情况依法保障未成年人的合法权益：依法为未成年人提供法律援助和司法救助；审理继承案件和离婚案件涉及未成年子女抚养问题的，要依法保护未成年人的继承权、受遗赠权，听取未成年子女的意见；在办理未成年人犯罪和涉及未成年人权益保护案件中，应照顾未成年人身心发展特点，尊重他们的人格尊严，可根据需要设立专门机构或者指定专人办理；讯问未成年犯罪嫌疑人，询问未成年人证人、被害人，应当保证有监护人在场等。

国务院和地方各级人民政府在未成年人保护工作中起着重要的组织和协调作用，主要体现在三个方面：第一是领导有关部门做好未成年人保护工作；第二是将未成年人工作纳入国民经济和社会发展规划及年度计划中；第三是将有关未成年人保护工作的经费纳入本级政府预算。

国务院和省、自治区、直辖市人民政府的协调和组织工作非常重要，但由于人民政府职责非常多，而未成年人保护工作分散于多个政府部门和有关社会团体，缺乏一个专门的机构来负责协调未成年人保护工作，因此需要国务院和省、自治区、直辖市人民政府采取有关组织措施，成立有关机构来协调有关部门做好未成年人保护工作。据统计，全国已有 29 个省、自治区、直辖市和多数市（地）县（区）成立了未成年人保护委员会，负责对未成年人工作进行指导和协调。由于各地情况不同，具体的机构设置由国务院和省、自治区、直辖市人民政府作出规定。

第八条　共产主义青年团、妇女联合会、工会、青年联合会、学生联合会、少年先锋队以及其他有关的社会团体，协助各级人民政府做好未成年人保护工作，维护未成年人的合法权益。

【释义】 本条是关于社会团体职责的规定。

社会团体在未成年人保护工作中有着独特的地位和其他任何组织不可替代的帮助、保护和协助保护的作用。我国经合法登记的各种全国性和地方性社会团体数以千计,其活动宗旨和组织形式千差万别,承担帮助、保护和协助各级人民政府做好未成年人保护工作职责的社会团体主要有共产主义青年团、妇女联合会、工会、青年联合会、学生联合会、少年先锋队等。共青团、妇联、工会、青联、学联、少先队等社会团体与未成年人的关系相当密切,这些社会团体除了要协助各级人民政府做好未成年人保护工作、维护未成年人的合法权益外,还应该有主动开展适合青少年特点的,有利于青少年健康成长的具有知识性、趣味性的各类活动以及帮助未成年人遵纪守法的职责。

共产主义青年团,简称共青团,是中国共产党领导下的先进青年群体,是党联系广大青年的桥梁和纽带,同时也是未成年人保护组织中最主要的社会团体。共青团的任务是团结和教育广大青年积极投身于社会主义现代化建设,具有广泛的代表性和先进性,有着严格的章程和健全的制度。其在未成年人保护工作中起着非常重要的协助作用,主要有:(1)参与未成年保护立法工作,向立法机关提出立法建议,参与国家有关未成年人工作方针政策的制定;(2)积极创造条件,为未成年人参加文化、娱乐、体育活动以及参与社会民主监督提供机会;(3)积极引导未成年人学习马克思主义,学习科学文化知识,帮助他们树立远大理想和形成良好品德,成为有理想、有道德、有文化、有纪律的社会主义建设者和接班人;(4)依法维护未成年人的合法权益,同各种侵犯未成年人合法权益的行为作斗争等。

妇女联合会全称为中华全国妇女联合会,简称妇联,是全国各族各界妇女在党的领导下为争取进一步解放而联合起来的社会团体,是党和政府联系妇女群众的桥梁和纽带。实践中妇女儿童工作委员会设立在妇女联合会中，妇女联合会不仅保护妇女的权益，而且对儿童也有保护的职责，其在未成年人保护工作中也起到了很重要的协助作用。其主要职责包括：代表和维护妇女权益，促进男女平等；参与有关妇女、儿童法律、法规和规章的制定；维护妇女儿童的合法权益等。

工会在我国的全称为中华全国总工会，简称中华全总，是自愿结合的中国工人阶级的群众组织。实践中，有一部分年满16周岁没有继续上学深造的未成年人提前走上了工作岗位，这部分未成年工人是工人的一部分，享有工人应享有的一切权利，作为工会会员受到工会的保护。工会在保护未成年人工作中的协助职责主要有：维护工人的合法权益和民主权利，代表和组织职工参与国家和社会事务管理，参与企业民主管理。对未成年工人，工会还要积极维护有关法律法规赋予未成年工人的特殊权利，如加强对未成年工人的劳动保护和劳动安全、开展定期体检。

青年联合会全称中华全国青年联合会，简称青联，是党领导下的基本社会团体之一，是以中国共产主义青年团为核心力量的各青年团体的联合组织，是我国各族各界青年广泛的爱国统一战线组织。青年联合会的章程中规定，会员团体有维护青年的合法权益、反映各族各界青年意见和要求的义务，因此青年联合会在未成年人保护工作中有相应的协助职责。

学生联合会全称中华全国学生联合会，简称全国学联，是中国共产党领导下的中国高等学校学生会、研究生会和中等学校学生会的联合组织。它是中华全国青年联合会的团体会员。学生联合会的基本任务是：遵循和贯彻党的教育方针，促进同学德、智、体全面发展，团结和引导同学成为热爱祖国、适应有中国特色社会主义现代化建设事业要求的合格人才；发挥作为党和政府联系同学的桥梁和纽带作用，在维护国家和全国人民整体利益的同时，表达和维护同学的具体利益等。学生联合会在保护未成年人工作中有着相应的协助职责。

少年先锋队简称少先队，是中国共产主义青年团领导下的少年先锋队组织，是党团结、教育广大少年儿童的桥梁和纽带。在众多的社会团体中，少年先锋队是唯一全部由未成年人参加的全国性少年组织，是未成年人自己的组织。少年先锋队的主要任务和主要作用是通过各种集体活动，团结、教育少年儿童，培养他们成为爱祖国、爱人民、爱劳动、爱科学、爱社会主义，有理想、有道德、有纪律、有文化的社会主义新人。少年先锋队为中国儿童事业的发展做出了巨大贡献。

除了共产主义青年团、妇女联合会、工会、青年联合会、学生联合会、少年先锋队之外，我国还有一些社会团体有帮助、保护和协助保护未成年人的职责。这些社会团体有关心下一代工作委员会、残疾人联合会、律协等。

第九条　各级人民政府和有关部门对保护未成年人有显著成绩的组织和个人，给予表彰和奖励。

【释义】　本条是关于表彰和奖励的规定。

奖罚分明是中华民族的优良传统，奖励不仅能够鼓励先进、弘扬正气，而且能对平庸者产生激励，对落后者进行鞭策。奖励与处罚并举在我国很多法律中都有体现。

国家奖励，是指各级人民政府和有关部门为了表彰先进、激励后进、充分调动人们的积极性和创造性，依照法定条件和程序，对做出突出贡献、显著成绩或者模范遵纪守法的组织和个人给予物质的或者精神的奖励的一种具体行政行为。国家奖励包括表彰和奖励，表彰主要是精神奖励，如通报表扬、给予荣誉称号，奖励一般是给予一定的奖金、经费等。

实施表彰、奖励的主体是国家行政机关，包括各级人民政府和行政主管部门。在实践中，进行未成年人保护表彰和奖励主要由各地各级未成年人保护办公室联合有关行政主管部门、人大、法院、检察院等部门开展。有些表彰和奖励由团委、律协等社会团体作出，有的由其他社会组织作出。

受表彰和奖励的对象是在开展为成年人保护工作中有显著成绩的组织和个人，其范围是比较广泛的，包括国家机关及其工作人员、社会团体及其工作人员、企事业单位、普通公民等。所谓显著成绩，是指热爱未成年人保护工作，认真执行国家有关未成年人保护法律法规，模范履行职责，具有奉献精神，积极为未成年人办实事、解决难事、做好事，表现突出，工作有成效，社会评价高等。实践中，具体称号有保护未成年人先进集体、保护未成年人先进公民、保护未成年人优秀公民等。

国家在进行表彰和奖励工作时，需要注意一些原则：依法表彰、奖励，实事求是；奖励与受奖行为相当；精神奖励和物质奖励相结合；程序民主、公正、及时等。

第二章　家庭保护

第十条　父母或者其他监护人应当创造良好、和睦的家庭环境，依法履行对未成年人的监护职责和抚养义务。

禁止对未成年人实施家庭暴力，禁止虐待、遗弃未成年人，禁止溺婴和其他残害婴儿的行为，不得歧视女性未成年人或者有残疾的未成年人。

【释义】　本条是关于监护人监护职责、抚养义务以及监护人禁止性行为的规定。

(一)关于和谐的家庭环境

中共十六大通过了《中共中央关于构建社会主义和谐社会若干重大问题的决定》，指出社会和谐是中国特色社会主义的本质属性。家庭是社会的细胞，创造和谐的家庭是人民幸福的重要保证，是社会稳定的基石。家庭、学校、社会在未成年人教育中是相互关联、相互作用、相互制约、缺一不可的有机整体。家庭环境与社会环境相辅相成，对未成年人身心的健康发育成长至关重要。家庭是孩子成长过程中最重要的因素，父母或其他监护人对未成年人心理、性格和人格的影响是决定性的，未成年人的心理和行为往往带着家庭的影子。根据国内外多项调查显示，父母经常吵架、家庭生活不协调的未成年人，特别是父母离婚后生活在单亲家庭的孩子，学习差得多，有心理问题的更多。

家庭环境包括家庭结构、家庭成员之间的关系、家庭生活方式三个方面。其中良好的家庭生活方式包括以下几个方面：(1)树立良好家风；(2)严格规范的家庭生活制度；(3)勤劳节俭的生活作风;(4)整洁的家居环境。

家庭环境对监护人履行监护义务和实施家庭教育起着基础性的作用。和谐的家庭环境能使监护人更好地履行监护义务和有效地实施家庭教育;反之,则很难达到家庭保护的目的。创造良好、和睦的家庭环境,对未成年人的成长是一种积极的助力和催化剂,特别有助于未成年人形成完整健康的人格。

(二)关于监护

1. 监护的概念和作用

监护是指对未成年人和精神病人的人身、财产及其他合法权益进行监督和保护的一项民事法律制度。监督和保护人简称监护人,受到监督和保护的无民事行为能力人和限制民事行为能力人称为被监护人。目前我国的法律中规定的被监护人有两类:一是无行为能力或限制行为能力的未成年人;二是不能辨认自己行为或不能完全辨认自己行为的精神病人。

监护制度其具有如下作用:(1)监护制度使无民事行为能力和限制民事行为能力的公民的民事权利能力得到真正的实现。监护制度赋予监护人代理被监护人进行民事活动的权利,解决了无民事行为能力人和限制民事行为能力人在民事行为能力方面的困难,从而使公民的民事权利能力得以顺利实现。(2)监护制度使无民事行为能力和限制民事行为能力的公民的民事行为能力得到弥补,使其合法的民事权益得到有效的保护。(3)监护制度有利于稳定社会的正常秩序。监护制度要求监护人对无民事行为能力人和限制民事行为能力人加以监督和管束,以防止他们实施违法行为,从而有利于社会秩序的稳定。

2. 未成年人的监护人

未成年人监护人的设定有两种方式:法定监护和指定监护。

(1)法定监护。

法定监护人主要有:

①未成年人的父母是未成年人的监护人。民法通则规定，无民事行为能力人、限制民事行为能力人的监护人是他的法定代理人。未成年人的父母是其自然的监护人，这种监护资格因未成年人的出生而开始。

②夫妻离婚后，孩子的父母仍都是监护人，与子女共同生活的一方无权取消对方对孩子的监护权，但以下情况除外：未与该子女共同生活的一方对该子女有犯罪、虐待行为或者对该子女明显不利的；人民法院认为可以取消监护权的。

③未成年人的父母已经死亡或者没有监护能力的，由下列人员中有监护能力的人担任监护人：祖父母、外祖父母；兄、姐；关系密切的其他亲属、朋友愿意承担监护责任，经未成年人的父、母的所在单位或者未成年人住所地的居民委员会、村民委员会同意的。

(2)指定监护。

指定监护指没有法定监护人，或者对担任监护人有争议的，监护人由有关部门或人民法院指定而设置的监护。民法通则规定，对担任监护人有争议的，由未成年人的父、母的所在单位或者未成年人住所地的居民委员会、村民委员会在近亲属中指定。对指定不服提起诉讼的，由人民法院裁决。

3. 对未成年人的监护职责

根据有关法律和司法解释的规定，监护人应承担的职责是：(1)保护被监护人的身体健康；(2)照顾被监护人的生活；(3)管理和保护被监护人的财产；(4)代理被监护人进行民事活动；(5)对被监护人进行管束和教育；(6)在被监护人合法权益受到侵害或者与人发生争议时，代理其进行诉讼；(7)承担因不履行监护职责致使被监护人实施侵权行为而给他人造成损害的赔偿责任。

监护人应当履行监护职责，保护被监护人的人身、财产及其他合法权益，除为被监护人的利益外，不得处理被监护人的财产。监护人依法履行监护的权利，受法律保护。监护人不履行监护职责或者侵害被监护人的合法权益的,应当承担责任;给被监护人造成财产损失的,应当赔偿损失。人民法院可以根据有关人员或者有关单位的申请,撤销监护人的资格。监护人依法行使监护的权利,受法律保护。监护人依法行使监护权利的,任何组织或个人均无权干涉。如果监护人的合法监护权利遭到不法侵害,监护人有权向人民法院提起诉讼,请求给予必要的法律保护,排除侵害。

(三)对未成年人的抚养义务

宪法规定,父母或者其他监护人有抚养教育未成年子女的义务。抚养是指父母或者其他监护人抚育未成年子女的成长,并为他们的生活、学习提供一定的物质条件的责任。抚养义务与监护职责不同:抚养是一种供养责任,实质内容重在金钱和物质上的供给;监护职责是一种监督保护责任,其实质内容是对被监护人的人身权利的保护、合法财产的保管、民事行为的代理等。

按照抚养主体的不同并根据婚姻法和有关司法解释,可以将抚养分为三类:

1. 父母抚养。父母对子女有抚养教育的义务。父母不履行抚养义务时,未成年的或不能独立生活的子女,有要求父母给付抚养费的权利。抚养费,包括子女生活费、教育费、医疗费等费用。父母抚养有几种特殊情况:(1)继父或继母和受其抚养教育的继子女间的权利和义务,适用对父母子女关系的有关规定。(2)非婚生子女的抚养。非婚生子女享有与婚生子女同等的权利。不直接抚养非婚生子女的生父或生母,应当负担子女的生活费和教育费,直至子女能独立生活为止。(3)离婚后,父母对于子女仍有抚养和教育的权利和义务。离婚后,哺乳期内的子女,以随哺乳的母亲抚养为原则。哺乳期后的子女,如双方因抚养问题发生争执不能达成协议时,由人民法院根据子女的权益和双方的具体情况判决。离婚后,一方抚养子女的,另一方应负担必要的生活费和教育费的一部分或全部,负担费用的多少和期限的长短由双方协议;协议不成时,由人民法院判决。

2. 有负担能力的祖父母、外祖父母,对于父母已经死亡或父母无力抚养的未成年的孙子女、外孙子女,有抚养的义务。

3. 有负担能力的兄、姐,对于父母已经死亡或父母无力抚养的未成年的弟、妹,有扶养的义务。由兄、姐扶养长大的有负担能力的弟、妹,对于缺乏劳动能力又缺乏生活来源的兄、姐,有扶养的义务。

(四)关于监护人的禁止性行为

父母或者其他监护人依法履行对未成年人的监护职责和抚养义务时,禁止实施以下行为:

1. 家庭暴力。

最高人民法院在《关于适用〈中华人民共和国婚姻法〉若干问题的解释(一)》中明确规定:家庭暴力是指行为人以殴打、捆绑、残害、强行限制人身自由或者其他手段,给其家庭成员的身体、精神等方面造成一定伤害后果的行为。近年来,家长打伤、打死孩子的问题开始凸显。一项对6省市数千名青少年进行的调查显示,受访者童年时遭受的躯体、情感伤害,来自父母的约占26%。全国妇联两条妇女维权热线接到的来电中,反映儿童遭受家庭暴力的来电占所有有关家庭暴力来电的5.4%。因家庭暴力导致未成年人离家出走、犯罪已成为一个令人担忧的社会现象。

对未成年人实施的家庭暴力有以下特点:(1)社会容忍度高。受"孩子不打不成器""棒打出孝子"等传统思想的影响,许多人认为父母打孩子是正常的教育方式。(2)行为的隐蔽性。家庭暴力发生在家庭中,仅涉及未成年人子女,一般不与外人发生关系,很少被外人知晓。未成年人心智尚不成熟,并与施暴者存在紧密的亲情、经济联系,一般不愿意公开。(3)过程的反复性。一般来说,家庭暴力从第一次发生后,便往往持续发生。(4)后果的不确定性。家庭暴力的后果有轻有重,危害程度不一。较轻的有罚站、扇巴掌等,重的可能导致重伤或死亡。

妇女权益保障法规定,对妇女实施性骚扰或者家庭暴力,构成违反治安管理行为的,受害人可以提请公安机关对违法行为人依法给予行政处罚,也可以依法向人民法院提起民事诉讼。婚姻法规定,实施家庭暴力或虐待家庭成员,受害人有权提出请求,居民委员会、村民委员会以及所在单位应当予以劝阻、调解。对正在实施的家庭暴力,受害人有权提出请求,居民委员会、村民委员会应当予以劝阻;公安机关应当予以制止。实施家庭暴力,受害人提出请求的,公安机关应当依照治安管理处罚的法律规定予以行政处罚。对实施家庭暴力构成犯罪的,依法追究刑事责任。

目前,全国县级以上政府都成立了维护妇女儿童权益的专门性政府机构——妇女儿童工作委员会。国家将反家庭暴力列为精神文明建设中“文明城市”创建的考核指标,许多地方政府把它作为社会治安综合治理的重要内容,纳入各地“平安建设”的体系当中。全国妇联、中央综治办、公安部、司法部、共青团中央、国家新闻出版总署共同开展的“平安家庭”创建活动把家庭无暴力列为一项重要目标。全国大部分省、自治区、直辖市的公安厅建立了“110”反家庭暴力报警中心,有 12000 多个派出所、社区警务室挂牌成立维权投诉站或反家庭暴力投诉报警点。

2. 虐待、遗弃。

(1)我国宪法规定,禁止虐待老人、妇女和儿童。1999 年世界卫生组织(WHO)对虐待儿童的描述如下:虐待儿童指对儿童有义务抚养、监督及有操纵权的人,做出的足以对儿童的健康、生存、生长发育及尊严造成实际的,或潜在的伤害行为,包括各种形式的躯体和(或)情感虐待、性虐待、忽视及对其进行经济性剥削。该定义从三个方面作出限定:①施虐者与受虐儿童之间有密切的人际关系;②指出虐待的严重程度标准;③描述虐待儿童的类型即言语虐待、躯体虐待、情感虐待、忽视、性虐待(包括强迫卖淫)等。我国《最高人民法院关于适用〈中华人民共和国婚姻法〉若干问题的解释(一)》中规定,持续性、经常性的家庭暴力,构成虐待。

婚姻法有关虐待家庭成员的法律责任和实施家庭暴力的法律责任相同。治安管理处罚法规定,虐待家庭成员,被虐待人要求处理的,处5日以下拘留或者警告。刑法规定,虐待家庭成员,情节恶劣的,处2年以下有期徒刑、拘役或者管制。犯该罪,致使被害人重伤、死亡的,处2年以上7年以下有期徒刑。虐待罪,告诉的才处理。

(2)遗弃是指对于年老、年幼、患病或者其他没有独立生活能力的家庭成员,负有赡养、抚养、扶养义务而拒不履行法定义务的行为。遗弃是以不作为的方式出现的,即应为而不为,致使家庭成员的合法权益遭受侵害。

婚姻法规定,对遗弃家庭成员,受害人有权提出请求,居民委员会、村民委员会以及所在单位应当予以劝阻、调解。对遗弃家庭成员,受害人提出请求的,人民法院应当依法作出支付扶养费、抚养费、赡养费的判决。治安管理处罚法规定,遗弃没有独立生活能力的被扶养人的,处5日以下拘留或者警告。刑法规定,构成遗弃罪的,依法应处5年以下有期徒刑、拘役或者管制。

3. 溺婴和其他残害婴儿的行为。

婚姻法规定,禁止溺婴、弃婴和其他残害婴儿的行为。溺婴泛指一切剥夺婴儿生命的行为。溺婴不仅仅指父母用水溺杀自己的婴儿的行为,用手扼死、用绳索勒死、活埋、闷死、饿死或冻死等行为都属于溺婴。溺婴构成犯罪的,按照刑法中有关故意杀人罪的规定追究刑事责任。对行为人处死刑、无期徒刑或者10年以上有期徒刑;情节较轻的,处3年以上10年以下有期徒刑。

其他残害婴儿的行为,包括伤害等,依法应受到处罚。

4. 歧视。

本法规定,未成年人不分性别、民族、种族、家庭财产状况、宗教信仰等,依法平等地享有权利。《公民权利和政治权利国际公约》规定,每一儿童应有权享受家庭、社会和国家为其未成年地位给予的必要保护措施,不因种族、肤色、性别、语言、宗教、国籍或社会出身、财产或出生而受任何歧视。

我国宪法规定,中华人民共和国妇女在政治的、经济的、文化的、社会的和家庭的生活等各方面享有同男子平等的权利。《消除对妇女一切形式歧视公约》中规定,“对妇女的歧视”是指基于性别而做的任何区别、排除和限制其作用或目的是要妨碍或破坏对在政治、经济、社会、文化、公民或任何其他方面的人权和基本自由的承认以及妇女(不论已婚未婚)在男女平等的基础上享有或行使这些人权和基本自由。因此,不得歧视女性未成年人。

我国残疾人保障法规定:残疾人在政治、经济、文化、社会和家庭生活等方面享有同其他公民平等的权利;残疾人的公民权利和人格尊严受法律保护;禁止歧视、侮辱、侵害残疾人。因此,不得歧视有残疾的未成年人。

第十一条　父母或者其他监护人应当关注未成年人的生理、心理状况和行为习惯,以健康的思想、良好的品行和适当的方法教育和影响未成年人,引导未成年人进行有益身心健康的活动,预防和制止未成年人吸烟、酗酒、流浪、沉迷网络以及赌博、吸毒、卖淫等行为。

【释义】 本条是关于家庭教育的规定。

(一)关于家庭教育的概念、意义、基本原则和特点

家庭教育,是指在家庭生活中,由父母或者其他监护人自觉地、有意识地根据社会需求和未成年人身心发展特点,通过自己的言传身教和家庭生活实践,对未成年人施以一定教育影响的社会活动。

家庭是社会的细胞,是人才成长的摇篮。家庭是孩子的第一

所学校,父母是孩子的第一任教师,无论从家庭教育的内容来看,还是从家庭教育与学校教育、社会教育的关系来看,家庭教育在整个教育中都起着十分重要的作用。未成年人在独立生活之前约有三分之二的时间在家庭中度过,他们的生活习惯、性格、道德品质及基本的行为方式的形成受家庭环境的影响最大。从社会学角度看,家庭教育是人类从自然的人发展为社会的人,实现人类社会化的必由之路。从教育学角度看,家庭教育对于人的德智体美劳等各种素质的形成和发展起着全面的作用,尤其对于人的思想品德及个性的形成和发展,起着“形塑”的决定性作用。

家庭教育基本原则是:(1)成才教育与成人教育并举的原则;(2)尊重爱护与严格要求互动的原则;(3)潜移默化与言传身教同行的原则;(4)强化教育和因材施教协同的原则。

家庭教育的特点:(1)感受的早期性。未成年人的认知、情感、行为培养以及日后的能力形成,从出生那一天甚至更早便在家庭中默默进行着。早期的家庭教育,为子女日后的健康成长奠定初步基础。(2)潜移默化性。一方面家庭教育注重身教。身教是一种感染力大、说服力强的无声之教。另一方面家庭教育不具有严格的目的性、计划性和系统性。人们只是在一个具有多种内容和功能的综合空间内接受教育、训练和影响,从中受到多方面的熏陶浸染。(3)亲情的感染性。孩子的生命是父母给予的,孩子赖以生存、生活的物质、精神条件也是父母提供的,孩子的每一步成长都凝结着父母的心血和辛劳,孩子与父母之间有着最紧密的情感关系。这种情感在教育过程中有巨大的感化作用,即使逻辑性、说服力很强的语言也难以比拟。(4)方法的灵活性。正所谓相机而教,家庭教育一般没有固定的模式和内容,也不受时间、地点、条件的种种限制,可以在娱乐、休闲、走亲访友、家务劳动等一切可能利用的机会中进行。(5)家庭教育的全程性。全程性指家庭对未成年人子女成长发展的全过程施加一定的教育影响。因此,中外的教育理论都将家庭教育视为启蒙或起步教育，而且视为终身教育。(6)连续性。学校教育中，每个老师、每一所学校都有自己的教育特点，在不同的年级之间、各学科之间，也往往不统一。家庭教育则不然，孩子十几年都在父母跟前受教育，前后容易衔接，教法统一。许多家庭还有数代人延续下来的良好家风，对子女的成长和发展很有利。

(二)关于实施家庭教育的前提条件

实施家庭教育的前提条件包括三个方面：(1)关注未成年人的生理、心理状况和行为习惯。未成年人生长期大致包括以下几个阶段：新生儿期、婴儿期、先童年期、童年早期、童年中期、少年期(童年后期)、青年初期。未成年人具有显著的生理、心理特征和行为习惯。只有掌握了未成年人的特殊性，才能真正做到因材施教。(2)父母或者其他监护人要有健康的思想、良好的品行。监护人应以身作则，正人先正己，注重言传和身教。(3)家庭教育要采取适当的方法。虽然家庭教育的方法相对于学校教育更加灵活多样，有相机而教的特点，但仍然有一定的模式可以遵循。父母或其他监护人应当根据未成年人的生理、心理状况和行为习惯找到适合未成年人的家庭教育方法。归纳起来，家庭教育的方法可以包括：环境熏陶法、说服教育法、模仿榜样法、挫折磨炼法、行为训练法、鼓励启示法、表扬奖励法、批评惩罚法、社会实践法等。

(三)关于家庭教育的内容

家庭教育首先是德育。德育是家庭教育中最重要的内容。2004年《中共中央国务院关于进一步加强和改进未成年人思想道德建设的若干意见》指出，未成年人思想道德建设的主要任务是：(1)从增强爱国情感做起，弘扬和培育以爱国主义为核心的伟大民族精神。深入进行中华民族优良传统教育和中国革命传统教育、中国历史特别是近现代史教育，引导广大未成年人认识中华民族的历史和传统，了解近代以来中华民族的深重灾难和中国人民进行的英勇斗争，从小树立民族自尊心、自信心和自豪感。(2)从确立远大志向做起，树立和培育正确的理想信念。进行中国革命、建设和改革开放的历史教育与国情教育，引导广大未成年人正确认识社会发展规律，正确认识国家的前途和命运，把个人的成长进步同中国特色社会主义伟大事业、祖国的繁荣富强紧密联系在一起，为担负起建设祖国、振兴中华的光荣使命做好准备。(3)从规范行为习惯做起，培养良好道德品质和文明行为。大力普及"爱国守法、明礼诚信、团结友善、勤俭自强、敬业奉献"的基本道德规范，积极倡导集体主义精神和社会主义人道主义精神，引导广大未成年人牢固树立心中有祖国、心中有集体、心中有他人的意识，懂得为人做事的基本道理，具备文明生活的基本素养，学会处理人与人、人与社会、人与自然等基本关系。(4)从提高基本素质做起，促进未成年人的全面发展。努力培育未成年人的劳动意识、创造意识、效率意识、环境意识和进取精神、科学精神以及民主法制观念，增强他们的动手能力、自主能力和自我保护能力，引导未成年人保持蓬勃朝气、旺盛活力和昂扬向上的精神状态，激励他们勤奋学习、大胆实践、勇于创造，使他们的思想道德素质、科学文化素质和健康素质得到全面提高。

其他家庭教育的内容还包括智育、体育、美育和劳动教育。家庭应对未成年人提倡爱祖国、爱人民、爱劳动、爱科学、爱社会主义的公德，反对资本主义的、封建主义的和其他的腐朽思想的侵蚀，把未成年人培养成德智体美劳全面发展的有用之才。

(四)关于预防和制止未成年人不良行为、严重不良行为及其他失当行为

教育基本功能之一是预防。家庭教育要对未成年人不良行为、严重不良行为及其他失当行为进行预防。

预防未成年人犯罪法规定了九种不良行为：(1)旷课、夜不归宿；(2)携带管制刀具；(3)打架斗殴、辱骂他人；(4)强行向他人索

要财物；（5）偷窃、故意毁坏财物；（6）参与赌博或者变相赌博；（7）观看、收听色情、淫秽的音像制品、读物等；（8）进入法律、法规规定未成年人不适宜进入的营业性歌舞厅等场所；（9）其他严重违背社会公德的不良行为。

预防未成年人犯罪法规定了九种严重不良行为：（1）纠集他人结伙滋事，扰乱治安；（2）携带管制刀具，屡教不改；（3）多次拦截殴打他人或者强行索要他人财物；（4）传播淫秽的读物或者音像制品等；（5）进行淫乱或者色情、卖淫活动；（6）多次偷窃；（7）参与赌博，屡教不改；（8）吸食、注射毒品；（9）其他严重危害社会的行为。

其他需要预防的未成年人的失当行为包括流浪、沉迷网络等。

（五）家庭教育的误区

目前未成年人家庭教育中仍然存在诸多问题，主要有以下几个方面：

1. 孩子是家庭的中心。在许多家庭，孩子是这个家庭里的中心，有的甚至是绝对的中心，一切都为了孩子，一切都为了满足孩子的要求。这样教育出的孩子容易缺乏家庭伦理观念。

2. 不打不成才。许多家长认为，棍棒底下出孝子，不打不成才。家长教育孩子的态度生硬、言语粗鲁、缺乏感情，甚至挖苦、打骂孩子，损伤孩子的自尊心。由于家长的严厉教育方式，往往造成孩子性格压抑、心理自卑、胆小怕事、缺乏自信。

3. 冷漠。在不少家庭里，孩子犯了错，家长往往采取不理不睬的方式来对待，有的甚至一个星期甚至十几天都不与孩子说话。

4. "望子成龙"和"望女成凤"。家长为了让孩子以后"出人头地"，强迫孩子学习各种技能，忽视未成年人的年龄和智力水平，一味地"拔苗助长"，结果过犹不及。

5. 事事包办。独生子女在家庭中的特殊地位，很可能导致部分家长对孩子过分溺爱，事无巨细，包办代替。这样做的结果,不仅不能使孩子受到教益,反而滋长了孩子的依赖心理和惰性心态,把孩子娇惯成缺乏自信甚至骄横自私的人,使家庭教育无法实施。

6. 百般袒护犯错的孩子。家长对于孩子的错误总是百般袒护,为孩子开脱。面对来自别人的批评,家长不从自己孩子身上找原因,也不帮助孩子纠正错误。这样培养出的孩子容易缺乏责任感。

7. 家长教育孩子的态度不一致,宽严尺度不一,导致父母一方管、一方宠。这种教育方式容易造成孩子是非不清、莫衷一是,同时也会使父母在子女心目中的威信降低。

8. 放任自流。这一类家庭把教育孩子的主要责任推给学校,对孩子在校表现不管不问。这些家庭中的孩子,在放学以后无所去处,很容易和社会上一些有不良行为的少年混在一起,从而成为问题少年,甚至走向违法犯罪的道路。

家庭教育的观念应与时俱进,改变陈旧的观念,树立新的观念。家庭教育应当由经验育人向科学育人转变,由片面注重书本知识向注重教孩子怎样正确做人转变,由简单命令向平等沟通转变,发挥家庭教育的优势,克服家庭教育的局限性,使家庭教育真正发挥应有的作用,为提高全民族整体素质打下坚实基础。

第十二条　父母或者其他监护人应当学习家庭教育知识,正确履行监护职责,抚养教育未成年人。

有关国家机关和社会组织应当为未成年人的父母或者其他监护人提供家庭教育指导。

【释义】 本条是关于父母或者其他监护人应当学习家庭教育知识和有关国家机关和社会组织提供家庭教育指导的规定。

(一)关于父母或者其他监护人应当学习家庭教育知识

科学研究表明,家庭对孩子的影响程度,尤其是非智力因素培养,是超过集体教育机构的。也就是说,社会环境相同,学校环境相同,学生年龄相同,由于所受家庭教育不同,其结果就会不同。专家们认为,其原因主要是家长的素质不同,从而造成孩子智力因素与非智力因素的差异。长期以来,我们的社会一直十分重视教师素质的提高,但是,孩子生活中最重要的人,也是对孩子的第一任教师和终身教师——父母,却缺少专门培训,因而在我国的家庭教育中存在许多薄弱环节。

有一份关于中、美、日三国孩子的调查材料,内容是比较父母在孩子心目中的位置。调查结果显示,美、日两国中学生在所佩服的人物中,前几位必有一位是父亲或母亲,而中国在回答自己"所推崇的榜样"问题时,大多数中学生把父母排除在前几位之外。此次调查得出的结论是:中国的家庭教育与他国相较并不成功。开封市教育科学研究所在中小学中进行的"我心目中的爸爸妈妈"的调查显示,孩子们评议家长的不良行为有三种:一是只图自己享乐,不关心孩子;二是心胸狭窄,处事不公;三是缺乏教养,不讲公德。家长对孩子影响最坏的行为有:夫妻吵架,互不相容;公共场所,不拘小节;邻里相处,举措失当;怀疑一切,不满社会。

当前,我国许多家庭教育中都存在问题,只有通过加强对家长的教育,帮助他们提高对家庭教育的认识,促使他们掌握家庭教育的基本理论和基础知识,才能从根本上解决这一问题。家长对孩子进行家庭教育,是一种专门知识,而且这种专门知识又因为社会时尚的变化而不断变化,不断被注入新的内容。要想教育好孩子,关键在于提高家长的自身素质,提高家庭教育的水平。

只有通过学习各种家庭教育知识,才能成为合格的家长。合格的家长应具备以下素质:(1)良好的道德修养,事事处处发挥榜样作用。家长首先自己能够做到,凡事都为孩子做出表率,用榜样和人格的力量教育孩子。(2)掌握一定的科学文化知识。家长应学习一些生理学、心理学和教育学的有关知识,结合孩子的实际情况加以灵活运用。(3)科学的教育方式。要爱之有度,要热情耐心,要鼓励帮助,要严格要求。(4)树立正确的成才观。把孩子培养成什么样的人,是家长必须正确对待的问题。“望子成龙”“望女成凤”是每一位家长美好的意愿,但更应关注未成年人的生理、心理状况和行为习惯,以健康的思想、良好的品行和适当的方法教育和影响未成年人,引导未成年人进行有益身心健康的活动。家长应以素质教育的思想培养孩子,即要教孩子会做人、会求知、会做事、会创造、会健体、会劳动。(5)做到家庭教育与学校教育的和谐统一。家庭教育和学校教育是教育孩子的两个不同的教育环境,内容和方式有很大差别,但其最终目的是一致的。家长在进行家庭教育的同时,要及时了解孩子在学校的生活、学习等方面的表现,认真听取老师对孩子各方面的评价,并认真如实地向老师介绍孩子在家庭中的表现,帮助老师全面了解孩子。这样家庭、学校双方及时沟通,有利于做好孩子的教育工作。

(二)关于家庭教育指导

家庭教育指导是提高广大家长自身素质和家庭教育水平的一种成人教育,是终身教育的一部分。家庭教育指导工作是社会主义精神文明建设和实施素质教育的重要组成部分。家庭教育指导的主体是有关国家机关和社会组织。家庭教育指导的对象是未成年人的父母及其他监护人。

2004 年《中共中央国务院关于进一步加强和改进未成年人思想道德建设的若干意见》指出,家庭教育在未成年人思想道德建设中具有特殊重要的作用,要重视和发展家庭教育,把家庭教育与学校教育、社会教育紧密结合起来,并明确要求各级妇联组织、教育行政部门和中小学校要切实担负起指导和推进家庭教育的重要责任。

全国妇联、教育部 2004 年《关于进一步加强家庭教育工作的意见》中指出,家庭教育工作的主要任务:一是教育和引导家长更新家庭教育观念,树立为国教子、以德育人的思想,改变重智轻德、重知轻能的倾向,重视子女思想品德教育,促进子女全面发展;二是教育和引导家长掌握科学教子知识,实现教育角色和教育方式的转变,从单纯教育者转变为共同学习者,由单向灌输转变为双向互动,增强家庭教育的针对性、科学性和有效性;三是教育和引导家长加强自我约束,重视言传身教,以自身良好的品德修养、行为习惯影响子女,努力建立民主平等和睦的家庭关系,为子女健康成长营造良好的家庭环境;四是教育和引导家长拓展家庭教育空间,支持子女参加社会实践,主动配合学校教育、社会教育,促进"三教"结合,实现家庭教育由封闭型向开放型转变。

家庭教育指导要以人的发展为本,遵循孩子身心发展的规律、家庭教育规律,满足家长自身的需求和社会发展的要求,进行整体规划、全面实施。家庭教育指导应遵循下列原则:

1. 方向性原则。家庭教育指导应与国家的教育方针和全面推进素质教育的目标相一致,有利于培养有理想、有道德、有文化、有纪律的社会主义建设者和接班人。

2. 家长主体原则。指导者应尊重家长,确立为家长服务的观念,调动家长参与的积极性,发挥家长在指导过程中的主体作用。指导者应鼓励家长根据家庭的特点,结合孩子的实际情况,选择家庭教育的内容和方法,提高指导的针对性和实效性。

3. 双向互动原则。家庭教育是家长与孩子互动的过程;家庭教育指导是指导者与家长、指导者与孩子、家长与家长互动的过程,是家长自我教育的过程。要努力创设指导者与家长、家长与家长之间互相学习、家长与孩子双向沟通的环境与条件。

4. 分类分层指导原则。按照家庭教育总体目标,确定不同学龄段孩子家长和不同类型家长的指导内容和要求,形成分类指导、分层递进的指导工作体系。

5. 整体性原则。家庭教育指导是一项社会系统工程,要坚持学校、家庭、社会合力实施的整体性；坚持素质教育贯穿人的一生，与创建学习型家庭和推行终身教育相结合；充分利用社区、大众传媒的资源优势，形成全社会重视家庭教育的整体氛围。

推进家庭教育指导的重点工作主要有：

1. 制订全国家庭教育工作计划。

2. 加强骨干培训。通过培训，壮大家庭教育专家队伍、讲师团队伍、宣传工作队伍、专职工作者队伍和社区志愿者队伍，更好地发挥他们在传播家庭教育知识、提高家庭教育水平中的示范、辐射和带动作用。例如，辽宁省鞍山市教育局、市妇联在引进中国家长教育工程后，尝试着在教师、家长和孩子三者之外，增加了一个重要角色——“家庭教育成长顾问”，使之参与到家庭教育环节之中，指导家长科学教子。百名家庭成长顾问团成立后，开展了系列活动，有针对性的服务家庭5000户，取得了很好的效果。

3. 推进宣传实践。因地制宜开展“争做合格家长、培养合格人才”家庭教育宣传实践活动，上下联动，在全国实施“六个一”工程：喊响一个“为国教子、以德育人”口号；推出一批家庭道德教育丛书；组建一批家庭教育讲师团；培训一批家庭教育工作骨干；发展一批示范家长学校；表彰一批家庭教育先进典型。把这项活动与评选文明职工、创建学习型家庭、五好文明家庭、小公民道德建设等活动有机结合，通过宣传实践活动，扩大家庭教育工作覆盖面，营造人人关心、重视、支持家庭教育的舆论氛围。目前，已经形成了一些成功的经验：教育部等9部委联合开展了“争做合格家长、培养合格人才”家庭教育宣传活动；宁夏回族自治区妇联把“双合格”活动与“创建学习型家庭”“母亲素质工程”紧密结合起来，互相促进，开展了“百万家庭读好书”“家庭教育知识竞赛”“家庭读书有奖征文”“年轻妈妈读书演讲比赛”“千家万户治家格言”征文等活动；江西省宜春市妇联充分利用家教格言的特点，在全市范围广泛开展家教格言进万家活动，使先进的家教哲理走进千家万户。

4.大力发展家长学校。《中国妇女发展纲要(2001—2010年)》指出,要提高家庭教育水平。建立多元化的家长学校办学体制,增加各种家长学校的数量。提高儿童家长家庭教育知识的知晓率。开办家长学校的目的,是把家庭教育的科学知识和方法传授给家长。它的主要任务有:向家长宣传党和政府的有关教育工作的政策和方针;传授教育孩子的科学知识和一般教育理论;交流探讨教育子女的经验和方法;帮助家长了解学校的教改情况和教育意图;认识教育子女是公民应尽的义务和责任;为子女树立良好的榜样,等等。截至2004年全国有各种家长学校32万余所,初步形成了覆盖全国的家庭教育网络。

第十三条　父母或者其他监护人应当尊重未成年人受教育的权利,必须使适龄未成年人依法入学接受并完成义务教育,不得使接受义务教育的未成年人辍学。

【释义】　本条是关于父母或者其他监护人应当尊重未成年人受教育的权利的规定。

(一)关于家庭应尊重未成年人受教育的权利

受教育是社会与个人的共同要求,在法律上表现为权利与义务的统一。受教育权是指公民依法享有的要求提供平等的受教育条件和机会,通过学习来发展个性、才智和身心能力,以获得平等的生存和发展机会的基本权利。受教育权的根本目的是发展人的个性、才智和身心健康。受教育权的主体是所有公民。

受教育权既是《世界人权宣言》、《经济、社会和文化权利国际公约》等国际法文件确认和保障的一项重要的社会基本权利,也是大多数国家宪法规定的宪法权利。我国宪法规定,中华人民共和国公民有受教育的权利和义务,国家培养青年、少年、儿童在品德、智力、体质等方面全面发展。本法规定,未成年人享有受教育权，国家、社会、学校和家庭尊重和保障未成年人的受教育利。

具体而言，未成年人受教育的权利包括三个方面：

1. 学习机会权。这是指未成年人有权通过学习获得生存与发展能力的可能性空间，是接受任何等级教育的起点、资格或身份。学习机会权具体有三项内容：(1)入学机会权；(2)受教育的选择权；(3)学生身份权(学籍权)。

2. 学习条件权。

3. 学习成功权。

使适龄未成年人接受教育是父母或者其他监护人监护义务中的一项重要内容。

(二)家庭保障义务教育权利的实现

义务教育法规定，国家实行九年义务教育制度。义务教育是国家统一实施的所有适龄儿童、少年必须接受的教育，是国家必须予以保障的公益性事业。实施义务教育，不收学费、杂费。凡具有中华人民共和国国籍的适龄儿童、少年，不分性别、民族、种族、家庭财产状况、宗教信仰等，依法享有平等接受义务教育的权利，并履行接受义务教育的义务。适龄儿童、少年的父母或者其他法定监护人应当依法保证其按时入学接受并完成义务教育。据此，父母或者其他监护人对其适龄的被监护人的义务教育权利的保障负有基本的义务。

1. 为入学提供保障

义务教育法规定，凡年满6周岁的儿童，其父母或者其他法定监护人应当送其入学接受并完成义务教育；条件不具备的地区的儿童，可以推迟到7周岁。适龄儿童、少年因身体状况需要延缓入学或者休学的，其父母或者其他法定监护人应当提出申请，由当地乡镇人民政府或者县级人民政府教育行政部门批准。适龄儿童、少年的父母或者其他法定监护人无正当理由未依照本法规定送适龄儿童、少年入学接受义务教育的，由当地乡镇人民政府或者县级人民政府教育行政部门给予批评教育,责令限期改正。

教育部2005年全国教育事业发展统计公报中的数据显示:小学学龄儿童入学率达到99.15%,其中男女童入学率分别为99.16%和99.14%,男女入学率性别差为0.02个百分点。初中阶段毛入学率95%,比上年提高0.9个百分点。根据中国残疾人联合会提供的数据,残疾儿童少年义务教育入学率远低于健全儿童少年,其中盲童入学率更低。根据上述数据,虽然我国的入学率很高,而且稳步增长,但仍有少数适龄儿童没有接受义务教育。父母或者其他法定监护人责无旁贷,应从长远出发,为了适龄未成年人的未来着想,送其入学,争取做到"一个都不能少"。

2. 为完成学业提供保障

义务教育是一个入学—学习—毕业的完整过程,父母或者其他监护人保障适龄未成年人受教育权的义务必须在全部过程中得到体现。

教育部2005年全国教育事业发展统计公报中的数据显示:2005年全国小学在校生人数10864.07万人,比上一年减少381.04万人。小学总辍学率为0.45%,在女学生中女童的辍学率为0.47%。全国初中在校生6214.94万人,比上年减少312.57万人。初中阶段辍学率为2.62%,女生辍学率为2.31%。我国城乡发展、地区发展不均衡,辍学率各地也有较大差异。另有数据显示,我国农村普及九年义务教育总体水平比城市低,已经"普九"的部分农村初中生辍学率居高不下,一些省、自治区农村初中生辍学率在5%以上,个别地区达15%左右。

农村学生的大量辍学所带来的负面影响不可低估。即使每年初中生辍学率控制在国家规定的3%,全国一年也有100多万人辍学。中小学生辍学率居高不下,已成为农村教育走不出困境的主要原因。这将对我国实施科教兴国战略,全面建设小康社会产生不利影响。

从家庭方面来看，造成接受义务教育的未成年人辍学的原因有：(1)重男轻女。我国农村的失学儿童中多为女生。重男轻女在我国已经成为严重的社会问题，女生辍学率远高于男生只是其中的一种表现。(2)农村地区义务教育私人成本上升，家庭经济负担加重。有11%的学生辍学是由于家庭贫困，他们的家庭年均纯收入都在800元以下，生活环境和居住条件都比较差，一家人的正常生活只能勉强维持，根本没有能力送子女入学。(3)家庭结构。有7%的辍学学生家庭是单亲家庭、父母双亡或父母再婚家庭，这类家庭容易在子女的教育责任方面形成空当。(4)家长认识上的偏差。部分家长认为未成年人"读书无用"，认点字、能记账就行了，没文化一样挣钱。他们只顾眼前利益，不顾子女的身心健康和长远发展，让子女过早的务农务工。

义务教育对父母或者其他监护人来说是一种法定义务。父母或者其他监护人必须保证适龄未成年人完成义务教育。因此，这就要求父母或者其他监护人做到以下两点：

1. 为适龄未成年人提供接受义务教育的物质保障

党中央、国务院为从根本上解决"三农"问题、促进农村义务教育持续健康发展，对农村义务教育阶段贫困家庭学生实行"两免一补"政策，即免杂费、免课本费、补助寄宿生生活费。这在很大程度上减轻了贫困家庭教育支出的压力。父母或者其他监护人应在免杂费、免课本费、补助寄宿生生活费之外为适龄未成年人提供完成义务教育所需的充足物质保障。

2. 转变观念

破除"重男轻女""读书无用"等落后思想，着眼于适龄未成年人德智体等的全面发展，使他们成为有理想、有道德、有文化、有纪律的社会主义建设者和接班人。

第十四条　父母或者其他监护人应当根据未成年人的年龄和

智力发展状况，在做出与未成年人权益有关的决定时告知其本人，并听取他们的意见。

【释义】 本条是关于父母或者其他监护人在做出与未成年人权益有关的决定时应当尊重未成年人知情权的规定。

（一）关于父母或者其他监护人的决定权

本法规定，父母或者其他监护人应当依法履行对未成年人的监护职责和抚养义务。父母或者其他监护人应承担七项监护职责：(1)保护被监护人的身体健康；(2)照顾被监护人的生活；(3)管理和保护被监护人的财产；(4)代理被监护人进行民事活动；(5)对被监护人进行管束和教育；(6)在被监护人合法权益受到侵害或者与人发生争议时，代理其进行诉讼；(7)承担因不履行监护职责致使被监护人实施侵权行为而给他人造成损害的赔偿责任。因为要承担这七项监护职责，所以父母或者其他监护人必然要做出与未成年人权益有关的决定。这种决定权实质上是监护权的具体体现，归纳起来有两个方面：一是无民事行为能力或限制行为能力的未成年人在从事民事活动、诉讼时要由其父母或者其他监护人全部或部分代理；二是父母或者其他监护人在对未成年人进行监督、教育和保护时要尽职尽责，选取妥善方案。

父母或者其他监护人在行使监护权时，要正确处理家长决定权与未成年人自身独立性的关系，并不是未成年人的所有活动都需由监护人代理：

1. 根据民法通则的规定，不满10周岁的未成年人是无民事行为能力人，由他的法定代理人代理民事活动。10周岁以上的未成年人是限制行为能力人，可以进行与他的年龄、智力相适应的民事活动；其他民事活动由他的法定代理人代理，或者征得他的法定代理人的同意。可见10周岁以上的未成年人可以从事部分民事行为。

2. 一些非民事活动，在不违反法律规定，符合公序良俗，与其年龄、智力相适应的前提下，未成年人也可以从事。

（二）关于未成年人的知情权

履行监护职责以尊重未成年人权利为基础。父母或其他监护人应当充分意识到未成年人与自己在法律面前是平等的，行使监护权时应当尊重未成年人的主体地位，把握未成年人成长的规律，调动未成年人的主观能动性和积极性。父母或其他监护人应充分尊重未成年人的知情权。

未成年人的知情权是指未成年人寻求、接受与自身权益有关的消息的自由。未成年人享有知情权的前提条件包括两个方面：

1. 是否与未成年人年龄、智力状况相适应。这可以从三个方面认定：（1）与未成年人生活相关联的程度；（2）未成年人的智力能力能否理解，并预见相应的后果；（3）标的数额等方面。

2. 是否与未成年人权益有关。只有决定涉及未成年人的人身、财产或其他合法权益时，未成年人才享有知情权。

中国的家长制的形成和发展有两千多年的历史，在此基础上形成的“三纲”“五常”的封建礼教也是古代中国的主要伦理观念，其对中国社会产生了广泛而深远的影响。迄今为止，仍有许多中国家庭或多或少保留着家长制的形式。家长制使家长在家庭中享有专制权，主要表现在经济专制、思想专制、尊卑等级关系、家规家法等几个方面。在当今社会，我们必须立足于和谐家庭的基本思想，重新构建家长与子女的关系。父母或其他监护人履行监护职责应以尊重未成年人权利为基础，父母或其他监护人应当充分意识到未成年人与自己在法律面前是平等的。通过让未成年人享有知情权，塑造他们独立的人格并促进家庭关系的和谐与稳定。

监护人忽视未成年人的知情权，包办一切，会产生许多负面影响，如子女容易产生依赖心理。依赖是心理断乳期的最大障碍。依赖心理主要表现在没有主见、缺乏自信、处事优柔寡断，遇事希望父母或师长为自己做决定。依赖性强的学生喜欢和独立性强的同学交朋友,希望在他们那里找到依靠,找到寄托。具有依赖性格的未成年人,如果得不到及时纠正,发展下去有可能形成依赖型人格障碍。他们往往内心缺乏安全感,时常感到恐惧、焦虑、担心,很容易产生焦虑和抑郁等情绪反应,影响身心健康。对子女过度专制的家长一味否定孩子的思想,时间一长,孩子容易形成"父母对,自己错"的思维模式,走上社会也觉得"别人对,自己错",造成社会适应期的"水土不服"。这种教育方式剥夺了子女独立思考、独立行动、增长能力、增长经验的机会,妨碍了子女独立性的发展。

(三)关于监护人和未成年人之间的有效沟通

沟通是人与人之间传递信息的重要方式,它可以减少冲突与误会,并能增进彼此的感情。为了提高沟通的有效性,父母或其他监护人应做到以下几点:(1)平等对待。破除家长制父母专权的旧观念,应把未成年人看成是法律地位平等的主体。(2)开诚布公。根据未成年人的年龄和智力发展状况,知无不言,言无不尽。(3)双向沟通。在作出与未成年人权益有关的决定时不但要告知其本人,还要征求本人的意见。只有这样才能全面了解未成年人的真实想法,对问题进行全面客观的分析,进而作出有利于未成年人身心健康的最优决策。

第十五条 父母或者其他监护人不得允许或者迫使未成年人结婚,不得为未成年人订立婚约。

【释义】 本条是关于防止未成年人早婚的规定。

(一)有关结婚的法律效力

婚姻,是男女双方以永久共同生活为目的,以夫妻的权利义务为内容的合法结合。结婚是一种法律行为,必须符合法律规定的结婚条件。结婚条件包括结婚的实质要件和形式要件,凡欠缺结婚要件的男女结合,都不具有婚姻的法律效力。

结婚的构成要件是:

1. 结婚的实质要件

婚姻成立的实质要件，是指婚姻当事人以及双方之间的关系必须符合法律规定的结婚条件。它包括结婚的必备条件和禁止条件两种：(1)结婚的必备条件，又称积极条件，是指结婚双方当事人必须具备的不可缺少的条件。我国结婚的法定条件有三：一是男女双方完全自愿。婚姻自由原则是我国婚姻法基本原则中的首要原则。该原则在婚姻法中具有重要的作用，婚姻自由是指当事人在法律规定的范围内，不受外力强制和干预，自主决定自己的婚姻意愿的自由。不许任何一方对他方加以强迫或任何第三者加以干涉。禁止包办、买卖婚姻和其他干涉婚姻自由的行为。二是达到法定婚龄。法定婚龄，是指法律规定允许结婚的最低年龄界限，即在此年龄以上才能结婚，在此年龄以下不得结婚。结婚年龄，男不得早于 22 周岁，女不得早于 20 周岁。三是符合一夫一妻制。(2)结婚的禁止条件。我国结婚的法定禁止条件有二：一是禁止一定范围的血亲结婚；二是禁止患有一定疾病的人结婚。

2. 结婚的形式要件

结婚的形式要件是指婚姻成立的法定程序或方法，这是婚姻取得社会承认的方式。依我国婚姻法的规定，结婚登记是我国公民结婚的法定形式要件，即婚姻成立的法定程序。结婚当事人双方符合结婚的实质要件，是其结合受国家法律承认和保护的前提，而又具备结婚的形式要件即履行法定的结婚方式，才能成立合法婚姻。目前结婚的程序大体上有三种主要形式：仪式制、登记制、登记与仪式结合制。我国结婚实行登记制，即结婚必须履行的程序是结婚登记。婚姻法规定，要求结婚的男女双方必须亲自到婚姻登记机关进行结婚登记。结婚登记是我国婚姻成立的法定程序，是合法婚姻成立的唯一形式要件。

婚姻是被一定社会所确认的两性结合，男女两性结合只有符合法律规定的条件和程序，才是合法有效的。合法性是婚姻成立的本质要求,凡是不符合结婚的法定要件和程序的都是违法婚姻,无效婚姻是一种违法婚姻。

对于违反结婚要件所形成的违法婚姻,世界各国立法主要采取两种制度来处理,即无效婚姻和可撤销婚姻,我国婚姻法第十条规定有下列情形之一的,婚姻无效:(1)重婚的;(2)有禁止结婚的亲属关系的;(3)婚前患有医学上认为不应当结婚的疾病,婚后尚未治愈的;(4)未到法定婚龄的。婚姻法规定,无效或被撤销的婚姻自始无效,当事人不具有夫妻的权利和义务。

(二)关于未成年人结婚或订婚

父母或者其他监护人允许或者迫使未成年人结婚不但违反了结婚的实质要件中的婚姻自由原则和法定婚龄的要求,也不符合结婚的形式要件的要求。其属于无效婚姻。

未成年人早婚有以下几种形式:(1)包办婚姻。所谓包办婚姻,是指父母或者其他监护人违反婚姻自由原则,强制、干涉他人婚姻的行为。其特征在于,父母或者其他监护人侵犯了当事人的婚姻自主权。包办婚姻是封建主义婚姻制度的产物。婚姻须从父母之命,这是由封建的族权和父权所决定的。在现实社会生活中,有少数家长受封建余毒的影响较深,不顾儿女反对,仍包办婚事。包办婚姻的具体方式主要有以下几种:①指腹婚。男女双方父母在母亲怀孕时互为腹中胎儿定亲,相约如生下一男一女,须按约定结为夫妻。也就是说,当儿女尚在母亲腹中时,父母就已为他们订下了婚事。②童养媳。父母为自己年幼的儿子娶回媳妇,待子成年以后,再完婚的形式。③娃娃亲。是指父母为年幼的子女订下婚事,待子女成年后再完婚的形式。(2)买卖婚姻。所谓买卖婚姻,是指第三者(包括父母在内)以索取大量财物为目的,强制干涉他人婚姻的行为。男女结婚应以感情为基础,但买卖婚姻则将婚姻罩上了浓厚的金钱色彩,以交付财物作为婚姻关系产生的前提条件,与婚姻的本质相悖。例如,有些偏远的农村家庭,“以女聘钱”,解决家庭困难。(3)“早恋失控”的早婚早育。未成年人缺乏相关教育,过早谈恋爱,有的失去理性控制而发生性关系,甚至导致女性未成年人怀孕。在这种情况下,双方家长为了保持“体面”,维护子女“名誉”,而迫不及待地同意未成年子女结婚。

近年来在一些地方尤其是少数民族和贫困地区,早婚现象又开始重新抬头:越来越多的未成年人加入到早婚行列,订婚年龄逐渐下降,且相当一部分是尚在读书的初高中生,而从订婚到结婚,短则半年,长不过两三年。联合国儿童基金会2006年发布《世界儿童状况》报告指出,18岁以下的男女结婚生子被称为“童婚或早婚”。全球未成年女子生育现象普遍,在中国,未成年母亲的数量占全世界的1%。

(三)关于未成年人结婚或订婚的弊端

父母或者其他监护人允许或者迫使未成年人结婚会造成如下弊端:(1)不利于未成年人身心健康成长。未成年人正处在生理和心理发育的重要阶段。未成年人早婚会使未成年人过多考虑两性问题,破坏整个身心发育平衡。(2)影响未成年人的正常学习。未成年人早婚会分散未成年人的精力,使学习成绩下降。有的未成年人因此过早地中断学业,丧失了接受教育的机会。(3)给生活造成混乱。早婚未成年人一般缺乏家庭责任感,不会关心对方,不会料理家务。突如其来地要他们承担家庭重任,会给他们造成巨大的心理上压力,不利于未成年人成长。(4)导致早育。未成年人早育现象,将严重影响少女的身体健康。据有关资料表明,早育会增加产期母婴的死亡率。青春期怀孕,孕妇易患高血压、心脏病、风湿热等多种并发症;同时,在分娩时又易出现软产道裂伤、产后出血、胎盘早剥等产时并发症,造成母婴死亡率增高。有了子女后,未成年人父母本身身心还发育不健全,更谈不上知道如何教育和抚养子女。(5)家庭不稳定。家庭稳定需要双方心智的成熟和一定物质条件的保障。未成年人缺乏对婚姻生活的心理准备,也没有谋生的手段和固定的经济来源，因此家庭关系脆弱，容易导致家庭破裂。

总之，父母或其他监护人不应强行送未成年人走进婚姻的“牢笼”，承载起与他们的年龄不相匹配的家庭生活和生儿育女的重担，使他们丧失了童年，泯灭了童心。因此，父母或其他监护人不应让未成年人结婚或订婚。

第十六条　父母因外出务工或者其他原因不能履行对未成年人监护职责的，应当委托有监护能力的其他成年人代为监护。

【释义】　本条是关于委托监护的规定。

（一）关于“留守儿童”

20 世纪 80 年代中期农民工进城务工潮兴起后，我国现在已有将近一亿五千万的农民在外务工，打工者数量还在以每年 500 万人的速度递增。这就产生了一大批父母不在身边的留守儿童。留守儿童是指父母双方或一方流动到其他地区，孩子留在户籍所在地并因此不能和父母双方共同生活在一起的儿童。留守儿童问题，从其实质上看，是我国城乡之间、个人与社会之间不协调发展的一种重要表征，是“三农”问题的另一种显像。由于现行体制的限制，目前，数以千万计的年轻父母在外出打工时，不得不做出与自己的孩子相分离而将孩子交给他人照管的选择。我国人口流动的主要流向是由乡村到城市的流动。与此相对应，留守儿童也主要分布在农村地区。在全部留守儿童中，农村留守儿童所占比例高达 86.5%，城市和城镇留守儿童的比例仅为 13.5%。在全部留守儿童中，农村留守儿童占据绝对多数，农村留守儿童应该成为关注的重点，特别是四川、广东、江西、安徽、湖南、海南等地的农村地区。全国妇联提供的数据显示，目前我国农村留守儿童已达 2000 万人，并呈继续增长的趋势。在一些农村劳动力输出大省，留守儿童在当地儿童总数中所占比例已高达 18% 至 22%。

根据2000年人口普查资料，留守儿童家庭主要包括以下类型：(1)父母一方外出，另一方与孩子一起留守的家庭；(2)父母双方均外出，孩子与祖父母(外祖父母)在一起的家庭；(3)父母双方均外出，孩子与其他亲属在一起的家庭；(4)父母双方均外出，孩子单独留守的家庭。其中以单亲监护为主，占所有监护人的79.2%；其次是隔代监护，占16.9%。在这几种监护类型中，留守儿童都存在不同程度的生活和心理负担。母亲作为监护人的留守儿童在生活上能得到最好的照顾，亲戚监护次之，祖辈监护较差，而同辈或自我监护类型下的留守儿童生活状况最差。另外，隔代监护下的儿童所反映出来的问题最严重，由于祖辈的年老、较低的文化程度和过度溺爱，留守儿童无法享受到正常的家庭教育和关怀，性格和心理上均有可能出现偏差。单亲监护和同辈或自我监护类型的监护人压力最大，家庭成员的外出增加了他们的劳务负担，他们要承受照顾家人和从事更多农业生产的双重负荷。

2006年6月，共青团湖南省委公布的《农村留守儿童问题调查报告》显示，“缺失父母”给农村留守儿童的成长带来巨大困惑，情感孤寂成为留守儿童最大的问题。在接受调查的孩子中，父母亲外出打工年限在2年以上的为62%，有的父母外出时间长达13年，65.3%的孩子没去过父母亲工作的地方，常和父母电话联系的还不到一半。留守儿童亲情状况指标是：父母外出打工3年以上的26%；没去过父母工作地的65.3%；很少与父母电话联系的23.3%；非常想念父母的64.1%。留守儿童道德行为指标是：经常有课堂违纪行为的13.7%；有抽烟等不良行为的27.7%；很少参加集体活动的28.9%；经常撒谎欺骗师长的15.4%。留守儿童社交能力指标是：社交能力较差的34.5%；好朋友数目较少的35.8%；留守中学生心理问题检出率57.14%。

儿童年龄越小，情感支持系统的需求越强烈也越重要，其中最重要的就是来自父母的亲情。留守儿童出现的问题，很大程度上与缺乏父母的情感支持有关。由于家长和孩子长期分离，导致亲情缺失、监护不力，留守儿童在生存发展中面临六个方面的突出问题：

1. 留守儿童生活问题。由于没有父母很好的生活照顾，部分留守儿童营养严重不足，身体健康受到很大损害。

2. 留守儿童教育问题。一方面，父母在外打工，一些留守儿童农活、家务活增多，学习成绩下降，有些还由于厌学等原因逃学辍学。北京师范大学教育学院完成的“农村外出劳力在家子女受教育状况研究”显示：父母外出务工对小学生学业有负面作用。另一方面，教师给留守儿童的支持与帮助少于非留守儿童，调查发现，许多教师认为：父母外出的留守子女学生大都是“双差生”，他们对学习和生活缺乏热情，进取性、自觉性不强，有厌学倾向。

3. 留守儿童心理问题。由于亲情缺失，儿童缺少情感和心理关怀，缺少倾诉和寻求帮助的对象，与外界不愿意接触或接触太少，一些留守儿童表现出内心封闭、情感冷漠、行为孤僻等个性特征。一部分留守儿童会出现退缩的情绪，没有足够的自信，这些儿童与同龄人相比在身心发育上表现出滞后状态。另外还有一些留守儿童，因为监护人监护力度不足，常常会有失控倾向，严重的会发展成为“问题少年”。湖南省的一项调查显示，57%的留守中学生存在轻微或轻微以上的心理健康问题，其中轻度心理健康问题的检出率为47.7%，中度为9%，重度为0.3%。这些留守中学生的心理健康状况往往与父母的打工年限有关，时间越长，孩子的心理问题越严重。

4. 留守儿童道德行为问题。由于家庭教育的缺失，缺乏道德约束，一些留守儿童没有养成良好的生活习惯和道德品行，出现行为偏差，留守儿童违法违纪案件呈现上升趋势。

5. 留守儿童安全问题。据全国妇联对12省市农村留守儿童状况调查显示，部分留守儿童因父母不在身边，经常受到同学、邻居的欺负。由于大多数主要劳动力外出,一些不法分子往往趁机对“留守儿童”家庭实施不法侵害。湖南省一项调查所涉及的16个乡镇中,有13个乡镇的农民向调查员反映了这方面的事例,包括入室盗窃时打伤留守儿童,对留守女童进行猥亵、骗诱、强奸,企图拐卖“留守男童”等。例如,河南南阳市中年男子邓军,从2004年的秋天开始“买处”,涉嫌奸淫未成年人女孩17名20次以上,其中包括12名14岁以下的幼女,多数为留守儿童。2005年,在湖南省涟源市荷塘镇的“5·31”特大洪灾中,有12名儿童死亡,其中的11个都是留守儿童。由于缺乏有效监督和教育,留守儿童对突发性事件几乎没有应变和自救的能力。

6. 离家出走。留守儿童缺少家庭观念,再加上城市生活的诱惑,他们中的一些人容易选择离家出走的危险方式。

(二)关于委托监护

由于留守儿童问题已经成为大家普遍关注的社会问题,因此必须找到妥善方法解决这一问题。委托监护是解决这一问题的主要途径。

委托监护是一项民法制度。委托监护是指监护人委托他人代行监护的职责。最高人民法院在《关于贯彻执行〈中华人民共和国民法通则〉若干问题的意见(试行)》中规定:“监护人可以将监护职责部分或者全部委托给他人。因被监护人的侵权行为需要承担民事责任的,应当由监护人承担,但另有约定的除外;被委托人确有过错的,负连带责任。”

本条规定的委托监护具有如下特征:

1. 委托监护是一种双方的民事法律行为,须有监护人委托与被委托人接受委托的意思表示一致才能成立。监护权转移应该有监护人与受托人口头的或者书面的协议,双方意思表示一致才能发生法律效力,同时口头协议还应有第三人证明。

2. 被委托人应为有监护能力的成年人。成年人是指18岁以上具有完全民事行为能力的人。监护能力是指实际具有对未成年人履行监督保护职责的能力。最高人民法院在《关于贯彻执行〈中华人民共和国民法通则〉若干问题的意见(试行)》中概括地对监护能力进行了说明:认定监护人的监护能力,应当根据监护人的身体健康状况、经济条件,以及与被监护人在生活上的联系状况等原因确定。

3. 可以将监护职责部分或者全部委托给他人。这要视双方约定的内容而定。

4. 监护人承担责任。由于一般来说未成年人是无民事行为能力人和限制行为能力人,其不是责任承担的主体。原则上,因被监护人的侵权行为需要承担民事责任的,应当由监护人承担。

5. 受托人确有过错的,负连带责任。如果受托人确有过错,被侵权人可以要求监护人和受托人双方或者任何一方承担民事责任,这种请求权及于民事责任的全部。当事人之间的约定原则上不能对第三人发生效力。在监护人或受托人承担了民事责任后,监护人和受托人存在如下内部关系:监护人对被侵权人承担了全部责任的,可以要求受托人在其过错范围内予以补偿;受托人承担了全部责任的,可以要求监护人在受托人过错范围以外予以补偿。

6. 监护权转移不消灭监护人资格,不是监护人资格的转移。如果允许监护人通过委托的形式变更监护人,不仅使法律的规定的监护设立方式失去了意义,更主要的是动摇了监护人的确定的基础——本人的信赖。所以,委托监护不具有变更监护人的作用。监护人与受托人不同。受托人因监护人的委托而代行监护的职责,其本身并不一定在法律规定的监护人范围之内。

第三章　学校保护

第十七条　学校应当全面贯彻国家的教育方针，实施素质教育、提高教育质量，注重培养未成年学生独立思考能力、创新能力和实践能力，促进未成年学生全面发展。

【释义】　本条是关于学校对未成年学生进行教育的方针政策、实施手段、培养目标的规定。

原未成年人保护法第十三条规定："学校应当全面贯彻国家的教育方针，对未成年学生进行德育、智育、体育、美育、劳动教育以及社会生活指导和青春期教育。""学校应当关心、爱护学生；对品行有缺点、学习有困难的学生，应当耐心教育、帮助，不得歧视。"这次修改主要有三点：(1)增加了实施素质教育、提高教育质量的内容，重视培养未成年学生的独立思考能力、创新能力和实践能力，强调了学校应当促进未成年学生的全面发展。(2)删去了对未成年学生进行德育、智育、体育、美育、劳动教育的内容，并把对未成年学生进行社会生活指导和青春期教育的内容移至本法第十九条做单独规定。(3)将学校应当关心、帮助学生，不得歧视学生的内容移至本法第十八条规定。

(一)学校应当全面贯彻国家的教育方针

所谓教育方针，是国家在一定时期根据国情，借鉴国际教育发展的经验，适应社会政治、经济和科技发展及受教育者发展的需要，为实现教育目的而提出的教育工作发展的总方向或教育工作的基本指导思想。我国的教育方针在教育法第五条中有全面的表述，具体为：教育必须为社会主义现代化建设服务，必须与生产劳动相结合,培养德、智、体全面发展的社会主义事业的建设者和接班人。我国的教育方针在党的十六大报告中也有相近表述。理解我国的教育方针主要从以下几个方面进行:

第一,教育必须为社会主义现代化建设服务,这是我国教育工作的总任务。社会主义现代化建设是一个系统工程,既包括社会主义物质文明建设,也包括社会主义精神文明建设;既包括经济基础的建设,也包括上层建筑和意识形态的建设。为社会主义物质文明建设服务,是与新时期以经济建设为中心的总方针相适应的。它还包含两方面的意义:一是学校要为社会提供各级各类合格人才从事社会主义物质文明的创造;二是学校特别是高等学校有义务直接为科技发展和经济建设做贡献。这就是产学研结合为科教兴国贡献力量。学校是传播思想、科技、文化的场所,在社会主义精神文明建设中处于举足轻重的特殊地位,不断地向社会提供先进的思想、科技和文化,带动整个民族素质的提高。社会主义现代化建设是我国目前乃至今后一段时间内的重要任务,需要方方面面的齐心协力。教育承载着重要的历史使命,必须坚持好政治方向,为社会主义现代化建设做出贡献。

第二,教育必须与生产劳动相结合,这是培养德、智、体全面发展的社会主义事业的建设者和接班人的根本途径。教育与生产劳动相结合是马克思主义的重要教育原理之一。马克思主义认为,现代社会的大工业生产客观上要求教育为其培养全面发展的人,而教育与生产劳动相结合是造就全面发展的人的根本途径;同时,教育与生产劳动相结合也是改造旧社会、实行脑力劳动与体力劳动相结合、培养社会新人的唯一途径。邓小平同志赋予了教育与生产劳动相结合以新的含义,他指出教育与生产劳动相结合更重要的是整个教育事业必须同国民经济发展的要求相适应,并在教育与生产劳动的内容上、方法上不断有新的发展。

第三,培养德、智、体全面发展的社会主义事业的建设者和接班人,这是教育培养的目标。德不仅是品德,同时包括政治素质和思想素质。智不仅是掌握科学文化知识和技能,还包括养成科学态度和探索精神。体不仅是体格、体能、体质,还包括掌握体育知识和技能、培养高尚情操等。我们的教育必须坚持培养全面发展的社会主义事业建设者和接班人。在教育方针中将建设者和接班人并提,集中反映了我们党和国家为迎接国内、国外各方面的挑战对教育工作提出的根本要求,要求培养出来的新一代不仅要精通业务,掌握现代科学技术和文化水平,能经得起经济竞争和技术革命的挑战,同时要具有坚定的政治方向,能够打垮敌对势力的政治进攻。

学校对未成年人的教育是基础教育,对未成年人的个人发展有着重要影响。学校应当全面贯彻国家的教育方针,为国家培养德、智、体全面发展的社会主义事业的建设者和接班人。

(二)学校应当实施素质教育,提高教育质量

长期以来,中小学教育在教学活动中受到以追求升学率为主要目标的应试教育的影响,扭曲了基础教育的办学宗旨,干扰了教育方针的全面贯彻,严重影响了儿童和青少年身心的健康发展,也影响了国民素质的全面提高。针对这种状况,1993 年《中国教育改革和发展纲要》就明确提出"中小学要由应试教育转向全面提高国民素质的轨道";《中华人民共和国国民经济和社会发展"九五"计划和 2010 年远景目标纲要》又进一步强调"改革人才培养模式,由应试教育向全面素质教育转变"。这就为基础教育的改革和发展指明了方向。

素质教育是指依据教育方针和"以人为本"的指导原则,以全面提高公民素质为宗旨,以促进学生德智体美劳全面发展为目标,为学生体魄健全发展、为社会和谐发展服务的教育。素质教育是针对我国目前教育工作中片面强调应试教育的倾向提出的,其最根本的要求就是让学生德智体美劳全面发展。

素质教育从提出到法定化经历了一个过程。1994 年 8 月，《中共中央关于进一步加强和改进学校德育工作的若干意见》中第一次在中央文件中使用了“素质教育”的概念。1999 年 6 月，党中央和国务院召开了改革开放以来第三次全国教育工作会议，发布了纲领性文件《关于深化教育改革全面推进素质教育的决定》，把全面推进素质教育作为迎接新世纪教育工作的战略重点，把提高创新能力摆到了关系民族复兴和国家兴亡的重要位置。素质教育应贯穿于幼儿教育、中小学教育、职业教育、成人教育、高等教育等各级各类教育。新修订的义务教育法第三条规定，义务教育必须贯彻国家的教育方针，实施素质教育，提高教育质量，使适龄儿童、少年在品德、智力、体质等方面全面发展，为培养有理想、有道德、有文化、有纪律的社会主义建设者和接班人奠定基础。修订后的未成年人保护法再次规定，学校应当全面贯彻国家的教育方针，实施素质教育，提高教育质量。把全面实施素质教育以法律的形式固定下来，对推动我国素质教育的发展将会起到极大的作用。

有的同志不同意由“应试教育”向素质教育转轨的提法。他们认为考试是取消不了的，考试是评价教育质量的一种手段，也是选拔人才的一种手段。考试的确是教育不可缺少的手段，但它不是教育的目的，把手段当作目的，就是当前教育的弊端。“应试教育”向素质教育的转轨，就是为了纠正这个偏差，使考试回到它应有的位置上。有的意见认为，有考试就有应试教育。但考试本身有天生的缺陷，考试只能评价一个学生的学习成绩或者学习能力，却很难评价学生的整体素质。总之，教育中的弊端是存在的，把应付考试作为目的的现象是存在的，它所产生的后果也是严重的，因此由应试教育向素质教育转轨是必要的。

提高教育质量是我国未成年人教育的一项基本任务。对教育质量的理解必须要全面：第一，教育质量必须是全面发展的质量，即在德、智、体、美、劳等各方面全面发展的质量，不仅仅是指智一个方面的质量。必须在提高智育质量的同时,全面提高其他方面的质量,使学生生动活泼、全面地得到发展。第二,教育质量必须是全体学生的质量,不仅仅是少数重点学校和尖子学生的质量。

教育质量是一个动态的概念,不同的时期、不同的背景下,对教学质量的具体理解有所不同。修订后的未成年人保护法将实施素质教育和提高教育质量放在一起,要求我们对教育质量的理解必须在素质教育的背景下进行,必须改变过去在应试教育模式下的教育质量观念。

(三)学校的培养目标

在国家教育方针的统领下,学校培养未成年人的目标可以分为两个层次:第一是具体培养目标,是培养未成年学生独立思考能力、创新能力和实践能力,第二是总体培养目标,即促进未成年学生全面发展。未成年人的培养目标突出了未成年人教育基础性和全面性的特点,具有很强的针对性。理解未成年学生的培养目标主要从以下几个方面进行:

第一,学校应当培养未成年学生的独立思考能力。独立思考的能力是一种综合能力,它表明个体能面对不同的情景,运用不同的思维方式、方法和技巧解决所面临的问题。要培养这种能力,首先必须让学生参与到具体的活动过程中去,并尽可能提高其参与度;其次是帮助学生逐渐掌握思维的方法和分析问题的方法;最后是着眼于培养学生的思维品质,形成独立思考的习惯和能力。学生的年龄特点及认知水平决定了其独立思考的程度具有相对性。一般的,随着年龄的增长,学生的认知水平和活动能力不断提高,其思考问题的独立性也就不断增强。也就是说,学生的独立思考能力必须经历一个长期的过程,才能逐步培养、构建并发展起来。独立思考并不排斥同学之间的合作互助,但合作学习必须建立在个体独立思考的基础上进行。对于一个具体的问题,倘若没有形成自己独到的见解,就急于与人合作和会话,必定会影响思维的主动性,从而影响思维能力的提高。没有独立思考,也就没有合作学习的本质内容,合作讨论就成了无源之水、无本之木,因而合作也就只能流于形式。

第二,学校应当培养未成年学生的创新能力。培养学生的创新能力是时代和民族发展的需要,也是受教育者社会化的内在要求。现代社会是一个瞬息万变的充满创新认识和创新事物的信息社会,因此,培养学生的创新能力是现代教育的一个重要目的。一个人的创新能力有大小,但如果一个人一点创新能力也没有,就会失去现代社会生存的起码条件。创新能力是现代社会的人应具备的一种基本能力。只有具备了创新能力的人才能适应现代社会的需要。现代教育所培养的现代人,不仅要有现代科技、文化知识,而且应具有独立自主性和开拓创新性,他们身上应充满强烈的创新精神和进取意识。要培养具有创新素质的新一代,学校应注重发展学生的个性,加强对学生进行创新思维的培养。

第三,学校应当培养未成年学生的实践能力。实践能力是根据一定目的,运用已经掌握的知识和技能,产生出有社会价值或个人价值的产品的能力,包括对知识、技术的应用和创造,具体的方式与方法运用等实际本领。实践能力不仅是对人的素质的基本要求,也是培养人才的重要条件。因为人的独立思考能力和创新能力,不能仅仅依靠书本知识获得,更需要通过实践学习和获得。在贯彻教育方针和培养人才的过程中要重视社会实践,把培养学生的创新精神和实践能力作为素质教育的重点,丰富了教育与生产劳动相结合这一马克思主义基本原理。

第四,学校应当促进未成年学生全面发展。全面发展是我国教育方针的重要内容,它体现了素质教育的质量标准。所谓全面发展的教育,就是指促使未成年人在德、智、体、美、劳等有关诸方面获得一定水平全面发展的教育。实施素质教育是为了促使学生在德、智、体、美、劳等方面全面发展。但是由于未成年学生在智力水平、身体素质、个性特征、家庭状况等方面都存在差异，所以全面发展并不是要求所有学生在各个方面都平均发展。这种个性差异，正是我们实施素质教育的出发点。因此，要从实际出发，正确处理全体与个体的关系，要尊重学生的个性差异，切实贯彻因材施教的原则。

总体来说，学生的独立思考能力、创新能力、实践能力的培养是相互联系的，他们也是促进未成年学生全面发展的重要条件。

第十八条　学校应当尊重未成年学生受教育的权利，关心、爱护学生，对品行有缺点、学习有困难的学生，应当耐心教育、帮助，不得歧视，不得违反法律和国家规定开除未成年学生。

【释义】　本条是关于学校应当尊重学生受教育权，关心、爱护学生，不得歧视学生的规定。

原未成年人保护法第十四条规定：学校应当尊重未成年学生的受教育权，不得随意开除未成年学生。这次主要修改有两点：(1)将原法第十三条第二款学校应当关心、帮助学生，不得歧视学生的内容增加到本条规定；(2)规范了学校开除学生的规定，规定学校不得违反法律和国家规定开除学生。

(一)学校应当尊重学生受教育权

要搞好社会主义现代化建设，必须尊重知识、尊重人才。这一点已经成为人们的共识。尊重知识、尊重人才的表现之一就是要重视教育，通过教育产出更多的知识和人才。要振兴教育，确保教育优先发展的战略地位，推动教育事业的健康发展，必须在我国全面实现依法治教。近年来，我国教育法制发展很快，先后制定和修改了义务教育法、教师法、教育法、职业教育法、高等教育法和民办教育促进法。但在实际生活中，还是有一部分适龄儿童、少年的入学受到了种种刁难，一些学校常常为一己私利，以各种理由拒绝一些达不到他们要求的孩子入学。本次通过对未成年人保护法的修改,再一次以法律的形式规定了未成年人的受教育权应当受到尊重和保护。

在我国,尽管宪法规定的公民受教育权自科教兴国战略提出后有了长足的发展,如到2000年如期实现“基本普及九年义务教育”“基本扫除青壮年文盲”的任务,但也必须看到,目前“基本普及九年义务教育”的成果是低标准的,并且相当脆弱,加之愈演愈烈的教育腐败、教育政策的不公平,已经严重损害了一部分人的受教育权,从而危及了社会公正。然而,改革开放二十多年来,随着中国人法制观念、权利意识的显著增强,人们对权利消费的需求越来越大,特别是对受教育权的需求。因为随着教育对经济发展、政治民主和文化建设作用的加强,以及知识经济时代的到来,接受教育已经成为现代社会成员生存和发展不可缺少的途径。

所谓受教育权,是指公民依法享有的要求国家积极提供均等的受教育条件和机会,通过学习来发展其个性、才智和身心能力,以获得平等的生存和发展机会的基本权利。接受教育是每个公民终生享有的权利,但在不同年龄阶段的公民,所接受教育的内容和形式有别,接受教育的意义也不一样。在未成年阶段,公民所接受的教育是基础教育,即基本知识、基本技能的教育。教育的形式主要是采取学校教育的方式,教育的意义在于:第一,它是基础教育,教育质量的好坏直接影响到后面各阶段教育的质量,没有良好的基础教育,就没有高水平、高质量的高等教育;第二,它是一种全面教育,包括德、智、体、美、劳各个方面,促进人的全面发展;第三,它是一种普及式的教育,凡是适龄儿童和少年都必须接受,因此基础教育是提高全民族文化素质的关键之所在。正因为如此,法律对未成年人的受教育权赋予了更为丰富、具体、独特的内容,主要体现在以下几个方面:

1. 教育的内容十分广泛,目标非常明确

本法第十九条规定:“学校应当根据未成年学生身心发展的

特点，对他们进行社会生活指导、心理健康辅导和青春期教育。”第二十六条规定：“幼儿园应当做好保育、教育工作，促进幼儿在体质、智力、品德等方面和谐发展。”此外，义务教育法第三条也规定：“义务教育必须贯彻国家的教育方针，实施素质教育，提高教育质量，使适龄儿童、少年在品德、智力、体质等方面全面发展，为培养有理想、有道德、有文化、有纪律的社会主义建设者和接班人奠定基础。”可见，未成年人接受教育的内容十分广泛，包括德、智、体、美、劳和有关的社会生活知识和生理知识诸多方面，其目标十分明确，就是要把未成年人培养成为有理想、有道德、有文化、有纪律，德、智、体全面发展的未来的社会主义建设者和接班人。

2. 接受义务教育

义务教育，是按照法律规定，适龄儿童和少年必须接受的，国家、社会、学校、家庭必须予以保证的国民教育。义务教育法的颁布和修改为未成年人的义务教育提供了法律保障。义务教育法明确规定，国家、社会、学校和家庭必须依法保障适龄儿童、少年接受义务教育的权利。本法第十三条也规定：“父母或者其他监护人应当尊重未成年人受教育的权利，必须使适龄未成年人依法入学接受并完成义务教育，不得使接受义务教育的未成年人辍学。”

义务教育法规定，凡满6周岁（条件不具备的地方可以为7周岁）的儿童都应当入学接受规定年限的义务教育（国家实行九年义务教育制度），国家对接受义务教育的学生免收学费、杂费。此外，义务教育法第十九条还规定，县级以上地方人民政府为视力残疾、听力语言残疾和智力残疾的适龄儿童、少年设置实施特殊教育的学校（班），使这部分未成年人的受教育权也得到了保障。

3. 有违法和轻微犯罪的未成年人接受特殊教育

为了保障有违法和轻微犯罪的未成年人的受教育权，原国家教委、公安部、共青团联合发出了《关于办好工读学校的几点意见》，明确规定工读学校是对有违法和轻微犯罪行为的中学生进行特殊教育的半工半读学校，是实行九年义务教育的一种特殊教育形式。本法第二十五条规定："对于在学校接受教育的有严重不良行为的未成年学生，学校和父母或者其他监护人应当互相配合加以管教；无力管教或者管教无效的，可以按照有关规定将其送专门学校继续接受教育。""专门学校应当对在校就读的未成年学生进行思想教育、文化教育、纪律和法制教育、劳动技术教育和职业教育。"实践证明，这种专门学校既能有效保障专门学校学生受教育权的实现，又能对他们进行教育、感化和挽救。

对未成年人受教育权利的维护已引起了我国社会的高度关注。我国宪法和教育法分别规定，中华人民共和国公民有受教育的权利和义务，公民不分民族、种族、性别、职业、财产状况、宗教信仰等，依法享有平等的受教育机会。新修改的义务教育法也规定，凡具有中华人民共和国国籍的适龄儿童、少年，不分性别、民族、种族、家庭财产状况、宗教信仰，依法享有平等接受义务教育的权利，并履行接受义务教育的义务。

未成年人所接受的教育是通过学校的教育教学活动实现的。学校是保障未成年人接受教育权利的重要主体之一。学校的责任主要在于尊重和保障未成年学生接受教育的权利，对符合条件的未成年学生提供平等的受教育的条件，不应该以不正当的理由拒绝接受适龄学生入学。

学校保护未成年人受教育权必须做到如下几个方面：(1)对依法应当接受规定年限义务教育的未成年人，必须按照有关规定接纳他们入学，不得以任何理由将他们拒之于校门之外。义务教育法明确规定，国家、社会、学校和家庭必须依法保障适龄儿童、少年接受义务教育的权利。凡具有中华人民共和国国籍的适龄儿童、少年，不分性别、民族、种族、家庭财产状况、宗教信仰等，依法享有平等接受义务教育的权利，并履行接受义务教育的义务。(2)要对学生进行综合素质的教育，不仅包括文化知识，还要进行德育、体育、美育、劳动等多方面的教育。义务教育法第三条规定,义务教育必须贯彻国家的教育方针,实施素质教育,提高教育质量,使适龄儿童、少年在品德、智力、体质等方面全面发展,为培养有理想、有道德、有文化、有纪律的社会主义建设者和接班人奠定基础。教师法第八条第(三)项规定,教师应对学生进行宪法所确定的基本原则的教育和爱国主义、民族团结的教育,法制教育以及思想品德、文化、科学技术教育,组织、带领学生开展有益的社会活动。(3)要保证教育质量。监护人授权学校代为行使教育职责,最为主要的目的是能够保证学生在成人以后过上健康、稳定、积极的生活,而不是仅仅要求能让孩子考上大学。学校对未成年人进行教育,不仅是对其传授了知识、给予了教育就可以了,还必须保证教育教学质量。教育法第二十九条规定的学校应当履行的义务中就有一项"贯彻国家的教育方针,执行国家教育教学标准,保证教育教学质量"。义务教育法也规定义务教育必须贯彻国家的教育方针,努力提高教育质量。对那些工作不负责、教育态度不认真的老师,学生有权利向学校和教育主管部门进行反映,并有权要求更换老师。(4)不得非法剥夺或者侵害学生受教育的权利。有的学生犯了错误或者学习成绩差,学校不是想办法帮助改正或者进行辅导,而是强行要求学生退学或者不允许参加考试,这明显侵害了未成年学生的受教育权。有的学校或者老师以给学生处分为由限制学生上课也侵害了学生的受教育权。

学校侵犯未成年人的受教育权主要有以下情况:(1)违反规定乱收费用,拒绝接受交不起费用的学生就学;(2)擅自提出不合理的入学条件,以学生未满足这些条件为由拒绝其入学;(3)拒绝接受有正常学习能力的残疾孩子就学;(4)拒绝接受刑满、解除管教、解除劳动教养以及专门学校结业但应继续接受义务教育的少年就学;(5)对违纪学生处以停课的处罚;(6)违反法律和国家规定开除学生。

近些年来,学校侵犯学生受教育权的案例时有发生。例如,北京市海淀区希望小学五年级学生赵海涛和刘伟(均为化名)在校外玩火,学校决定让其停课两周。赵海涛的母亲请求学校给予别的处分,遭拒绝。此后,赵母曾两次带着孩子到学校请求早日让孩子上学,一次被班主任推出教室,一次被学校教导处主任李老师堵在学校大门外。复课两天后赵海涛感到学习很吃力,赵母要求老师为孩子补课,又遭拒绝。教导处主任告诉记者之所以给两名学生停课处分,是因为他们的错误特别严重。根据法律的规定,受教育是每个孩子的权利。作为已经接纳孩子的学校没有权力拒绝对学生的教育。教育应该是完整的,即除法定节假日以外的每一学期每一周每一天都应该让每个学生接受教育。如果学生因为生病或特殊事故请假并经学校批准,此后老师在必要的情况下也应该为之补课——这既是弥补学生的受教育权利,也是弥补老师教育义务的缺漏。学校这样的行为,就侵犯了孩子的受教育权,应当受到法律制裁。

(二)学校应当关心、爱护学生,不得歧视学生

我国宪法和教育法分别规定,中华人民共和国公民有受教育的权利和义务,公民不分民族、种族、性别、职业、财产状况、宗教信仰等,依法享有平等的受教育机会。《中小学教师职业道德规范》第四条明确指出,教师要"面向全体学生,热爱、尊重、了解和严格要求学生,循循善诱,诲人不倦,保护学生身心健康"。不得歧视学生,是指学校和教师不能因为学生在知识能力、道德水平、相貌性格以及家庭背景等方面的差异而偏爱一部分学生,歧视另一部分学生。

不得歧视学生是学校尊重学生受教育权的一个具体体现。随着社会经济的发展,教育行政部门越来越重视对学校和教师的业绩考核,考核结果直接关系到学校的声誉、生源以及师资力量。这种考核有其积极的一方面,如能够提高学校教育质量、调动学校工

作的积极性。但也有其消极的一面,很多学校及教师为了提高自己的业绩成果,难免会偏爱优等生、歧视差等生、忽视中等生。在一些教学活动当中,由于一些学生有生理或心理方面的残疾,或者智力、能力等方面有缺陷,成绩落后,性情孤僻,需要教师花费更多的时间和精力来教导。对这种缺点较多、学习困难和有特殊情况的学生,教师往往容易产生偏见,态度冷漠,没有耐心甚至恶语中伤。久而久之,这类学生的个性就会朝着越来越不健康的方向发展,继而对下一个阶段的教育也产生了十分恶劣的影响,形成了恶性循环,极大地影响了教育教学活动。学生在智力、能力、性格等方面存在的差异很大,他们不应该因某一方面的不足或欠缺而受到他人不平等的对待甚至冷落。教育就应该使每一个学生都有可能受到同等的尊重和关注,作为学校从根本上应该为他们提供平等的受教育的权利和机会。只面向少数学生的教育方法其结果只能是使绝大多数学生体验不到学习成功的快乐,失去学习的兴趣,丧失学习的自尊心和自信心。

(三)学校不得违反法律和国家规定开除未成年学生

相比修改以前的未成年人保护法,本条将不得随意开除未成年学生修改为不得违反法律和国家规定开除未成年学生,本处修改旨在使学校开除未成年学生的条件更具备法律依据,更加严格地规范学校开除未成年学生的情形。

某中学《学生违纪处分条例》第四条规定:“不服教育,殴打教师,视情节轻重给予警告、严重警告、记过、记大过、留校察看、开除的处分。”受教育权是宪法赋予公民的一项神圣权利,教育机构不得以校规的形式剥夺宪法赋予公民受教育的权利。新修改的义务教育法第二十七条明确规定,对违反学校管理制度的学生,学校应当予以批评教育,不得开除。预防未成年人犯罪法第四十四条规定:“对于被采取刑事强制措施的未成年学生,在人民法院的判决生效前,不得取消其学籍。”第四十八条规定:“依法免予刑事处罚，判处非监禁刑罚、判处刑罚予以缓刑、假释或者刑罚执行完毕的未成年人，在复学、升学、就业等方面与其他未成年人享有同等权利，任何单位和个人不得歧视。"这里所说的刑事强制措施，主要是指刑事诉讼法所规定的拘传、取保候审、监视居住、刑事拘留和逮捕。由此可以看出，接受义务教育的适龄未成年学生除非正处于以上强制措施下，否则不能开除学籍，即使是"劝其退学"和"勒令退学"这些变相的开除形式，都是对学生受教育权利的侵犯。

开除学籍和勒令退学是学校管理制度中的一种处罚方法。但是目前有一些学校为了减轻自己管理上的负担或者为了片面追求升学率，不负责任地把那些学习成绩不好或品行有缺点的学生推出校门，或对旷课、逃学、中途辍学的学生听之任之，使得一部分学生流入社会无人管理。这不仅使这些未成年人丧失了受教育的权利，而且给社会治安带来一定压力，他们中有相当一部分人从此走上违法犯罪的道路。中学生处于青少年时期，在生活中遇到种种困惑，由于不冷静思考，辨认能力和控制能力差，犯这样或那样的错误是难免的。不给少不经事的学生以改正错误的机会，动辄开除，有违教育的本质和宗旨，是一种不负责任的表现。开除有时确实起到警醒作用，但开除学籍就意味着剥夺了学生受教育的机会。一个被开除的学生，会受到社会和其他学校的偏见，失去了再次接受教育的机会。教育是学校的责任和义务，把自己没有教育好的学生推给社会，不仅背离学校办学宗旨，而且违背了教育者的职业道德与良知。为制止类似情况的发生，保障未成年人受教育权不受侵犯，本法规定，学校不得违反法律和国家规定开除未成年学生。这就要求学校端正办学方向，正确对待那些后进学生，耐心细致地做好他们的思想工作，帮助他们克服困难，坚持学习。即使是对个别问题严重的学生，也要格外慎重，反复研究，严格掌握标准，严格履行审批手续。对于违反法律和国家规定开除学生、侵犯学生受教育权的违法行为，未成年人及其监护人有权要求主管部门处理，或者依照法律法规的规定向人民法院提起诉讼。

接受义务教育是每个学生的基本权利，学生接受义务教育的基本权利不能剥夺，即使是一些可能会对学校秩序产生恶劣影响的学生也不能开除，可通过有关程序安排其到专门学校接受教育。对此，法律也有相关规定。修改后的未成年人保护法第二十五条规定："对于在学校接受教育的有严重不良行为的未成年学生，学校和父母或者其他监护人应当互相配合加以管教；无力管教或者管教无效的，可以按照有关规定将其送专门学校继续接受教育……专门学校应当对在校就读的未成年学生进行思想教育、文化教育、纪律和法制教育、劳动技术教育和职业教育。"教育法第四十二条规定，受教育者对学校给予的处分不服有权向有关部门提出申诉，对学校、教师侵犯其人身权、财产权等合法权益，有权提出申诉或者依法提起诉讼。这为学校违反法律和国家规定开除未成年学生提供了法律依据和相应的司法救济。

第十九条　学校应当根据未成年学生身心发展的特点，对他们进行社会生活指导、心理健康辅导和青春期教育。

【释义】　本条是关于学校对未成年学生进行各方面教育的规定。

原未成年人保护法第十三条第一款规定："学校应当全面贯彻国家的教育方针，对未成年学生进行德育、智育、体育、美育、劳动教育以及社会生活指导和青春期教育。"这次修改主要有三点：(1)将原法第十三条第一款单列成一条加以规定；(2)增加了对未成年学生进行心理健康辅导的内容；(3)增加了学校应当根据未成年学生身心发展的特点对学生进行教育的内容。

未成年人的身心发展特点包括两个方面：一是身体发展的特点，表现为一个人从出生到成年，经历了一个身体由小到大、个头由矮到高、体力由弱到强的发育过程;二是心理发展的特点,表现为思维活动由简单到复杂,认识自己行为性质和控制自己行为的能力由小到大的过程。这些与成年人都有着较大的区别。因此,要做好保护未成年人的工作,就必须充分认识未成年人的身心发展特点,根据未成年人的身心发展特点对未成年人进行各类教育。

教育是学校的主要职责,主要体现为:

1. 学校应当进行社会生活指导

未成年学生是一个完整的有机体,他们不仅是知识的存在,而且是生理的、心理的、情感的存在。学校教育工作不能仅仅满足于传授知识技能、形成道德品质,而要把教育和工作的目标渗透到社会的所有领域,给未成年学生整个的社会生活方式方法以指导。社会生活指导是指学校就人生的整个社会生活领域,结合未成年学生的生活实际,给每个学生的学习、生活以具体引导和帮助,使其获得尽可能充分和全面的发展,并通过社会生活实践的磨炼帮助未成年学生形成自我选择、自我决定的能力。

由于未成年人的年龄较小,随其接触社会范围的逐渐扩大,而社会生活经验和辨别是非的能力却较缺乏,因此在观察社会时常感到困惑不解,在处理社会生活、社会交往方面的事情时常常会遇到挫折,感到压抑和自卑,所有这些都会影响到他们身心的健康发展。有少数未成年人毫无意识地受到不健康的影视书刊、舞厅及某些成年人吸烟、赌博等不良行为的影响,有些甚至被引诱、教唆,走上违法犯罪的道路。因此,我国法律除了对违法犯罪行为,尤其是教唆未成年人犯罪的行为严厉打击外,还把对未成年人进行社会生活指导作为学校及教师应当履行的一项法律义务。

社会生活指导包括很多方面的内容,主要涉及以下方面:(1)学习指导。对学生进行学习指导,主要是为了培养、激发学生正确的学习动机,明确学习目的,提高学习的自觉性、积极性;指导学生在学习上的自我管理,如制订学习计划、安排作息时间、学习科学用脑、管理好学习环境、养成良好学习习惯;指导学生的学习方法;指导学生课外阅读;对新生进行学习适应性指导。(2)品德指导。指导学生养成社会主义社会公民应有的品德,掌握社会的基础文明规范和基本的道德准则,包括明文规定的和约定俗成的标准、规则、礼仪等。(3)身心健康指导。帮助中学生克服各种心理障碍,养成健全人格。帮助他们获得有关维持和保护身体健康、防止疾病、保障安全、讲究卫生等方面的知识和能力。(4)闲暇指导。帮助中学生合理安排和利用闲暇时间,包括指导课外阅读、文体活动、创造性活动、欣赏活动和正当有益的趣味性活动等。(5)个人生活指导。其包括帮助中学生正确认识人生的意义和价值,培养积极向上的生活态度;正确处理家庭关系,尊重和体谅父母,能分担父母的忧愁,与父母同享快乐;正确对待男女同学的友谊和爱情;指导中学生料理日常生活,懂得保护健康,培养自我养护能力。(6)职业指导。职业指导包括教育学生确立职业理想,激发自立、开拓创业的要求,正确的选择职业和做好就业前准备。(7)升学指导。升学指导也是学习指导,但主要是对高年级学生的指导。升学考试前教育学生树立理想、正确对待升学,指导学生全面系统复习;指导学生填写升学志愿、复习范围与重点。升学考试指导帮助学生了解报考门类专业知识、考试、考场知识、考试心理指导;升学考试后针对录取学生和落榜学生情况多做个别指导。

社会生活指导可以分为个别指导和集体指导。个别指导是指班主任根据每个中学生不同的特点和需要对其有目的、有计划地个别帮助和个别指导,如个别谈话、访问。集体指导是指班主任根据班级全体成员或班级内相同类型的成员,就某一方面的问题进行有目的、有计划、有组织地帮助和指导,如讲座、讨论。根据指导的内容划分,社会生活指导还可以分为一般指导和专业指导。一般指导是对一般学生日常生活、学习品德等方面的指导。专业指导是根据某些特殊类型的学生的特殊情况,聘请专业人员进行专业性较强的帮助和指导。例如,请心理卫生学家对某些有心理障碍的中学生进行指导,请社会工作者协助指导失足青少年,等等。专家指导可以有个别专家指导和各方专家会诊,即对某些问题较复杂的特殊学生,邀请各方面人员通过专题讨论会的形式进行会诊,共同提出指导方案。

学校对学生进行社会生活指导能够帮助未成年学生学会观察和认识社会,提高辨别是非的能力,自觉地抵御社会上不健康因素的侵袭和影响;帮助他们养成良好的生活行为习惯,提高生活自理能力,学会自己管理自己、控制自己;帮助他们正确恰当地处理与同学、老师、家长、邻居等不同人的关系,组织引导他们积极参与社会生活,开阔视野,在多种健康有益的活动中提高他们的社会交往能力。总之,学校对未成年学生实施进行社会生活指导是培养他们参加社会生活能力的重要环节。

学校和教师对学生进行社会生活指导,应加强与未成年学生的多方位沟通,深入了解学生的生活状况、思想和活动;根据不同学生的实际状况,着眼于个别差异,有针对性地开展指导工作;尊重并相信每个学生都存在自我发展的潜能,根据每个学生的特点和实际情况,引导他们在各自原有的基础上,得到尽可能完善的发展。

2. 学校进行心理健康辅导

近年来,未成年学生因心理障碍而产生的过激行为事件时有发生,这些发生在青少年身上的自杀或伤人事件,并非是个别学校的个别现象。与青少年自杀相对应的另一极端是青少年暴力犯罪呈上升趋势,已成为社会尤其是法律界和教育界关心的重要问题。未成年学生正处在身心发展的重要时期,随着生理、心理的发育和发展,竞争压力的增长,社会阅历的扩展及思维方式的变化,在学习、生活、人际交往和自我意识等方面可能会遇到或产生各种心理问题。有些问题如不能及时解决,将会对学生的健康成长产生不良的影响,严重的会使学生出现行为障碍或人格缺陷。目前青少年的心理障碍集中表现为:心理脆弱、狭隘抑郁、孤僻离群、焦虑急躁、社交困难、情绪不稳容易冲动、意志品质差。

学校的教育缺失是造成青少年产生这些心理障碍的重要原因。我国的教育正在由应试教育转向素质教育,但由于应试教育根深蒂固,选拔人才评价学生机制没有从根本上转变,加上学校、社会和家长仍然把升学率作为评价学生的重要标准甚至是唯一标准,许多学校仍然比较重视学生的智力培养,忽视学生的心理教育。学校应该发挥教育的主渠道作用,充分重视青少年心理教育的重要性,减少青少年极端行为的发生。因此,新修改的未成年人保护法增加了学校应当对未成年学生进行心理健康辅导的内容。他们的健康成长,不仅需要有一个和谐宽松的良好环境,而且需要帮助他们掌握调控自我、发展自我的方法与能力。对于已经出现心理健康问题的学生,学校应运用有关心理健康诊断与治疗知识认真对待。

20 世纪 80 年代以来,一些省、市在中小学中开展心理健康教育,促进了学生心理素质的提高,取得了良好的效果。中小学开展心理健康教育,既是学生自身健康成长的需要,也是社会发展对人的素质要求的需要。《中共中央国务院关于深化教育改革全面推进素质教育的决定》明确指出,要“加强学生的心理健康教育,培养学生坚韧不拔的意志、艰苦奋斗的精神,增强青少年适应社会生活的能力”。

心理健康辅导是根据未成年学生生理、心理发展特点,运用有关心理教育方法和手段,培养学生良好的心理素质,促进学生身心全面和谐发展和素质全面提高的教育活动,是素质教育的重要组成部分。心理健康辅导是指学校咨询工作者通过课程方式,为学生提供心理上的辅导和帮助,以促进学生心理健康发展。心理健康辅导活动一般应安排专门的课程,面向学生集体有计划地、连续地开展。但与其他课程不同的是,其目的是直接满足学生维护和发展自身的心理健康的需要。学生心理健康发展的需要可以包括两个层次:(1)一般性的需要,指在某一年龄阶段的所有儿童中普遍存在的心理和行为发展上的需要(如小学生入学后对新的集体环境的适应,与同伴及教师建立关系,在学习活动中获得成就感);(2)特殊性的需要,指本校、本班学生或某些特殊学生群体,由于处在特殊环境中或遇到特别事件的冲击或压力而产生的解除困境、度过危机的需要(例如,所在校要与另一所学校合并,多数学生可能都会产生一种特别的不适应)。相应地,心理健康辅导也可以分为一般性的辅导和特殊性的辅导,前者面向每一位在校学生持续地开展,后者往往是为部分学生临时设立。另外,一般性的辅导也需要充分考虑本校、本班学生的特殊情况,开展得更有针对性,而特殊性的辅导也应当引导学生把对特殊情境的适应扩展到心理健康水平,加以整体提高。

未成年学生的心理健康教育,是一项科学性、实践性很强的教育工作。学校开展心理健康辅导工作应遵循以下原则:(1)根据学生心理发展特点和身心发展的规律,有针对性地实施教育;(2)面向全体学生,通过普遍开展教育活动,使学生对心理健康教育有积极的认识,使心理素质逐步得到提高;(3)关注个别差异,根据不同学生的不同需要开展多种形式的教育和辅导,提高他们的心理健康水平;(4)以学生为主体,充分启发和调动学生的积极性。要把教师在心理健康教育中的科学辅导与学生对心理健康教育的主动参与有机结合起来。

总之,对中小学生及时有效地进行心理健康教育是现代教育的必然要求,也是广大教育工作者所面临的一项紧迫任务。学校要充分认识和加强未成年学生心理健康教育的重要性,要以积极认真的态度对待这项教育工作。

3. 学校应进行青春期教育

未成年学生在校阶段大部分都要经历青春期,这是一个生理与心理发生巨变的时期。内外急剧的变化往往伴随复杂的矛盾冲突,如果缺乏科学的引导,学生往往感到惶惑与迷惑,并伴随一系列心理与行为问题。学校心理健康辅导的一个重要内容便是针对青春期学生的生理、心理发展特点及其经常伴随的矛盾与问题,为学生提供普遍性的常识与个别咨询辅导。一般来说,未成年学生常见的青春期课题有:第二性征出现及其他生理变化导致的困惑、性心理萌动与两性交往及早恋问题;自我的确立与认同;情绪的自我调节、心理的开放与闭锁之间的矛盾;心理的独立与依附性之间的矛盾等。其中,学校尤其应该充分注意到性生理成熟对未成年学生生活和学习诸方面带来的巨大变化与影响,教给学生一些必要的知识,消除错误观念,减少不必要的烦躁与紧张。

这里所说的"青春期教育"主要是指对在生理上趋于成熟但在心理方面尚未成熟的未成年人进行的性生理卫生常识的教育。其主要包括性生理、性心理和性道德教育三个方面。近年来对学生的青春期教育的态度虽然已经有所改观,但有很大一部分人的观念尚未转变,思想仍有顾虑,不赞成,不重视。现在一般学校都没有系统的青春期教育,有的学校采取讲课加录像的方式;有的只讲课;有的根本不开课只发课本让学生自学。其主要内容也只是青春期生理知识,而没有青春期心理、性道德及性法制等方面的知识。教学时有的老师感到尴尬,敏感的内容会跳过不讲,或即使讲了也是不自然,遮遮掩掩而放不开。

调查结果表明,在未成年人从不成熟走向成熟的过渡期内,由于他们生理发育和心理发展变化很快,出现某些不适应是很普遍、很正常的。我们知道,青春期的未成年人,正值由少年向青年过渡,处于生理发育和心理发育由不成熟向成熟过渡的急剧变化时期。这个时期未成年人的显著生理特征就是性腺的发育和性腺的成熟,并在此基础上产生相应的性意识的发展和性成熟,这是青春期的未成年人最重要的心理特征之一。未成年人生理上的青春发育伴随着心理上性意识的发展和成熟，性的价值观处于不稳定、未定型阶段。学校应当根据学生的情况，适时地把青春期教育的内容作为教学计划中的一项来进行，对学生严肃认真地正面讲授青春期教育包含的各项内容，以便使学生了解人体的结构、生理的发育，特别是性器官的发育和性意识的发展、性心理的形成等基本知识，正确认识自身生理发育的变化，养成良好卫生习惯；培养良好的心理素质和道德修养，提高自我控制的能力；用社会主义道德约束自己，正确处理男女同学间的关系，集中精力勤奋学习。相反，如果学校忽视了这项教育，或者躲躲闪闪、一味避讳，反而会产生消极作用，不利于未成年人身心的健康成长。

对未成年人进行青春期教育，应当结合未成年人不同年龄的生理、心理特点进行。未成年人是未满 18 周岁的人。未成年人的心理特征与成年人是有区别的，最基本的区别就是成年人的生理、心理状况基本稳定，而未成年人的心理、生理都处于过渡时期。由于未成年人的年龄不同，其生理、心理发展状况、成熟程度也不同。例如，未成年人辨别能力、智力水平、心理承受能力、行为自控能力等，都因年龄不同而不同。一般情况下，年龄越小，辨别能力、行为自控能力、心理承受能力越差，智力水平也相对低下，极易接受外界不良影响，形成不良心理因素。因此，在对未成年人进行青春期教育时，只有针对未成年人不同年龄的不同生理、心理特点，才能做到有的放矢，帮助未成年学生顺利地度过青春期。

对未成年人进行青春期教育，是保障未成年人健康成长、预防未成年人犯罪的需要。对未成年人进行青春期教育要以社会主义道德教育为核心，通过教育，使未成年人正确认识自身生理的发育变化，注意保护健康，养成卫生习惯；培养未成年人具有良好的心理素质和道德品质，使他们懂得自尊、自爱、自重，增强他们的自我控制的能力，正确对待男女同学之间的关系，使他们身心健康地发展。

第二十条　学校应当与未成年学生的父母或者其他监护人互相配合，保证未成年学生的睡眠、娱乐和体育锻炼时间，不得加重其学习负担。

【释义】　本条是关于保障未成年学生的睡眠、娱乐和体育锻炼时间，减轻其学习负担的规定。

（一）必须保证未成年学生的睡眠时间

据日本医学界的研究发现，如果人在一天中睡觉比正常睡眠时间少4小时，反应能力就会下降45%。显而易见，睡眠在人的一生中占有非常重要的地位。生理学告诉我们，在人的一生中睡眠至少应占1/3的时间。正在生长发育的孩子对睡眠的需求更高，一般一天应保证有9小时至10小时的睡眠。可是，今天绝大多数中小学生睡眠不足，近50%的小学生和近80%的初中生每天感到困乏劳累，这无疑是由于学习负担过重而造成的睡眠不足引起的。

国务院1951年8月6日《关于改善各级学校学生健康的决定》中规定，学生每日睡眠时间为高等学校学生8小时，中等学校学生9小时，小学生10小时；夏季酌量增加午睡时间。1994年11月10日，原国家教委公开发表了关于全面贯彻教育方针减轻中小学生过重课业负担的意见。该文件明确规定："要教育学生，并与学生家长配合，原则上保证小学生每日有9小时以上的睡眠，初中生有9小时睡眠，高中生有8小时睡眠。"这些条款都是依据儿童的生理、心理特点，由一批医学、卫生专家参与制定的，是孩子健康最基本的保证，任何人也没有理由破坏。

中小学生已成为一个困乏疲惫的群体，而学生们的困乏最直接的原因是上床太晚而起床太早。影响孩子睡眠的主要原因是作业多、习惯不良、来人和家人看电视干扰，还有家离学校远，又要早到校，等等。这其中最为主要的原因是学习负担太重。

睡眠不足，对人的学习、生活、心理都有影响。睡眠少，人的神经就弱,各种心理疾病就容易发生。据世界卫生组织调查,影响孩子学业的几大因素中,睡眠不足、孩子的头脑不清醒是第一位因素。长期睡眠不足,脑供氧就会缺乏,脑细胞就会损伤,脑功能就会下降,学习成绩自然不会提高。没有充足的睡眠,只能造成学习成绩不好的恶性循环。

为了确保学生的充足睡眠,学校和家长首先应对睡眠有正确的认识,都应树立科学观念和责任心,保证孩子的睡眠。广大父母虽然爱孩子,却对睡眠的时间与意义认识不清。譬如,近半数的小学生家长认为,孩子睡 9 小时即可;还有 5% 左右的家长认为,小学生睡 8 小时就行。初中二年级家长中,19.6% 认为孩子睡 8 小时即可。初中三年级 5% 的家长认为,孩子睡 5 小时至 6 小时也可以,而孩子实际睡 6 小时的占 13.4% 。以这样的错误观念教养孩子,对孩子的身心健康发展是十分不利的。因此,保证孩子睡眠应从转变观念做起。首先,要认识到休息是恢复脑功能的重要手段,睡眠是最重要的休息,一定要让孩子睡够应睡的时间。学校应当采取有效的措施予以配合。例如,取消早自习,推迟学生到校时间,安排学生午睡等。其次,保证学生的睡眠也需要学校与父母或监护人的相互配合。现在有很大一部分情况是,学校给孩子“减负”,家长却给孩子“加负”。学校采取了措施给孩子更多的休息睡眠时间,可父母由于担心自己的孩子落后于别的孩子,就给孩子增加额外的学习负担,这样一来孩子的睡眠时间依然得不到保证。所以,给广大中小学生减负,保证他们的睡眠,不仅需要学校的有效措施,更需要父母或监护人与学校的相互配合。只有保证了孩子的睡眠,才能保证他们身心健康发展,提高学习效率。

(二)必须保证未成年学生的娱乐时间

也许说“玩”是儿童的权利,让许多人接受不了,更多的家长更愿意说玩是孩子的天性。这恰恰反映了众多家长对孩子娱乐权的忽视。《儿童权利公约》第三十一条明确指出儿童有权享有休息和闲暇，从事与儿童年龄相宜的游戏和娱乐活动，以及自由参加文化生活和艺术活动；应尊重并促进儿童充分参加文化生活和艺术活动；应尊重并促进儿童充分参加文化和艺术生活的权利，并应鼓励提供从事文化、艺术、娱乐和休闲活动的适当和均等的机会。当孩子玩耍的时候，我们通常喜欢教导他们不要浪费时间，要抓紧时间学习，甚至阻止孩子去玩，这其实就是对孩子娱乐权的侵犯。即使不少家长留出一定的时间让孩子们去玩，但也仅仅是在家长指定的一个狭小的范围内去玩，对于孩子的一些正当但有些大胆的要求往往是简单、粗暴地拒绝，这其实也是对儿童娱乐权的忽视。

在现代社会里，儿童的闲暇必然与使用媒介联系在一起。儿童有休息和闲暇的权利，才有可能接近媒介并利用媒介满足其学习、娱乐、情感等需要。闲暇意味着儿童有充足的自由支配时间。目前，在家长、教师们普遍认为儿童应该抓紧时间学习的时候，儿童的自由支配时间很少能得到一定保障。1996 年再一次对全国 3284 名 10 岁至 15 岁城市儿童进行的调查表明，儿童自由支配时间平均每日只有约 68 分钟（不含双休日）。儿童每日课后时间主要用来温习功课，并且超过 50% 的儿童在完成学校功课后，还要完成父母安排的课外作业。除此之外，儿童还要参加计算机、数学、英语、绘画、书法、钢琴等学习，其中，近 30% 的儿童明确表示："我不愿意学家长为我安排的学习内容。"不难看出，家长和教师并不真正认可"玩"是儿童的权利这一观念，并且在很大程度上限制了儿童对文化艺术活动的自由选择。正是在这一背景下，儿童自发地看电视、玩电子游戏等纯娱乐活动被严格限制，而读书、学习使用计算机等得到家长和教师鼓励，因为这种活动"有利于学习"。

调查数据显示，高达 47% 的家长曾经"为了学习，不让孩子看他喜欢的电视节目”;86%的家长认为“孩子看电视多了,影响学习”;72%的家长表示“不能让孩子玩电子游戏”;同意“玩电子游戏必然导致成绩下降”的比例也高达77%。相反,82%的家长认为“书籍比电视更有益”,86%的家长同意“为适应未来发展,应为孩子准备一台计算机”等。当然,问题的关键在于一些家长、教师错误地以是否有利于学校学习成绩为标准来衡量媒介,不利于儿童学习成绩提高的媒介活动,无论儿童是否喜欢或需要一律取消,从而侵犯了儿童休息和闲暇的权利、娱乐的权利、自由选择文化活动的权利。

正是由于长期不重视孩子娱乐的权利,使得家长、学校乃至社会在如何让孩子玩得有益于身心健康方面缺乏有效的措施,而孩子自己也变得不会玩了。虽然国家为了减轻孩子学习负担,向各学校提出了“减负”的要求,但“减负”以后的孩子们真的能玩得尽兴、玩得有益于身心健康吗?现实的问题是,现在的孩子不会玩,除了玩电脑、看电视,就说不出其他可玩的游戏了。孩子不会玩,与学校、家庭及社会的引导有关。之所以不放心孩子减负,是因为长期以来家长把孩子的玩耍和游戏功利化了。为把孩子培养成将来的“有用之才”,家长把智力训练和学习内容都硬塞进孩子们的游戏活动中,而不考虑孩子的爱好,于是,孩子们在没有“玩与不玩”的自由选择,游戏中也没有自由驰骋的独立天地。游戏完全的成了工作,成了变相的功课。其实,游戏的本质是不计功利不追求效益的。如果把孩子的自由游戏时间硬塞进学校学习内容,而剥夺他们放松自己身心的机会,其结果是孩子既没有痛快的游戏,也没有尽心的学习。

所以,作为学校和家长,首先应当给予未成年人充足的娱乐时间,然后再对未成年人的娱乐活动加以积极的引导。

(三)必须保证未成年学生的体育锻炼时间

目前,学校、家长对体育锻炼仍存在一定的模糊认识,有人认为孩子身体不错,没必要锻炼;有人心疼孩子,怕孩子受罪。未成年学生体育锻炼缺乏还有一个主要原因,即当前学业压力太重,致使提供给中小学生的锻炼时间越来越少。

学校体育工作是指普通中小学校、农业中学、职业中学、中等专业学校、普通高等学校的体育课教学、课外体育活动、课余体育训练和体育竞赛。学校体育工作的基本任务是:增进学生身心健康、增强学生体质;使学生掌握体育基本知识,培养学生体育运动能力和习惯;提高学生运动技术水平,为国家培养体育后备人才;对学生进行品德教育,增强组织纪律性,培养学生的勇敢、顽强、进取精神。

为增强中小学生体质,教育部要求,小学一、二年级每周应开设4节体育课,小学三年级至初三,每周应开设3节体育课。但很多中小学没有做到,尤其是小学高年段和初中年段,体育课渐渐减少,在学习成绩代表一切的标杆下,体育课被忽视,主课挤占了体育课。很多学校体育锻炼场地狭小、器材不足、时间无法保障;体育教师待遇低,师资队伍薄弱。据了解,有的学校的体育教师由美术、音乐等学科老师兼任;有的学校自主聘请了代课老师,但多数代课老师嫌待遇低而走人。据大多数学生反映,学生年龄越大,课外锻炼时间反而越少。不少学生说,他们并不是不想锻炼,而是在连睡眠时间都不能保障的情况下,基本上没有时间锻炼。一般来说,学生每天睡眠时间不能低于9个小时,可许多学生做不到,一般都是晚睡早起。据调查,有近52%的学生在早晨6时以前起床,近半数同学要在晚上10时以后睡觉。在睡眠都不能保证的情况下,学生又如何坚持进行体育锻炼呢?

根据1990年原国家教委、原国家体委颁布的《学校体育工作条例》的规定,学校应当保证学生的体育锻炼时间,为学生体育锻炼做到以下工作:学校应当根据教育行政部门的规定,组织实施体育课教学活动。体育课教学应当遵循学生身心发展的规律,教学内容应当符合教学大纲的要求，符合学生年龄、性别特点和所在地区地理、气候条件。体育课的教学形式应当灵活多样，不断改进教学方法，改善教学条件，提高教学质量。开展课外体育活动应当从实际情况出发，因地制宜。普通中小学校、农业中学、职业中学每天应当安排课间操，每周安排3次以上课外体育活动，保证学生每天有1小时体育活动的时间（含体育课）。中等专业学校、普通高等学校除安排有体育课、劳动课的当天外，每天应当组织学生开展各种课外体育活动。学校可根据条件有计划地组织学生远足、野营和举办夏（冬）令营等多种形式的体育活动。学校应当在体育课教学和课外体育活动的基础上，开展多种形式的课余体育训练，提高学生的运动技术水平。

未成年人正处于人生发展中十分重要的阶段，加强未成年人的体育锻炼是培养全面发展人才的需要；是提高教学质量的需要；是达到学生认识自我、强身健体的需要；是增强全民体育意识和人口素质的需要。因此，学校体育应保证学生的体育锻炼时间，充分重视学生体育能力的培养，把学生的体育学习动机、兴趣、个性发展与体育能力的发展有机结合起来，坚持普及与提高相结合、体育锻炼与安全卫生相结合的原则，积极开展多种形式的强身健体活动；重视继承和发扬民族传统体育，吸取国外学校体育的有益经验，积极开展体育科学研究工作，实现体育在素质教育中的新突破；培养和提高未成年人的心理品质和各种能力，使他们成为更符合社会需要，更能适应社会的人。

（四）学校应减轻学生负担

1990年6月4日原国家教委颁布的《学校卫生工作条例》第五条规定，学校应当合理安排学生的学习时间。学生每日学习时间（包括自习），小学不超过6小时，中学不超过8小时，大学不超过10小时。学校或者教师不得以任何理由和方式，增加授课时间和作业量，加重学生学习负担。

中小学生负担过重的问题是我国基础教育综合矛盾的负面反映，是很多原因造成的。首先最直接的原因是升学竞争以及背后的就业竞争。“文革”前能上大学的只占同龄人的3%，改革开放后，尽管高校的招生规模不断扩大，目前适龄青年也只有9%的人才能上大学。巨大的升学压力引发学校、教师、家长的种种对策，其中普遍认为行之有效的就是所谓加大运动量——题海战术。其次是传统观念作怪。“万般皆下品，唯有读书高”“学而优则仕”等传统观念仍在深深影响当代中国人的价值观。在许多人看来，读书才有出息。单位在用人时过分注重学历更加剧了升学的竞争，并把这种竞争推至幼儿园阶段。孩子打从进学校的那一天起，他稚嫩的肩上就扛起父母沉甸甸的希望。各校反映，现行中小学课程设置过多、教材偏深、要求偏高也是造成中小学生课业负担过重的原因。例如，小学生以前只要学习语文、数学、自然等，而现在还要学习英语、计算机等课程。上述种种原因，使得中小学生课业负担过重成“顽症”。

过长的学习时间导致学生睡眠严重不足，身体素质下降。近视眼、神经衰弱、脊柱弯曲等病症的学生越来越多，严重摧残了中小学生的身心健康。学生因完不成繁重课业任务而受罚的现象十分普遍，造成师生情感对立，学生厌学、辍学现象十分严重。学生过重的学习课业负担严重挫伤了学生的积极性、主动性、创造性的发挥。名目繁多的课程、考试、作业、补习、竞赛，使学生幼小的心灵承受了沉重的压力和负担，致使学生怕老师、怕上课、怕考试。一些学校受应试教育的影响，眼睛只盯着中考和高考学科，即中考和高考考什么就教什么，不能开足、开齐国家规定的所学课程，有的学科干脆不开，致使学生知识面狭窄。如此教育现状，与党的教育方针背道而驰。照此下去，推行素质教育就成了一句空话。素质教育要求教育面向全体，全面发展，发挥学生个性特长。因此，要真正推进素质教育，“减负”已势在必行。

要切实减轻学生课业负担，第一，必须发挥课堂教学的主渠道作用。每位任课教师要精心备课，即备教材、备教法、备学法、备学生，精心设计教学过程。讲课要抓住重点难点，不面面俱到，做到不给学生吃夹生饭，不抢占学生自习课时间。留作业要适量，留自主型作业，有梯度作业，兼顾各类作业；不留超时超量作业，随意性作业，惩罚性作业。并做到学生能当堂完成的作业，老师不要留到课下，能自习课完成的作业不留到家里；学校、教务处和班主任要协调好各科的作业量。在作业的时间和作业量上严格控制，在保证教学质量的同时，切实把“减负”落到实处。第二，“减负”工作要真正落到实处，学校主管领导必须高度重视，转变观念。主管领导应从应试教育樊篱中解放出来，不折不扣地执行上级关于“减负”的有关政策，并把“减负”工作作为学校工作的头等大事抓紧抓好，严格要求每个任课教师按照上级“减负”有关政策去履行自己的工作职责，并把“减负”与教师的奖励评先进挂起钩来，鼓励广大任课教师多在教学环节上下工夫，多在教改上下工夫，提高课堂 45 分钟的利用率。第三，减轻学生的负担也需要父母或监护人的配合。现在很多孩子都是独生子女，父母对子女的期望值很高，甚至把全部希望都寄托在孩子身上，期盼孩子将来能出人头地。父母不惜财力、物力、人力，精心去培养孩子，反而剥夺了孩子的休息时间。第四，要从根本上减轻中小学学生负担，必须要改革中小学教育。教育改革应当改革考试制度，随着经济和社会发展的需要，不断扩大招生名额。同时，社会也应增加就业岗位数量，重视用人要求合理性，使各层次岗位人才都能发挥作用，都有前途和合理的工资待遇。这才能使整个教育健康发展，每个人的聪明才智才都得到发挥。

减轻学生负担应当注意以下几个方面：

首先，“减负”不等于盲目删减教学内容，也不等于随意减少学习时间。“减负”并不单纯是中小学生课业负担数量上的减少，更重要的是教学内容与教学方法的渐进而深刻的革新,是教育观念的变革。

其次,在教育观念方面,因适应素质教育要求的教育评价体系目前还不完善。大多数教育者一边实施减负,一边还要考虑悬在头上的考核指标,“暗箱操作”的“应试教育”者不在少数。另外,一些家长教育观念和思想转变困难,认为如果学校不布置足够的作业就是对学生要求不严。于是学校不布置作业,家长布置;学校不发辅导资料,家长大量购买;学校不补习,家长请家教;学校让早点下课,家长回家补课,等等。这些都要求学校、家长及时转变观念,适应新的教育方式和理念,不能再搞“小私塾式”教育。

最后,社会大背景也对其有相当大的影响。在社会减负的呼声中,学校有减负的愿望,也有苦衷。在社会对学校的评价体系不改变的情况下,任何一个想谋求发展的学校都不可能真正减负。在这种情况下,为保证“减负”工作的顺利进行,有力的督察必不可少。有关教育主管部门应深入到各个学校,通过问卷、找学生谈话以及查阅学校教育、教学资料等途径,切实加强指导,并要依靠社会和家长的监督。

综上所述,只要依照科学的减负方法,加上我们的教师家长积极适时转变观念,建立起科学的社会用人机制和人才评价体系,教育行政部门加强监察督导,就一定能促使减负走向健康的轨道,真正实现减负增效。

第二十一条　学校、幼儿园、托儿所的教职员工应当尊重未成年人的人格尊严,不得对未成年人实施体罚、变相体罚或者其他侮辱人格尊严的行为。

【释义】 本条是关于学校、幼儿园、托儿所的教职员工应当尊重未成年人的人格尊严的规定。

这一规定包含了两个方面的含义：

1. 尊重学生的人格

人格尊严是我国宪法赋予每个公民的一项基本权利，幼儿和未成年学生也是公民的一部分，因此他们不仅也有人格尊严，而且他们的人格尊严也不容许他人侵犯。但是，由于他们年幼无知，不了解自己具有的人格尊严，又缺乏保护自己的能力，因而他们的人格尊严常常受到人们的忽视和侵犯。个别教师和保育人员对儿童、未成年学生常厉声训斥、实行体罚或者变相体罚，甚至粗暴侮辱、摧残，严重伤害了他们的自尊心和人格尊严，极不利于他们身心的健康发展。为此，本法特别强调，把尊重未成年人的人格尊严当作学校、幼儿园、托儿所的教职员必须履行的一项法律义务。

随着精神文明的发展，人们追求人格受到尊重，追求自身价值得到体现，这是精神文明的一种高层次追求。但在实际生活中，由于师道尊严的长期影响，再加之应试教育的推波助澜，导致一些学生的人格仍然不能得到应有的尊重，一部分师生关系仍然比较紧张，新型的师生关系还很难实现。教师不应把学生仅仅当作工具来塑造，看作一种没有思想和人格的物体，而应当体现以人为本，尊重学生的人格。我国教师法第八条规定教师有义务关心、爱护全体学生，尊重学生人格，促进学生在品德、智力、体质等方面全面发展。修订后的义务教育法也专门规定了教师应当尊重学生的人格，不得侮辱学生的人格尊严。

自尊是人格的最基本的要素。处于特殊年龄阶段的学生，自尊意识比其他年龄阶段的人更为强烈，他们渴望受到他人的尊重和理解。在生理、心理和行为上有缺陷的学生更是如此。由于生活环境相对比较单纯，对社会的复杂和一些阴暗面了解不深，这个年龄阶段的学生在面对来自外界的身体、精神方面的伤害时就显得更加脆弱。他们在努力维护自尊的同时，容易产生自卑，从而自我封闭。尊重他们的人格，给予他们更多的理解和关注，对他们的健康成长非常重要。

尊重学生人格,归根结底在于教职人员良好的道德素质。教育者应当首先受到了良好的教育,具备了良好的师德,才能保证在处理各种情况时都能够尊重学生,不伤害学生的人格。所以,教师应当从提升自身的素质着手,善于解剖自我,走出心理误区,严格地要求自己,宽容、友善地对待学生。教师应当避免恶语中伤,践踏学生的人格,引发逆反情绪和对抗行为,给孩子的成长带来不利的影响。根据本法规定,学校、幼儿园、托儿所的教职员首先必须重视这一问题,增强法律意识。其次,在教育、管理工作中,既要严格管理又要耐心教育,既要晓之以理又要动之以情,在师生之间建立一种互相尊重、平等、亲密的关系。最后,对于有某些缺点错误的幼儿和学生,要特别耐心细致,循循善诱,从多方面关心他们,鼓励和帮助他们改进,而绝不能遇到学生"不听话"就火冒三丈,用打骂或体罚的方法解决问题,否则将会给未成年学生和幼儿的健康成长造成十分不良的影响和严重后果。

受到应有的尊重是人类个体基本的精神需求。现代教育的民主性原则就是教师要尊重学生,尊重学生的人格是师生之间沟通的桥梁。只有尊重才有平等,只有平等才有信任,有了信任,教师才能更好地了解未成年人的内心世界,准确把握未成年人的心理状态,更好地与未成年人进行沟通,从而达到良好的教育教学效果。

2. 不得对未成年人实施体罚、变相体罚或者其他侮辱人格尊严的行为

在封建社会,为师之道,尊严是至关重要的,教师是知识与真理的化身,教师打骂学生是天经地义、无可非议的。即使是在文明高度发展的今天,由于传统观念、应试教育的影响和教师管理中存在的薄弱环节,一些教师法律意识淡薄,品德素质较差,侮辱学生人格尊严、体罚学生的现象仍然大量存在。将体罚作为一种教育

手段,是违法行为。新修改的义务教育法明确规定,教师应当尊重学生的人格,不得歧视学生,不得对学生实施体罚、变相体罚或者其他侮辱人格尊严的行为。此次修改未成年人保护法也再一次明确规定,学校、幼儿园、托儿所的教职员工应当尊重未成年人的人格尊严,不得对未成年人实施体罚、变相体罚或者其他侮辱人格尊严的行为。

教师体罚或变相体罚学生的表现,概括起来主要有:讽刺、挖苦、侮辱谩骂学生;罚站、罚跪、提重物、迟到、考试不及格罚款等;教师打学生,或让学生打学生;学生自己打自己;随意停课,如不让学生进教室听课,或者不准学生来校上课,等等。

体罚学生不仅违背了教育民主制原则,违背了为人师表的精神,有损于教育与教师的形象,而且严重伤害了未成年人的身心。教师体罚学生,通过简单、粗暴的方式来处理问题,对未成年人今后的人际交往有很大消极影响。他们将只会通过蛮横霸道的方式处理与同伴的关系。这对未成年人的良好品质的形成、未成年人的健康成长带来很大的危害。

很多学校和家长担心,如果不对一些犯有严重错误的学生加以惩罚和制止,不仅容易将其引上犯罪的道路,对孩子今后的发展不利,而且严重破坏了学校的学习环境,影响了其他孩子的健康发展。禁止体罚并不意味着不允许对学生的过错行为给予必要的、适当的惩罚。体罚和惩罚是两个不同的概念。惩罚是严厉的处罚,在尊重人格的原则上进行适当的惩罚对学生是有必要的。对于极个别屡教不改、错误性质严重、影响恶劣、需要给予纪律处分的学生,可以给予公开批评、警告、记过、留校察看等纪律处分,而不能采用简单粗暴和压服的办法。惩罚只是教育的一种辅助手段,其目的仍是通过惩罚教育学生本人和学生集体。

对学生坚持正面教育,是所有教育工作者必须遵循的一条重要的教育原则。因此,必须切实提高教师的道德素质和教育理论水平，加强师德修养，提高教育能力，培养教育艺术。这是彻底清除体罚现象的根本的、长远的措施。

本法对体罚未成年人的行为规定了法律责任，第六十三条第二款规定，学校、幼儿园、托儿所教职员工对未成年人实施体罚、变相体罚或者其他侮辱人格行为的，由其所在单位或者上级机关责令改正；情节严重的，依法给予处分。依照我国教师法的规定，对于体罚和变相体罚学生的教师，所在学校、其他教育机构或者教育行政部门，必须及时进行批评教育，帮助他们认识和改正错误，并视情节给予行政处分或者解聘。对于情节极为恶劣，构成犯罪的，要依照刑法的规定追究法律责任。

第二十二条　学校、幼儿园、托儿所应当建立安全制度，加强对未成年人的安全教育，采取措施保障未成年人的人身安全。

学校、幼儿园、托儿所不得在危及未成年人人身安全、健康的校舍和其他设施、场所中进行教育教学活动。

学校、幼儿园安排未成年人参加集会、文化娱乐、社会实践等集体活动，应当有利于未成年人的健康成长，防止发生人身安全事故。

【释义】　本条是关于学校维护校内安全的规定。

原未成年人保护法第十六条规定："学校不得使未成年学生在危及人身安全、健康的校舍和其他教育教学设施中活动。任何组织和个人不得扰乱教学秩序，不得侵占、破坏学校的场地、房屋和设备。"第十七条规定："学校和幼儿园安排未成年学生和儿童参加集会、文化娱乐、社会实践等集体活动，应当有利于未成年人的健康成长，防止发生人身安全事故。"这次修改主要有两点：(1)增加了学校、幼儿园、托儿所应建立安全制度，加强对未成年人的安全教育的内容；(2)将原未成年人保护法第十六条第一款与第十七条合并为一条加以规定。

(一)学校维护校内安全的责任

学校、幼儿园、托儿所应当建立安全制度,安全制度包括学校的消防安全、学校的治安管理、学校的建筑安全、校园集体活动安全、校园卫生和饮食安全,等等。

义务教育法第二十四条规定,学校应当建立、健全安全制度和应急机制,对学生进行安全教育,加强管理,及时消除隐患,预防发生事故。目前,安全教育的内容已经编入了中小学教科书。教育部门组织编写了《小学生应急避险读本》《中学生应急避险读本》《未成年人治安防范读本》《小学生消防安全知识必读》《中学生消防安全知识必读》等防灾避险的读物。学校应组织学生学习安全知识,牢固树立自护自救观念,形成自护自救意识,掌握自护自救技能,锻炼自护自救能力,在面对各种异常情况或危险时,能用学到的有关安全知识和掌握的自护自救技能,果断正当地进行自护自救,机智勇敢地处理危险。

学校应做好全国中小学生"安全教育日"的宣传和教育工作。全国中小学生安全教育日是中国教育界的一个特别日子,全国中小学生安全教育日制度创立于1996年,全国中小学生"安全教育日"安排在每年3月份最后一周的星期一。每年确定一个宣传教育主题,对广大中小学生开展安全教育,提高学生的安全意识和能力。2005年"安全教育日"的主题定为"增强交通安全意识,提高自我保护能力"。2006年"安全教育日"的主题为"珍爱生命,安全第一"。

根据有关规定,中小学安全工作也要像政府、企业那样,实行"一把手"负责制。主要负责人是本校安全工作的第一责任人,对学生安全教育、学校内部安全责任制度、安全基础设施建设、日常安全管理以及事故应急处置等工作全面负责。政府主管部门应当与校长签订安全责任书,学校要将安全责任逐条细化,分解落实到学校工作的每个环节和每个部位,落实到每一个教职员工。

（二）学校、幼儿园、托儿所不得在危及未成年人人身安全、健康的校舍和其他设施、场所中进行教育教学活动

学校是对未成年人进行教育的场所，是未成年人集中的地方。学校的校舍或其他教育设施不安全，将会危及许多在校未成年学生的人身安全和身体健康。中小学校舍中的危险房屋，有些是建国初期使用至今的旧祠堂、庙宇、书院、会馆等古旧建筑，许多还是前清时代的，年久失修；有些是20世纪60年代以后，因校舍不够用，改造的仓库、牛棚，或是因基建投资不足，因陋就简建设的土房、茅屋；还有一些是“文化大革命”中遭到“打、砸、抢”浩劫破坏造成的危房。其中尤以古旧建筑对师生的安全威胁最大，危房中已有相当部分封闭停用。我国目前学校教育的硬环境相比以往有了较大改善，但仍然存在值得强化的地方。根据有关资料显示，由于在改造危房过程中，一些地区“无证设计、无证施工”，不按基建规程办事，致使不少新建校舍刚刚完工即成危房，加上以前未经过改造的危房，我国中小学校危房的比例还是不小。大量危房的存在，使中小学生的安全保护存在严重的隐患，不少地区学校校舍倒塌事故时有发生，并造成学生严重伤亡。目前已发现数起因校舍倒塌而造成学生伤亡的重大事故。2004年4月26日，内蒙古自治区通辽市科尔沁区义庆和镇回民村小学校教室因钢梁扭曲变形导致屋顶塌落，造成人员伤亡事件。该建设工程属“建筑无工程设计、项目无审批、施工单位无资质”的“三无工程”。这是一起典型的校舍安全检查不认真，没有及时发现问题的安全责任事件。因此，解决中小学校的危房问题，是当前加强对未成年学生进行学校保护的一个突出问题。

校舍和教学设施的安全，是保证受教育者、教师及其他人员人身安全的重要前提。校舍或教育教学设施有危险，是指在学校中供受教育者、教师及其他员工学习、教学、居住、锻炼、游玩的校舍、场地、教具、实验仪器、设备等，由于年久失修等原因，有的上述设

施已属危险物品,结构丧失稳定和承载能力,随时有倒塌、损毁的可能,不能确保使用的安全。对于此种情况,学校有义务及时检修或者更换,保证其达到安全使用的要求。国家有关法律对学校有保证校舍和教育教学设施安全的义务作出了明确的规定。教育法第七十三条规定,明知校舍或者教育教学设施有危险,而不采取措施,造成人员伤亡或者重大财产损失的,对直接负责的主管人员和其他直接责任人员,依法追究刑事责任。教育部对此问题也三令五申,在 1989 年发布了《关于中小学危房修缮、改建工作的通知》,1992 年由财政部、国家计委发布了关于《全面消除和杜绝中小学危房的规定》的通知。根据教育部和国家建设主管部门的要求,各级各类学校凡新建、扩建校舍和设施的,必须严格按照建设程序办事。村镇中小学的工程要向县建设主管部门报建,经审查批准后,才能兴建。新建扩建校舍必须委托当地工程质量监督站进行质量监督,不经监督站或管理单位核验合格的工程,不能交付使用。学校还必须建立校舍检修制度,凡经检查确定属于危房的,均要报当地人民政府或上级主管部门,尤其要做出修缮、改建安排等措施。

保护未成年学生在校内的人身安全和健康,首先要求学校积极采取措施,改善办学条件,检查并修复、改造可能危及学生人身安全健康的校舍和其他教学措施。学校应当建立健全有关制度,定期对校舍进行检验,发现问题,及时报告当地政府或上级主管部门,以便进行修缮或改建。未修复的危房必须停止使用,由当地政府或主管部门负责解决临时用房;对新建或改建的校舍要进行严格的质量检查验收,确保不因质量问题发生人身伤亡事故。

(三)学校、幼儿园安排未成年人参加集会、文化娱乐、社会实践等集体活动,应当有利于未成年人的健康成长,防止发生人身安全事故

近年来,学校的教育教学活动内容和形式越来越丰富,有些教

学活动并不仅仅限定在校内。学校、幼儿园安排未成年人参加集会、文化娱乐、社会实践等集体活动时，不仅要从内容及形式上防止对学生、儿童产生不良影响，而且要防止在活动中发生任何人身伤亡事故。活动前要讲明应注意的安全事项，活动时要有领导、教师负责。

第二十三条　教育行政等部门和学校、幼儿园、托儿所应当根据需要，制定应对各种灾害、传染性疾病、食物中毒、意外伤害等突发事件的预案，配备相应设施并进行必要的演练，增强未成年人的自我保护意识和能力。

【释义】　本条是关于教育行政等部门和学校、幼儿园、托儿所应当根据需要，制定应对各种突发事件的预案的规定。

学校的突发事件是指发生在校园内或者学校组织的校外活动中，由人为原因或自然灾害引起，具有突发性或难以预见性，造成或者可能造成师生身体健康严重损害，对校园教学工作和生活秩序以及家庭和社会稳定造成严重影响的突发性事件。例如，意外伤害、火灾、校舍倒塌、重大食物中毒、重大传染性流行性疾病、自然灾害等。其一般包括：(1)灾害：地震、台风、洪水、山体滑坡、火灾、建筑物倒塌、交通事故群体拥挤踩踏、游泳溺水、户外集体活动发生意外等，致师生重伤、死亡。(2)突发卫生事件。这是指突然发生，造成或者可能造成社会公众健康严重损害的重大传染病疫情、群体性不明原因疾病、重大食物中毒和职业中毒以及其他严重影响公众健康的事件，其包括群体食物中毒、环境污染中毒、传染性疾病、群体性不明病因等，致师生重伤、死亡。(3)社会安全事件：在校师生与当地群众发生群体纠纷、学生之间较大规模纠纷、非组织的政治性群体聚会或游行、学生各类自杀死亡、因教学改革或拖欠教师工资等原因引发的教职员工集访、教师体罚行为致学生死亡或伤残或病重住院、严重影响校园教学秩序或群众生活秩序的其他突发事件。

校园突发事件按其影响大小和危害程度划分为一般性、重大、特大三个级别:(1)一般性校园突发事件。其主要指在校园发生,致师生重伤,或对师生人身和财产安全、学校教学和教研、工作和生活秩序、家庭和社会稳定造成一定影响,由学校为主可以进行处置,或当地教育行政部门可以协调解决的校园突发事件。(2)重大校园突发事件。其主要指在校园发生,致师生伤亡,或对师生人身和财产安全、学校教学和教研、工作和生活秩序、家庭和社会稳定造成严重影响和重大危害,需由当地政府协调解决,当地教育行政部门参与处理的校园突发事件。(3)特大校园突发事件。其主要指发生师生死亡3人以上,或对师生人身安全和财产安全、学校教学和教研、工作和生活秩序、家庭和社会稳定造成特别重大危害并产生恶劣影响,出现跨学校甚至向社会蔓延扩散的态势,或按有关规定应确定为特大级的紧急情况,需由当地政府或教育行政部门处理解决并报省政府及教育行政部门或教育部处置的校园突发事件。

学生作为祖国的未来,对他们的安全工作不仅仅是学校或者家庭的责任,还应该由全社会来共同承担。据调查显示,我国中小学生因溺水、交通事故、食物中毒、建筑物倒塌等意外死亡的,平均每天有四十多人,相当于每天有一个班的学生消失!目前我国教育系统的安全状况令人担忧,安全工作开展不平衡,个别教育行政部门和学校对安全工作的重要性缺乏足够认识,重视程度不够,学校制定的突发事件预案不细致、不演练,一旦发生安全事故,难以进行有效的处理和救助。因此,新修改的未成年人保护法将教育行政等部门和学校、幼儿园、托儿所应当根据需要制定应对各种突发事件的预案,配备相应设施并进行必要的演练写入法律,提高学校应对突发事件的能力,增强未成年人的自我保护意识和能力。

为确保学校的安全与稳定,有效处置突发事件,建立统一指挥、职责明确、运转有序、反应迅速、处置有力的应急处置体系，最大限度地降低突发事件的危害，维护和确保学校的稳定、保障学校教育教学工作的正常进行，教育行政等部门和学校、幼儿园、托儿所应当根据需要，制定应对各种突发事件的预案。目前，全国教育系统已经基本建立起突发公共事件应急预案体系，形成包括教育部总体预案、各省区市教育部门预案、各级各类学校预案的体系格局。

突发事件的应急预案主要包括以下主要内容：(1)突发事件应急处理指挥部门和人员的组成及职责；(2)突发事件的监测与预警；(3)突发事件信息的收集、分析、报告、通报制度；(4)突发事件应急处理技术和监测机构及其任务；(5)突发事件的分级和应急处理工作方案；(6)突发事件预防、现场控制，应急设施、设备、救治药品和医疗器械以及其他物资和技术的储备与调度；(7)突发事件应急处理专业队伍的建设和培训。突发事件应急预案应当根据突发事件的变化和实施中发现的问题及时进行修订、补充。

学校应当制订相应的措施对突发事件进行有效的预防和处理：

1. 学校应当层层建立责任制。学校领导对本学校安全负责；学校各部门负责人对本校部门安全负责；各班级班主任对本班学生安全负责。

2. 建立防范长效机制。学校预防和处置校园突发事件领导小组要立足防患，牢固树立“防患先于处置”的思想，杜绝对校园安全隐患认识不足、长期忽视的麻痹思想，超前工作，掌握主动，建立防范非自然灾害类突发事件发生的长效机制，为校园打造安全屏障。

3. 建立监测预警机制。学校应对阶段性可能发生的突发事件的新情况、新问题（如暑假学生游泳溺水、夏季食物中毒）进行认真研究，及时布置校务工作，组织会商预防，采取相应的防范措施，明确各类突发事件监测预警系统的分工责任。

4. 建立紧急救援机制。学校必须根据实际，按应急预案要求，建立应急单位、应急人员、应急资源救援档案库，定期组织师生开展各种突发事件的模拟演练，增强和提高师生防范各类突发事件的意识和应对能力，做到有备无患。

各级教育行政部门和学校要在建立健全学校突发事件应急机制，制定可行的处置突发事件应急预案的基础上，配备防火安全设备、急救药品等设施，并定期开展学校突发事件应急演练。通过突发事件的应急演练，检验和完善突发事件应急预案，增强广大师生公共安全意识和防灾避险的能力，提高学校应急处置工作水平。

各级教育行政部门和学校除了制定突发事件应急预案，还要有意识、有计划地对学生开展防灾避险教育，把《安全教育读本》纳入教育计划，对学生进行防火、防电、防溺水、防中毒等各种安全自救训练，积极开展形式多样的安全教育活动，加强未成年人自我保护的教育，增强学生的防范意识和自我保护意识，提高自救自护和互救互助的能力。

第二十四条　学校对未成年学生在校内或者本校组织的校外活动中发生人身伤害事故的，应当及时救护，妥善处理，并及时向有关主管部门报告。

【释义】　本条是关于学校应当对学生人身伤害事故进行及时妥善处理的规定。

近年来，学校的教育教学活动内容和形式越来越丰富，学生伤害事故的发生也越来越频繁。在这种情况下，依法保护在校学生的人身安全和客观公正地处理学生伤害事故，有着更加重要的现实意义。因此本法明确规定，学校对未成年学生在校和本校组织的校外活动中发生人身伤害事故的，应当及时救护、妥善处理，并及时向有关主管部门报告。教育部颁布的《学生伤害事故处理办法》自 2002 年 9 月 1 日施行后,以其较强的针对性和操作性,在指导学校积极预防伤害事故,促使伤害事故得到及时妥善处理方面发挥着日益显著的作用。其中第十五条规定:“发生学生伤害事故,学校应当及时救助受伤害学生,并应当及时告知未成年学生的监护人;有条件的,应当采取紧急救援等方式救助。”学生伤害事故,从广义上讲是指学生发生在学校的以及与教育教学活动有关的人身伤亡事故,其中既包括学生在校期间发生的伤亡事故,也包括学生在本校组织的校外活动中发生的人身伤害事故。

学生伤害事故大致可以分为教育活动事故、学校设施事故及学生间事故三种类型。

1. 教育活动事故

狭义的教育活动,是指学校正式安排的各项教学课程活动。然而学校的活动往往并不仅仅是正式安排的各项课程活动,一般认为,只要是属于教师职务范围之内如课堂讲授、课外活动、学校举办的特殊形式的教学活动、教师的教育指导、教师自己决定带领学生在野外郊游或登山活动等各种活动,或在教师指导、监督下进行的课外活动、社团活动、运动会及学校特别庆典活动,都具有教育的性质,属于广义的教育活动。这其中容易发生危险的活动如体育、自然科学实验课程,安全隐患比较大,学校和教师负有较高的安全注意义务,一旦发生安全事故,应及时、妥善采取措施处理。

2. 学校设施事故

学校设施事故,是指学校的校舍、场地、其他公共设施,以及学校提供给学生使用的学具、教育教学和生活设施、设备不符合国家规定的标准,或者有明显不安全因素而引发的事故。近年来,通过各方面的努力,中小学危房的修缮和改造工作取得了显著成绩。中央和地方各级政府,逐年增加了中小学危房修缮经费,城乡厂矿企业、农村集体、机关团体、人民群众和爱国侨胞,积极集资、捐款,修缮改建了大批校舍。但是,由于种种原因,目前全国尤其农村还有相当数量的校舍年久失修、破烂不堪。受各种自然灾害破坏,每年还出现一批新的危房。这种状况严重地危害着师生安全和影响正常的教学秩序,是造成学生伤害事故的重要原因。

3. 学生间事故

学生间事故,是指发生于学生之间,因其他学生侵害而发生伤害的事故。例如,学生在下课时间,因玩耍或恶作剧致其他学生受伤的情形,即属于学生间事故。虽然学生间事故常常是学校或教师所不能预防的,发生的原因也与学校无关,但是学校教师或者其他工作人员在负有组织、管理未成年学生的职责期间,发现学生行为具有危险性,应当进行必要的管理,对其行为加以告诫并采取措施制止,否则,也应当承担相应的法律责任。

此外,还有因学校的安全保卫、消防、设施设备管理等安全管理制度有疏漏而产生的事故;因学校向学生提供的药品、食品、饮用水等不符合国家或者行业的有关标准、要求而产生的事故;因教师或者其他工作人员患有不适宜担任教育教学工作的疾病而产生的事故;学校违反有关规定,组织或者安排未成年学生从事不宜未成年人参加的劳动、体育运动或者其他活动而产生的事故;地震、雷击、台风、洪水等自然因素造成的事故;来自学校外部的突发性、偶发性侵害造成的事故;因学生自行外出或者擅自离校期间发生的事故等。这些由不同原因导致的学生伤害事故,无论学校有无过错责任,学校都应当及时救护、妥善处理,及时向有关主管部门报告。

1. 学校应当及时救护受伤害的学生

对于发生的伤害事故人数众多的情况,在产生骚动和混乱的情况下,活动组织者应统一指挥,有秩序地依次疏散退场,以免互相冲撞拥挤,发生倒地踏伤、压伤事故。一旦发生火灾,立即组织教职工扑救,并拨打电话向消防专业人员报警,扑救时要先救人后救物,优先保护未成年人不受火灾侵害。在发生交通安全事故的情况下，首先应拨打救护电话和报警电话，通过可利用的通讯方式，迅速将情况向有关人员报告，请求紧急救援。在发生饮食卫生安全事故时，学校应在医务人员的指导下，对食物中毒者做急救处理，然后迅速送往附近医院，进一步治疗。其他学生应当迅速停止食用可疑食物，当证实是某种食物中毒时，学校应迅速组织处理抢救，如催吐排毒。事故发生后，针对不同情况，采取送校医务室由卫生老师清创、敷药、包扎或是送医院进行检查、诊断、治疗。如有伤亡人员，要尽一切可能及时、积极、努力进行抢救治疗工作，并做好死亡人员的善后工作。对于某些情况，学校应及时通知受伤学生家长到医院，参与救治意见。

《学生伤害事故处理办法》规定，除法律有规定或者学校依法接受委托承担相应监护职责的情形外，学校对未成年学生不承担监护职责。有许多家长担心，《学生伤害事故处理办法》出台后，自己的孩子在学校发生意外，学校便可撒手不管了。这种看法是错误的，规定学校没有监护责任，并不等于学校不承担任何责任。学校对学生承担的是教育、管理、保护的责任，一旦学生发生了人身伤害事故，学校应当及时救助、妥善处理，并依法承担责任。

2. 学校应当妥善处理学生伤害事故

发生学生伤害事故后，学校应配合有关部门查明事故原因及责任人。学校对学生伤害事故负有责任的，应当根据责任大小，适当予以经济赔偿，但不承担解决户口、住房、就业等与救助受伤害学生、赔偿相应经济损失无直接关系的其他事项。学生伤害事故赔偿的范围与标准，按照有关行政法规、地方性法规或者最高人民法院司法解释中的有关规定确定。对受伤害学生的伤残程度存在争议的，可以委托当地具有相应鉴定资格的医院或者有关机构，依据国家规定的人体伤残标准进行鉴定。根据双方达成的协议、经调解形成的协议或者人民法院的生效判决，应当由学校负担的赔偿金，学校应当负责筹措；学校无力完全筹措的，由学校的主管部门或者举办者协助筹措。县级以上人民政府教育行政部门或者学校举办者有条件的，可以通过设立学生伤害赔偿准备金等多种形式，依法筹措伤害赔偿金。学校有条件的，应当依据保险法的有关规定，参加学校责任保险。提倡学生自愿参加意外伤害保险。在尊重学生意愿的前提下，学校可以为学生参加意外伤害保险创造便利条件，但不得从中收取任何费用。学校对学生伤害事故无责任的，如果有条件，可以根据实际情况，本着自愿和可能的原则，对受伤害学生给予适当的帮助。因学校教师或者其他工作人员在履行职务中的故意或者重大过失造成的学生伤害事故，学校予以赔偿后，可以向有关责任人员追偿。未成年学生对学生伤害事故负有责任的，由其监护人依法承担相应的赔偿责任。对于违反学校纪律，对造成学生伤害事故负有责任的学生，学校可以给予相应的处分；触犯刑律的，由司法机关依法追究其刑事责任。

3. 发生学生伤害事故后，学校应当及时向有关主管部门报告

发生学生伤害事故后，学校应当及时将事故发生原因、师生伤亡等具体情况及时向有关主管部门报告。这里的主管部门主要是指教育行政部门。学校负有责任且情节严重的，教育行政部门应当根据有关规定，对学校的直接负责的主管人员和其他直接责任人员，分别给予相应的行政处分；有关责任人的行为触犯刑律的，应当移送司法机关依法追究刑事责任。对于学校管理混乱，存在重大安全隐患的，主管的教育行政部门或者其他有关部门应当责令其限期整顿；对情节严重或者拒不改正的，应当依据法律法规的有关规定，给予相应的行政处罚。

教育行政部门未履行相应职责，对学生伤害事故的发生负有责任的，由有关部门对直接负责的主管人员和其他直接责任人员分别给予相应的行政处分；有关责任人的行为触犯刑律的，应当移送司法机关依法追究刑事责任。

第二十五条 **对于在学校接受教育的有严重不良行为的未成年学生，学校和父母或者其他监护人应当互相配合加以管教；无力管教或者管教无效的，可以按照有关规定将其送专门学校继续接受教育。**

依法设置专门学校的地方人民政府应当保障专门学校的办学条件，教育行政部门应当加强对专门学校的管理和指导，有关部门应当给予协助和配合。

专门学校应当对在校就读的未成年学生进行思想教育、文化教育、纪律和法制教育、劳动技术教育和职业教育。

专门学校的教职员工应当关心、爱护、尊重学生，不得歧视、厌弃。

【释义】 本条是关于为具有严重不良行为的适龄少年设置专门的学校实施教育的规定。

原未成年人保护法第十八条规定："按照国家有关规定送工读学校接受义务教育的未成年人，工读学校应当对其进行思想教育、文化教育、劳动技术教育和职业教育。工读学校的教职员应当关心、爱护、尊重学生，不得歧视、厌弃。"这次修改主要有两点：(1)将工读学校改为专门学校；(2)增加规定了把未成年人送入专门学校的条件；(3)增加规定了对专门学校进行保障、管理、指导和协助的内容；(4)增加规定了对专门学校学生进行纪律和法制教育的内容。

我国的专门学校是对有违法或轻微犯罪行为的未成年学生进行教育帮助的半工半读学校，这个专门的学校实际上就是原来的工读学校。不同的是，从前的工读学校由公安部门管理，而专门学校同普通的学校一样，由教育行政部门管理。为了防止给工读学校的学生加上标签，避免对工读学校学生的社会歧视，减轻对他们的心理伤害，保证专门学校与普通学校的平等地位，法律上取消了工读学校的名称，统称为专门学校，由教育行政部门管理。有关专门学校的政策方针和管理制度,参照原来工读学校的有关规定执行。

(一)专门学校的学生

本条第一款规定,对于在学校接受教育的有严重不良行为的未成年学生,学校和父母或者其他监护人应当互相配合加以管教;无力管教或者管教无效的,可以按照有关规定将其送专门学校继续接受教育。义务教育法第二十条规定,县级以上地方人民政府根据需要,为具有预防未成年人犯罪法规定的严重不良行为的适龄少年设置专门的学校实施义务教育。根据预防未成年人犯罪法的规定,"严重不良行为",是指下列严重危害社会,尚不够刑事处罚的违法行为:(1)纠集他人结伙滋事,扰乱治安;(2)携带管制刀具,屡教不改;(3)多次拦截殴打他人或者强行索要他人财物;(4)传播淫秽的读物或者音像制品等;(5)进行淫乱或者色情、卖淫活动;(6)多次偷窃;(7)参与赌博,屡教不改;(8)吸食、注射毒品;(9)其他严重危害社会的行为。

对严重不良行为的矫治分为几种情况,其包括:(1)管教。对严重不良行为的未成年人,其父母或者其他监护人和学校应当相互配合,采取措施严加管理和教育。(2)专门学校。专门学校负责对有不良行为的未成年人进行矫治和帮助。(3)收容教养。未成年人因不满16周岁不予刑事处罚的,责令他的父母或者其他监护人严加管教;在必要的时候,也可以由政府依法收容教养。(4)治安处罚。未成年人有严重不良行为,构成违反治安管理行为的,由公安机关依法予以治安处罚。因不满14周岁或者情节特别轻微免予处罚的,可以予以训诫。

专门学校既是实施义务教育的一种特殊形式的学校,同时也负责对在校学生进行挽救和矫治。它的根本任务在于全面贯彻教育方针,把有违法和轻微犯罪行为的未成年学生教育、挽救成为有理想、有道德、有文化、有纪律并掌握一定生产劳动技术和职业技能的社会主义公民。专门学校的根本特征在于:(1)教育对象有严重不良行为;(2)是一种有一定约束力的严格教育。专门学校对学生以道德品质教育为主,着眼于转化学生的思想,并采用较为严格的管理方式。专门学校招收的对象是年龄在12周岁至17周岁之间的、有违法或轻微犯罪行为;但尚不构成劳动教养、收容教养或刑事处罚的条件,又不适宜在原学校接受义务教育的学生。凡是符合以上条件的未成年人都应当送到专门学校接受义务教育。专门学校是实施九年制义务教育的一种不可缺少的教育形式,是提高早期预防未成年人违法犯罪工作效率不可缺少的重要环节,对于稳定和维护普通中学生正常教学秩序,转化后进生,预防和控制处于犯罪边缘的未成年学生具有重要意义。

根据本法的规定,对于在学校接受教育的存在严重不良行为的未成年学生,学校和父母或者其他监护人应当首先履行教育的职责,相互配合,对这种未成年学生加以管教。学校和父母或者其他监护人应当及时沟通,增进对未成年学生的学习生活、人际交往、家庭状况、心理健康等情况的了解,以便及时采取有效措施对其不良行为加以矫治和制止。对孩子进行教育和管教是学校和父母或者其他监护人的义务,一旦发现未成年学生有严重不良行为,既不能采取不管不问的态度,也不能对其进行打骂、训斥等侮辱人格尊严的行为,更不能不问青红皂白便将其送入专门学校。只有在学校和父母或者其他监护人采取了一系列措施后,依然管教不了的情况下,才能将这种未成年人送入专门学校接受教育。将未成年学生送入专门学校应当遵守一定的法律程序,根据预防未成年人犯罪法的规定,对未成年人送工读学校进行矫治和接受教育,应当由其父母或者其他监护人或者原所在学校提出申请,经教育行政部门批准。

1955年,我国第一所工读学校在北京海淀区建成。20世纪90年代以前,工读学校主要接收有轻微违法犯罪行为的学生,通过半工半读使其转变为“自食其力的社会主义劳动者”；现阶段，专门学校被定位为义务教育的有益补充，主要职责是接纳和教育有严重不良行为的未成年学生。专门学校教育在实施九年制义务教育、保护未成年人身心健康、预防适龄少年违法犯罪、进行社会治安综合治理等方面发挥了重要作用。据资料显示，我国专门学校对有严重不良行为学生教育挽救的成功率一般都在 80% 以上，不少学校高达 90% 以上。

根据预防未成年人犯罪法第三十六条规定，工读学校对就读的未成年人应当严格管理和教育。专门学校除按照义务教育法的要求，在课程设置上与普通学校相同外，应当加强法制教育的内容，针对未成年人严重不良行为产生的原因以及有严重不良行为的未成年人的心理特点，开展矫治工作。专门学校的任务是对严重不良行为的未成年人进行矫治和教育，使其形成守法意识、养成守法习惯，学习文化知识和职业技术，成为对社会主义现代化建设有用的守法公民。

（二）对专门学校的保障、管理、指导和协助

依法设置专门学校的地方人民政府应当保障专门学校的办学条件，我国专门学校存在的问题主要有两点：

1. 经费不足

我国专门学校的经费保障是制约其生存与发展的关键问题之一。我国的专门学校一般在办学层次上多为初中程度，属于九年制义务教育的范围，其经费是应由国家财政予以全额保障的。但是由于各地财政收入状态不同，其对专门学校经费保障的程度也不同。有的是全额保障，有的是基本保障，大部分地区限于财力是部分保障。由于经费保障上存在的困难，大多数专门学校在办学规模、办学层次、办学水平、教学设施、师资吸引力等方面的提高均有难度，还使得一部分因家境贫困而又需要进行矫治和帮助的有不良行为的未成年人不能入学。

2. 专门学校师资短缺

专门学校教师的岗位津贴、岗位培训、职称评定等方面没有作出高于社会上的普通学校的规定。目前，专门学校的教师队伍大多数没有达到国家要求的本科学历，有的还只有高中文化。个别学校甚至将一些道德品质差、素质低、教不了课的人调来任教。一些较好的教师又因工作太累太苦、付出的多回报的少而调走。

教育行政部门应当加强对专门学校的管理和指导，要采取多种渠道解决专门学校的师资来源。要认真选调具备条件的中学教师、师范院校应届毕业生到专门学校工作，并要有计划地配备一定数量的优秀教师作为骨干。对于因道德品质问题不适宜从事专门学校教育的教师要坚决调离。高等师范院校教育、心理、政教等专业，应当承担定向培养和培训专门学校师资的任务。各地要有计划地对在职的专门学校教师和干部进行培训，请有经验的教育学、心理学、社会学和法学专家讲课，并交流办学经验。要大力加强专门学校教师队伍的思想政治工作，不断提高教师的思想水平和业务水平，努力建设一个具有正确的教育思想、团结一致、朝气蓬勃、带领学生前进的教师队伍。

依法设置专门学校的地方人民政府要有一位领导干部分管专门教育，并逐步建立由公安、司法、教育、共青团、妇联、劳动、财政等有关部门负责人和专门学校校长组成的专门学校管理委员会。管理委员会要认真贯彻上级有关规定，组织和协调各有关部门之间的工作，落实办好专门学校的各项措施。

社会各界应当重视、关心和支持专门学校的工作。共青团、工会、妇联、街道办事处、公安派出所要共同配合做好家长的工作，搞好校外管理和教育；宣传、文化、经济、财政、劳动、商业等有关部门应积极配合。教育行政部门负责调配专门学校的领导班子和教师，领导日常的教育、教学和行政业务。各级人民政府要组织计委、经委、财政、税收等部门，帮助专门学校开办并办好校办工厂、农场等企业，从多方面予以扶植，解决好供、产、销问题。有关专门学校校办工厂、农场等企业征税的优惠问题，按现行的税收规定执行。

公安部门是协助和配合专门学校工作的主要部门。公安部门可以选派一名符合条件的干部参加学校的领导工作，并可选派少数公安干警到专门学校，在学校统一领导下，调查核实案件，协助进行法制教育等工作。

（三）专门学校教育的内容

专门学校应当对在校学生进行思想教育、文化教育、纪律和法制教育、劳动技术教育和职业教育，这是专门学校教育的四项主要内容。专门学生虽然有某些违法或轻微犯罪行为，但都属于生理、心理发育尚未成熟的未成年人，可塑性很大，容易受外界不良影响而违法犯罪，也比较容易接受正面的教育。因此，专门学校应当本着"立足教育、挽救孩子、科学育人、造就人才"的指导思想对在校学生进行教育：

首先，专门学校必须以转变学生的思想为首要任务，要把思想政治教育渗透到学校的各项具体工作中去。每个教职工都负有教育学生的责任，要紧密结合学生思想实际，切实加强爱国主义教育，道德教育和理想、前途、人生观教育；认真贯彻学生守则，帮助学生明辨是非，认识并改正错误，树立上进的思想，养成良好的品德和行为习惯，成为对社会主义现代化建设有用的人；要坚持正面教育为主的原则；深入了解学生违法犯罪的原因，随时掌握他们的思想动态和心理特点，做艰苦、细致的思想转化工作；对学生要热情关怀，严格要求，启发诱导，耐心教育。要注意调动学生的积极因素，表扬和鼓励先进。防止简单粗暴，严禁体罚和变相体罚。学生坦白交代了违法犯罪行为，应当从宽或免予处理；揭发检举了坏人坏事，应当给予鼓励和保护。要根据专门学生特点开展多种形式的教育活动，把思想品德教育寓于各项集体活动之中，逐步建立起有正确舆论、良好作风和共同奋斗目标的集体。

其次，提高专门学校学生的文化科学知识水平，是实行九年义务教育的要求，也是促使学生明辨是非、转变思想的重要途径。各校要搞好教学改革，努力提高教学质量，使学生逐步达到九年义务教育的基本要求。专门学校的学习年限，根据学生原有文化程度和接受教育的表现，一般可确定为2年至3年。专门学校主要开设思想政治、语文、数学、历史、地理、体育、音乐、美术和职业技术教育等课程，以及生理卫生常识等讲座。其他课程可从实际出发酌情开设。每周授课时数不得少于24课时。文化课要根据教学大纲的基本要求和学生的实际情况制订本校文化课教学的计划，使学生毕业时达到普通初中（含初等职业技术学校）毕业水平。

再次，我们应当重视专门学校对学生的纪律和法制教育。早在1985年，国家就用立法的形式确立了法制教育在学校的教育教学中的地位。1991年3月2日第七届全国人大常委会通过的《关于深入开展法制宣传教育的决议》进一步明确了法制教育是必修课及学校设置法制教育课的重要意义。本条更是将法制教育的内容进一步具体化，明确了纪律和法制教育是专门学校教育的重要内容，应当列入专门学校的教育教学计划，为更好地引导和帮助专门学校的学生提供了法律依据。

最后，应当有计划地对在校生进行劳动技术教育和职业教育，办好校办工厂、农场或服务行业。每周安排一定时间让学生参加适度的生产劳动，在劳动中，既培养学生的劳动观点，养成劳动习惯，又教会他们掌握一定的劳动技术或者职业技能，为其毕业后就业创造有利条件。

总之，专门学校应当本着对国家、对孩子负责的精神进行教育，把学生挽救、培养成为有益于社会的社会主义公民。

（四）对专门学校学生的关心、爱护

学校的教职员工应当关心、爱护在专门学校就读的未成年人，尊重他们的人格尊严，不得歧视和厌弃。预防未成年人犯罪法第三十六条规定，家庭、学校应当关心、爱护在工读学校就读的未成年人，尊重他们的人格尊严，不得体罚、虐待和歧视。工读学校毕业的未成年人在升学、就业等方面，同普通学校毕业的学生享有同等的权利，任何单位和个人不得歧视。

专门学校的学生尽管由于各种复杂的社会原因犯有违法或轻微犯罪行为，但毕竟他们年纪还小，只要师生配合社会共同努力，完全能够矫治专门学校学生以往的不良行为，把他们挽救过来。由于专门学校学生与一般学生不同，他们的身心发展处于一种不正常、不健康的状态之中，因此，他们需要比其他学生更多的关心、理解、爱护和帮助。因此，专门学校的教职员要做到像父母对孩子、医生对待病人、老师对待学生一样，以强烈的责任感和爱心去教育和挽救他们。要随时注意分析和掌握他们的思想脉络和心理状态，及时随地发现和肯定他们身上的积极进步因素，帮助他们树立正确的人身观，懂得自尊自爱，克服自卑，树立信心，深刻认识自己以前违法犯罪的原因，防止今后重犯。对他们的教育要特别注意方式方法，要尊重他们的人格尊严，以鼓励为主，耐心细致，绝不能简单生硬、急躁粗暴，更不能歧视、讽刺、厌弃他们，这是法律对专门学校教职员的义务性要求。

第二十六条　幼儿园应当做好保育、教育工作，促进幼儿在体质、智力、品德等方面和谐发展。

【释义】　本条是关于幼儿园保育、教育工作的内容及其目标的规定。

幼儿教育是基础教育的重要组成部分，发展幼儿教育对于促进儿童身心全面健康发展、普及义务教育、提高国民整体素质、实现全面建设小康社会的奋斗目标具有重要意义。改革开放以来，我国幼儿教育事业取得了长足发展，大中城市已基本满足了适龄儿童的入园需求;农村和老少边穷地区通过灵活多样的形式,为越来越多的学龄前儿童提供了受教育机会,幼儿教育质量得到提高。但是,目前我国幼儿教育总体水平还不高,地区之间、城乡之间发展不平衡,与经济、社会、教育的发展和人民群众日益增长的需求还不相适应;幼儿教育事业投入不足;一些地方对幼儿教育的重要性认识尚不到位,简单套用企业改制的做法,将幼儿园推向市场,减少或停止投入,甚至出售;有的地方幼儿教育管理力量薄弱。

(一)幼儿园应当做好保育、教育工作

幼儿园是对3周岁以上学龄前幼儿实施保育和教育的机构,是基础教育的有机组成部分,是学校教育制度的基础阶段。根据原国家教委1996年颁布的《幼儿园工作规程》第三条的规定,幼儿园的任务是实行保育与教育相结合的原则,对幼儿实施体、智、德、美全面发展的教育,促进其身心和谐发展。由于幼儿比学生年龄更小,自我保护的能力也更弱,因此,幼儿园的保教人员保证在园儿童的人身安全的责任也更重大。在幼儿园的日常管理、教育和生活等各方面工作中,如组织幼儿进行多种文体活动、安排幼儿的膳食、幼儿的卫生保健、预防接种、往返接送、对园舍设施的检查消防,都必须严格遵守幼儿园管理条例、工作规程等文件规定的标准制度,认真负责,一丝不苟。如果因玩忽职守而导致幼儿重伤、死亡的,应按照我国刑法的有关规定依法追究刑事责任。

根据原国家教委颁布的《幼儿园工作规程》的规定,幼儿园教育工作的原则是:体、智、德、美的教育应互相渗透、有机结合;遵循幼儿身心发展的规律,符合幼儿的年龄特点,注重个体差异,因人施教,引导幼儿个性健康发展;面向全体幼儿,热爱幼儿,坚持积极鼓励、启发诱导的正面教育;合理地综合组织各方面的教育内容,并渗透于幼儿一日生活的各项活动中,充分发挥各种教育手段的交互作用;创设与教育相适应的良好环境,为幼儿提供活动和表现能力的机会与条件;以游戏为基本活动,寓教育于各项活动之中。

保育工作和教育工作共同担负着促进幼儿身心和谐发展的任务。保育、教育工作主要体现在以下方面：

第一，搞好卫生工作，为幼儿创设各种需要的优美环境。卫生工作是幼儿园开展各项工作的重要前提，如果缺少这些最基本的工作，幼儿园的其他教育工作就会受到影响。为幼儿创设与教育相适应的良好环境是幼儿健康成长的重要保障。

第二，做好幼儿生活管理工作，培养幼儿良好的生活习惯和自我服务的能力。保教工作既要重视对孩子的照顾保护，又要满足他们不断增长的独立要求。要有意识地训练孩子自己动手尝试，培养自我服务的能力。

第三，切实做到保教结合，教养并重，促进幼儿身心健康的成长。保育工作应当配合教育工作，排除一切不利于幼儿活动开展的因素，以便教师专心致志地搞好教学活动，在互相弥补的过程中提高教育质量。

为了更好发挥幼儿园教育的作用，幼儿园对自己的工作一定要有正确的认识，增强建功立业的使命感，树立敬业爱岗的责任感和终生学习的思想，提高保育员队伍的素质。

（二）幼儿园应促进幼儿在体质、智力、品德等方面和谐发展

幼儿园作为学校保护的场所之一，是未成年人从家庭走向社会的重要环节。由于幼儿生理结构的特殊性，幼儿园应当细心抚育幼儿，保证其体质的健康发展；必须针对幼儿的心理特点，开展各种适宜幼儿的智力教育，以启迪其智慧；对幼儿应进行品德教育，以保证幼儿身心的全面健康发展。

1. 幼儿园应对幼儿进行体育教育

幼儿期体育教育，即是在人发展处于幼儿期时，给予营养，传授保健知识，并运用体育的手段，进行启发、传授的早期教育。在幼儿期采用科学的、合理的教育方式，倡导科学的教育思想，对幼

儿的体质发展有积极的促进作用。我们应当根据幼儿的年龄特点,科学地设置适宜的教育课程。

对幼儿进行体育教育应注意以下几个方面的问题:第一,根据幼儿期生理、心理的特点来安排教学。体育教育要适合幼儿身心特征,且能设置适宜的教育环境,起到积极的教育作用。第二,要注重幼儿体育兴趣的培养。第三,幼儿体育教育必须采用切实可行的教育方法。例如,指导做幼儿体操,采用游戏或比赛的形式进行教育等,训练幼儿活动能力进行身体锻炼促进幼儿生长发育。第四,在教学过程中要注意安全问题。幼儿处于生长发育过程中,其骨骼及软组织易受到损伤,所以,我们在体育教学中应注意各种动作的正确身体姿势的培养,养成良好体态仪表,防止骨变形。在设计课程时,不要安排难度过大、疼痛感较强的练习,并保证训练场地的安全。

体育活动为学前教育带来了趣味性与娱乐性,能够培养幼儿思维灵活、意志坚毅的品质,激发幼儿的自信心和创造性,对促进幼儿生理、心理的健康发展有积极的促进作用。我们必须要重视幼儿的体育教育,找到合适的教育方法,激发幼儿的体育兴趣,为幼儿今后“德、智、体、美、劳”全面发展奠定坚实的基础。

2. 对幼儿进行智力教育

现代心理学等研究表明,儿童在生命的最初几年中,如果被剥夺了智力发展的机会,他就永远无法达到他应该达到的智力水平。他的个性心理品质也得不到正常的发展。幼年时期的教育与社会生活环境的影响,在人的一生中长期地起作用。那么,这就为教育工作者提出了一个重要任务:重视早期智力教育。

智力教育的内容包括以下几个方面:(1)培养孩子的思维能力。思维是对客观事物间接的和概括的反映,良好的思维能力应该具有灵活性、流畅性和发展等特点。(2)培养孩子的记忆力。记忆是对感知过的事物的再认和再现的能力。孩子的记忆以无意记忆为主，越是材料鲜明的事物越容易记住。(3)培养孩子的观察力。观察是有目的有意识地用视觉器官感知事物的活动，观察的能力叫观察力。良好的观察力应该是既能够把握整体，也能准确地感知到物体的细节特征。(4)培养孩子想象力和创造力。想象是对头脑中已有表象进行改造、形成新形象的过程。想象的能力叫想象力。思维是对观察事物概括的和间接的反映。创造性思维表现为：不呆板模仿他人，能提出自己的想法见解，并具有新颖独创的特点。(5)培养孩子的注意力。

对婴幼儿进行早期智力教育时，应该从他们的生理与心理特点出发，采取适当的方式，因势利导，才能收到满意的效果。这就需要家长或者老师在进行教育时，要注意掌握一些原则，从而提高教育质量：

1. 在游戏中学习

游戏是婴幼儿的主要活动方式，特别是智力游戏，是儿童认识世界、发展智力的重要手段。对儿童进行早期智力教育最忌讳的是强制式学习，如强迫儿童一连几小时伏案作业，结果必然事与愿违，适得其反。

2. 通过细心教育去发展儿童的智力

对儿童进行早期智力教育绝不意味着用“填鸭式”的方法向儿童灌输系统的知识，而是用适宜的方式通过抓住知识教育的关键激发儿童智力的发展。教的内容和进度要适合幼儿智力发展的特点。

3. 接受多方面的智力刺激

扩大幼儿生活与活动的范围，开阔幼儿的视野，接受多方面的智力刺激，对促进儿童智力发展有着重要的意义。

4. 激发好奇心与求知欲

幼儿心理发展的一个特点是好奇心强、求知欲旺盛。新颖的刺激、有趣的故事、诱人的形象等都能激发与发展幼儿的好奇心与求知欲。例如,讲故事和童话、猜谜、手工制作等都能起发展智力的作用。要从小保护与鼓励孩子的好奇心与求知欲,对幼儿提出的各种问题,都要设法予以回答,不能搪塞或拒绝,更不能斥责或讽刺。

5. 注意幼儿思维的直观、形象的特点

教婴幼儿说话和识字时,要考虑他们思维的直观、形象性特点,从易到难、由浅入深、从具体到抽象。

6. 发现与引导幼儿早期表现的智力倾向

幼儿园要细心发现儿童的特殊兴趣,注意在相应的知识、技能上给予指导。掌握幼儿早期的智力倾向,就能因势利导,发展儿童智力。

7. 德智体全面发展

对儿童进行早期教育包括德智体三个方面。这三者是相互联系、相辅相成的。儿童没有健康的身体,便缺乏智力发展的物质基础;儿童个性心理品质不良智力发展便缺乏正确的引导方向。

幼儿的生理和心理发展得非常迅速,由于遗传和环境的影响,同一年龄的幼儿之间既存在个别差异,又具有共同的年龄特征。在了解幼儿心理特点的基础上,有效地对幼儿各方面进行培养和影响,这对于提高幼儿智力水平和对幼儿长大以后的优良品格、社会修养、勤奋精神、自主意识、生活技能等方面都将有极大的好处。

(三)对幼儿进行品德教育

幼儿期是一个人个性、品德开始形成的重要时期,可塑性大,错过这个时期,许多良好的品性很难形成。幼儿的大部分时间是在幼儿园度过的,因此,培养幼儿良好的道德品质对于幼儿园而言显得任重而道远。现在的幼儿,是今后的建设者,幼儿园品德教育的对象是21世纪的接班人。为如何把他们培养成为热爱祖国、有民族自尊心和责任感,讲文明、懂礼貌、遵纪守法,有远大理想、高尚情操和信仰、有社会主义经济观和价值观,有开拓进取精神的符合时代要求的人才打下基础，是幼儿园德育教育的主要任务。

对幼儿进行品德教育，首先，要了解和掌握幼儿的基本的心理特征。幼儿的心理，不同于其他时期的孩子，更有异于成人。我们在对幼儿进行思想品德教育时，应根据幼儿的心理特征，采取生动灵活的教育方法，才有可能被他们所接受。否则，一味地对他们进行说教，只会事倍功半，收效甚微。其次，要了解和掌握幼儿的个性特点。每一个人都有其鲜明的、独特的个性，幼儿也不例外，他们虽然年幼，但作为一个人，也要明显表现出不同特点来。这些个性，各人之间常常表现出很大的差异。例如，有的孩子性格活泼开朗，喜欢跟大家一起活动；有的孩子却性格孤僻，不喜欢合群；有的孩子喜欢听大人讲故事或表演故事；有的孩子喜欢欣赏图画，爱听音乐……在对孩子进行思想品德教育时，就必须根据他们的这些不同特点，分别采取适当的教育方法，才能奏效。再次，要深入了解幼儿的内心世界。学前儿童已开始接触社会，受到社会环境的影响，特别是社会上的一些不良的因素，沾染着幼儿纯洁的心灵。作为幼教工作者，要时时刻刻看到孩子的心灵深处，了解孩子的思想状况，及时对其启发、引导，这样才能保证他们健康成长。最后，要注意教育的方式、方法，掌握好日常生活中教育的契机，注重榜样示范的作用，对幼儿采取直观的、生动有趣的教育方式，寓教于乐。

幼儿园要认真贯彻《中华人民共和国教育法》《幼儿园管理条例》《幼儿园工作规程》《幼儿园教育指导纲要（试行）》等相关法律法规，积极推进幼儿教育改革，防止应试教育的消极因素向幼儿教育渗透，全面实施素质教育，促进幼儿在体质、智力、品德等各方面全面发展。

第四章 社会保护

第二十七条 全社会应当树立尊重、保护、教育未成年人的良好风尚，关心、爱护未成年人。

国家鼓励社会团体、企业事业组织以及其他组织和个人，开展多种形式的有利于未成年人健康成长的社会活动。

【释义】 本条是关于社会保护的原则性规定。

所谓“社会保护”，就是要求作为保护主体的社会各部门和个人都要以适合自身特点的形式和措施，从各个方面对未成年人进行全方位的保护。社会保护是未成年人保护的必不可少的组成部分，是未成年人顺利完成向成年人过渡的重要保障。而且，社会保护将随着未成年人社会生活领域的扩大而日益重要。

“社会保护”一章共23条规定，概括起来主要包括以下几个方面：一是，注重加强对营业性歌舞娱乐场所、互联网上网服务营业场所等的管理，力求创建一个有利于青少年健康成长的周边环境；二是，注重消除危害未成年人的“文化垃圾”，规范对图书音像市场等的管理，鼓励社会创作或者提供有利于青少年健康成长的产品；三是，注重为未成年人的健康成长提供经济上的保障，规定要根据需要设立救助场所，并为未成年人创造公平的教育机会，及保障符合其个性和能力的就业机会。其中作为这次修订未成年人保护法的一大亮点，还规定图书馆等国有或公益文化设施免费或者优惠向未成年人开放。

（一）未成年人与社会的关系

作为社会群体的未成年人，他们与社会相互影响、相互作用。

未成年人要生存要发展,就必须接受社会的影响,逐渐完成自身的社会化。婴儿自降生之日起,到露出第一次微笑,并逐渐能够识别母亲的面孔,就开始具有一定程度上的社会属性了。当未成年人进入儿童时期,他们就开始有意或无意地接受社会的影响与作用,开始了人生的社会化进程。进入青少年时期,未成年人社会化的程度也逐渐加强,主要表现在青少年能够逐渐进入到社会的政治、文化、经济等领域,并受其影响进一步提高自身的社会化程度。

首先,社会对未成年人的影响表现在以下几个方面:(1)社会规范制约着未成年人。社会成员的每一群体,无时不在受社会规范的制约,未成年人这一特殊群体也不例外。社会为未成年人制定了一整套思想、道德及行为规范。幼年时期的道德规范、学生时期的学生守则以及社会法律规范,时刻制约着未成年人。(2)社会对未成年人具有整合功能。未成年人是社会关系的集合体,其本质属性是社会性。社会将个体未成年人结合成一个具有自身特点的特殊群体,并且使其与其他人或者群体之间发生联系。(3)社会能够给未成年人传递信息。现代社会是一个信息社会,社会教给未成年人以语言、文字以及各种辨识社会的能力,并通过各种符号、标记以及现代化的信息传载工具,使未成年人生活在广阔的信息社会领域里。(4)社会能够使未成年人具有人类精神文明和物质文明的传载功能。社会保存和发展着人类创造的精神文明和物质文明的丰富成果,并且把这些成果传给未成年人,使未成年人能够在继承前人成果的基础上继续前进。

同时,未成年人对社会也会产生很大影响,表现为:(1)未成年人是推动社会发展的一支不可忽视的力量。在社会化的过程中,未成年人一边接受社会教给他们的各种知识和能力,一边也感受到历史赋予的重任。青少年一旦将社会责任内化,就会在社会改革进程中发挥一种"突击队"的作用,如 1919 年五四运动。(2)未成年人是社会活动中一支活跃的生产力。由于心理、生理发展状况的诸多特点，未成年人具有体格发育迅速、独立意识强、观察力和想象力显著发展、记忆力强、情感丰富等优势。因此，一旦社会赋予未成年人以足够的条件，未成年人尤其是青少年就能很快掌握社会的先进技术及生产工具，就能在社会生产中发挥出巨大作用，成为社会活动中最活跃的生力军。(3)未成年人是社会风尚建设的重要力量。社会上或一个团体内流行的爱好、习惯、传统、思想或行为，在一定时期和一定社会范围内竞相仿效和传播而形成的社会风尚，反映着社会的面貌和特征。未成年人思想活跃、模仿力强，对社会风尚的形成往往起先锋和主力作用。并且，在未成年人所处的社会环境中，未成年人群体往往成为社会风尚的集中体现。(4)未成年人是社会得以延续和发展的标志。未成年人逐步成长，终究会组织家庭、繁衍后代，从而使人类社会得以延续。并且，随着未成年人逐渐社会化并完成向成年人的过渡，他们必将成为社会各项事业的建设者和接班人，成为人类社会向更高文明发展的主导力量。

(二)加强对未成年人的社会保护的原因

《中国儿童发展纲要(2001—2010 年)》认为，儿童期是人的生理、心理发展的关键时期。为儿童(系指 18 周岁以下的未成年人)成长提供必要的条件，给予必需的保护、照顾和良好的教育，将为儿童一生的发展奠定重要基础。《儿童权利公约》提出，考虑到应充分培养儿童在社会上独立生活，并在《联合国宪章》宣布的理想的精神下，特别是在和平、尊严、宽容、自由、平等和团结的精神下，抚养他们成长，要铭记如《儿童权利宣言》所示，“儿童因身心尚未成熟，在其出生以前和以后均需要特殊的保护和照料，包括法律上的适当保护”。总而言之，未成年人的身心发育尚未成熟、自我保护能力较差、容易受到外界因素的影响、社会化尚未完成等，因而非常需要社会给予优先的、特殊的保护。

一个世纪前，梁启超先生曾饱含深情地在他的《少年中国说》

中指出:“故今日之责任,不在他人,而全在我少年。少年智则国智,少年强则国强,少年独立则国独立,少年自由则国自由,少年进步则国进步,少年胜于欧洲则国胜于欧洲,少年雄于地球则国雄于地球。”据 2004 年数据统计,我国有 3.67 亿未成年人,他们是一个不可忽略的特殊群体,他们将是 21 世纪社会主义事业的建设者和接班人。现在党中央号召要以人为本、构建和谐社会,而未成年人是国之根本,寄托着国家富强、中华崛起和民族复兴的希望,所以全社会都有责任来保护未成年人顺利地成长、成才。

（三）社会保护的作用和目标

在对草案的审议过程中,很多常委会组成人员提出,应当认识到,社会环境对人的影响是巨大的,尤其是未成年人,由于他(她)们身心发展不够成熟,抵制诱惑的能力较差,很容易在外界影响下误入歧途。不良的社会环境,对未成年人不良心理因素的形成和不良行为的实施有着重要的影响。目前,由于互联网上网服务营业场所管理的不规范等原因,已经产生了青少年沉迷网络等相当严重的社会问题,如何治理网吧成为这次修改未成年人保护法的热点和难点问题。由此可见,社会保护的一个重要方面,就是要加强对营业性歌舞娱乐场所、互联网上网服务营业场所、图书音像市场等的管理,消除危害未成年人的“文化垃圾”等,努力净化社会环境以免青少年受到不良影响。另外,社会保护还要从积极方面着手,力求创建一个有利于青少年健康成长的周边环境。我们要响应党的十六届六中全会的号召,构建一个民主法治、公平正义、诚信友爱、充满活力、安定有序、人与自然和谐相处的和谐社会,充分发挥良好的外部环境对青少年成长的促进作用。

一般来说,社会保护的作用表现在:促进社会主义精神文明建设;为家庭、学校教育创设良好的社会环境;有利于培养和提高未成年人的自我教育能力等。种种作用归结到一点,就是要创造一种有利于未成年人健康成长的社会环境,社会保护的作用也就体现在社会环境对未成年人的影响上。我们认为,能够对未成年人起到保护作用的社会环境应该符合以下四点要求:(1)有利于未成年人的安全和身体健康;(2)有利于未成年人的心理和思想健康;(3)有利于对落难的未成年人的救济,不致使未成年人因为某种原因落难时,无人救助而陷入孤立无援的境地;(4)有利于未成年人的长远发展与自由成才。

(四)如何理解本条关于社会保护的规定

本条共分两款,主要是倡导性规定。第一款是关于提倡全社会树立尊重、保护、教育未成年人的良好风尚,关心、爱护未成年人的规定。

首先是全社会都要尊重未成年人。当前,社会上屡屡发生侵害未成年人隐私权的案件,还有些父母或者其他监护人不尊重未成年人的意愿、强制未成年人周末参加各种培训班等,这些现象从长远来看都不利于未成年人的健康成长。未成年人保护法第五条规定,尊重未成年人的人格尊严是保护未成年人工作应当遵循的重要原则。而且,根据《儿童权利公约》所提及"尊重"儿童(即本法所指的未成年人)的十几处内容,可概况出"尊重"理应包含以下几个方面:(1)应当尊重未成年人作为独立个体的人权和基本自由,并尊重其作为一国公民所享有的身份权;(2)应当尊重并促进儿童充分参加文化和艺术生活的权利,并鼓励为其提供从事文化、艺术、娱乐和休闲活动适当和均等的机会;(3)尊重儿童享有思想、信仰和宗教自由的权利;(4)尊重儿童的隐私权和名誉权,尤其强调在诉讼的所有阶段均应充分尊重儿童的隐私;(5)被指称、指控或认为触犯刑法的儿童有权得到符合公约要求的恰当待遇,促进其尊严和价值感并增强其对他人的人权和基本自由的尊重;(6)所有被剥夺自由的儿童应受到人道待遇,其人格固有尊严应受到尊重,并应考虑他们这个年龄的人所需要的方式加以对待;(7)尊重并确保在武装冲突中对其适用国际人道主义法律中有关儿童的规则。

其次是全社会都要保护未成年人。未成年人保护法第六条规定:“保护未成年人,是国家机关、武装力量、政党、社会团体、企业事业组织、城乡基层群众性自治组织、未成年人的监护人和其他成年公民的共同责任。对侵犯未成年人合法权益的行为,任何组织和个人都有权予以劝阻、制止或者向有关部门提出检举或者控告。国家、社会、学校和家庭应当教育和帮助未成年人维护自己的合法权益,增强自我保护的意识和能力,增强社会责任感。”这条规定集中体现了一个精神,即全社会都有责任保护未成年人。而且,本法强调必须给予未成年人“特殊、优先保护”,这与《儿童权利公约》“促进儿童利益最大化”的原则也是一致的。例如,《儿童权利公约》规定:(1)最大限度地确保儿童的存活与发展,使其享有必需的保护和照料;(2)保护儿童不受可能损害其福祉的信息和资料之害;(3)保护儿童免受经济剥削和从事任何可能妨碍或影响儿童教育或有害儿童健康或身体、心理、精神、道德或社会发展的工作;(4)保护儿童免遭一切形式的色情剥削和性侵犯之害等;(5)对于生活在极端困难情况下的儿童和残疾儿童给予特别的照顾。以上这些内容在我国未成年人保护法中都有相应的规定。

最后是提倡全社会都要注意教育未成年人。这次修订未成年人保护法对于未成年人的受教育权仍然十分重视,“社会保护”一章中相照应的有第二十八条规定:“各级人民政府应当保障未成年人受教育的权利,并采取措施保障家庭经济困难的、残疾的和流动人口中的未成年人等接受义务教育”。《儿童权利公约》中关于教育的内容主要包括以下几个方面:(1)公约第二十四条提出,应当确保对儿童进行保健、营养、卫生和安全教育;(2)公约第二十三条提出,应对残疾儿童进行必要的康复教育;(3)公约第二十八条提出,应当确认儿童有受教育的权利,并在机会均等的基础上逐步实现此项权利等。而且,本条所说的“教育”还包括加强对未成年人的道德教育、预防未成年人犯罪和挽救失足未成年人的意思在内，应当参照未成年人保护法和预防未成年人犯罪法的有关规定加深理解。未成年人保护法第四条规定："国家、社会、学校和家庭对未成年人进行理想教育、道德教育、文化教育、纪律和法制教育，进行爱国主义、集体主义和社会主义的教育，提倡爱祖国、爱人民、爱劳动、爱科学、爱社会主义的公德，反对资本主义的、封建主义的和其他腐朽思想的侵蚀。"预防未成年人犯罪法第六条规定，对于达到义务教育年龄的未成年人，还应当加强预防犯罪的教育；第六条第二款规定："预防未成年人犯罪的教育的目的，是增强未成年人的法制观念，使未成年人懂得违法和犯罪行为对个人、家庭、社会造成的危害，违法和犯罪行为应当承担的法律责任，树立遵纪守法和防范违法犯罪的意识。"

第二款是关于鼓励社会团体、企业事业组织以及其他组织和个人，开展多种形式的有利于未成年人健康成长的社会活动。

所谓"社会团体"，是指共产主义青年团、妇女联合会、工会、青年联合会、学生联合会、少年先锋队及其他有关的社会团体。所谓"企业事业组织"，是指企业和事业单位等依法成立的组织。所谓"多种形式"是指，作为社会保护主体的社会团体、企业事业组织以及其他组织和个人，可以以适合自身特点的形式和措施来开展各种各样的有利于未成年人健康成长的社会活动，包括电影、戏剧、文艺演出、演讲报告会、知识竞赛、参观展览、各项体育活动等多种形式。

第二十八条　各级人民政府应当保障未成年人受教育的权利，并采取措施保障家庭经济困难的、残疾的和流动人口中的未成年人等接受义务教育。

【释义】　本条是关于保障未成年人平等地享有受教育权方面的规定。

(一)保护未成年人平等地接受义务教育的原因

在未成年人保护法审议过程中,常委会组成人员不断重申未成年人受教育权的重要性,主要是基于这样的认识:平等是教育追求的社会理想,而教育本身也具有促进社会平等的属性与功能。学校教育的大众化和公平化,能为所有有能力和意愿的未成年人提供公平竞争、向上流动的机会,帮助弱势群体摆脱他所出身的那个群体的局限,能够显著地改善其生存状态,减少社会性的不公平。教育的功能已经获得国际社会上的普遍承认,“教育是实现平等、发展与和平目标的一个重要工具”(引自1995年联合国第四次妇女大会通过的《行动纲领》第三章)。

在现代社会,教育平等已经成为“全世界所有国家和所有与教育有关的人最关心的问题”。在教育平等逐步被各国宪法确认为一种平等的基本权利的情形下,如何具体实现这一权利成为社会关注的焦点。教育平等的一般含义是:义务教育是个人生存和发展最基本的不可或缺的需求,对于所有社会成员应一律平等享有,即“共享的完全平等”;非义务教育则只能按个人成绩和能力差别依比例平等享有,即“差别的比例平等”,并在同等条件下优先照顾处境不利者。在我国,尽管宪法和法律中规定了未成年人平等享有受教育权,但是,现实生活中家庭经济困难的、残疾的和流动人口中的未成年人的受教育权往往被忽略或者得不到公平的对待。这种状况的出现实际侵犯了未成年人的受教育权,明显不符合教育平等的理念,因而是必须要做出改变的,立法上必须给予极大关注。

我国宪法第四十六条规定:“中华人民共和国公民有受教育的权利和义务。国家培养青年、少年、儿童在品德、智力、体质等方面全面发展。”义务教育法第四条规定:“凡具有中华人民共和国国籍的适龄儿童、少年,不分性别、民族、种族、家庭财产状况、宗教信仰等,依法享有平等的接受义务教育的权利,并履行接受义务教育的义务。”可见,平等地接受义务教育既是适龄未成年人享有的权利,又是其必须履行的一项义务。

接受义务教育是适龄儿童、少年的权利,这主要是从公民个体的角度讲的。首先,接受义务教育是人与生俱来的权利。人的社会性决定了人必须接受教育,特别是基础教育,才能获得身心的发展,适应社会发展的要求。其次,接受义务教育在很大程度上决定了公民其他权利实现的程度,是实现其他基本权利的基础。例如,公民在政治方面的言论、出版、选举等权利和自由的实现程度,需要取决于其接受义务教育及进一步教育的程度。公民在经济方面、劳动方面的一系列权利的实现,也要受到其受教育程度的制约。再次,公民有权平等地接受义务教育,并通过受教育学习到一些基本知识,具备基本的生产和生活技能以及掌握基本的社会规范,从而也为公民履行其他国家和社会义务提供必要条件。接受义务教育还是适龄儿童、少年的一项义务,这主要是从国家和社会的角度讲的。对于国家来说,公民是组成国家的基本要素,国家的最重要职能就是谋求个人的幸福和发展,弘扬民族精神,增进社会道德,推动科技发展,实现国家的繁荣富强。要达到这些目标,就必须不断提高公民素质,而要提高公民素质,使其能够平等接受义务教育就成为必由之路。

但是,现实生活中家庭经济困难的、残疾的和流动人口中的未成年人的受教育权往往被忽略或者得不到公平的对待。这种状况对于未成年人的健康成长极为不利,大大侵害了未成年人的合法权益,进而会侵害到未成年人成年以后将要行使的其他权利。而且,失学、辍学已经成为未成年人犯罪的重要原因,在未成年人犯罪中,绝大多数犯罪人初中未毕业即辍学,有的连小学都没有读完。出于加强社会综合治理和预防未成年人犯罪的目的,也应当由国家保障这些易受歧视的未成年人能够平等接受并完成义务教育。因此,《中国儿童发展纲要(2001—2010 年)》提出:“切实保障残疾儿童、孤儿和流动人口中儿童受教育的权利。使残疾儿童与其他儿童同步接受义务教育；贯彻落实孤儿就学的有关优惠政策；完善流动人口中儿童就学制度；根据国家推进城镇化的要求，做好教育规划，满足农村适龄儿童向城镇转移后的就学需要。”也正因为如此，尽管义务教育法上已经有一些针对性规定，未成年人保护法还是特别强调，要保障家庭经济困难的、残疾的和流动人口中的未成年人等接受义务教育。

(二)法律上有关保护性规定的解读

本条秉承义务教育法和《儿童权利公约》的精神，进一步强调了国家保障未成年人平等地接受义务教育的权利，并特别强调要采取措施保障家庭经济困难的、残疾的和流动人口中的未成年人等接受义务教育。

首先，要保障家庭经济困难的未成年人接受义务教育。对此，应当参照义务教育法第六条第一款的规定，“国务院和县级以上地方人民政府应当合理配置教育资源，促进义务教育均衡发展，改善薄弱学校的办学条件，并采取措施，保障农村地区、民族地区实施义务教育，保障家庭经济困难的和残疾的适龄儿童、少年接受义务教育”。那么该条将如何保障家庭经济困难的未成年人平等地接受义务教育呢？从宏观上看，国务院和县级以上地方人民政府应当合理配置教育资源，促进义务教育均衡发展，改善薄弱学校的办学条件，努力促进义务教育均衡发展，因而能够尽量保障家庭经济困难的未成年人接受公平的义务教育；从微观角度来讲，为了保证家庭经济困难家庭的未成年人接受义务教育，国家采取的措施就是积极推行“两免一补”政策，中央财政免费提供教科书经费大幅度增加，地方财政加大了免杂费和补助寄宿生活费的经费投入，到2007年农村地区家庭经济困难的未成年人将普遍享受“两免一补”。而且义务教育法第二条规定了，实施义务教育不收学费、杂费，国家建立义务教育经费保障机制，由国务院组织逐步实施。

其次，国家又是采取何种措施保障残疾的未成年人平等接受义务教育的呢？在“十五”期间，我国残疾人特殊教育学校达到1662所，特殊教育班有2700多个，残疾儿童的义务教育入学率稳步增长，平均提高到80%，残疾儿童、少年享受“两免一补”的范围逐步扩大。而且，除了以上义务教育法第六条的规定之外，义务教育法第十九条对于残疾儿童的特殊教育还作出了专门规定：“县级以上地方人民政府根据需要设置相应的实施特殊教育的学校（班），对视力残疾、听力语言残疾和智力残疾的适龄儿童、少年实施义务教育。特殊教育学校（班）应当具备适应残疾儿童、少年学习、康复、生活特点的场所和设施。”“普通学校应当接收具有接受普通教育能力的残疾适龄儿童、少年随班就读，并为其学习、康复提供帮助。”另外，《儿童权利公约》第二十三条对于残疾儿童作出了详尽规定。共有4款规定如下：“1. 缔约国确认身心有残疾的儿童应能在确保其尊严、促进其自立、有利于其积极参与社会生活的条件下享有充实而适当的生活。2. 缔约国确认残疾儿童有接受特别照顾的权利，应鼓励并确保在现有资源范围内，依据申请，斟酌儿童的情况和儿童的父母或其他照料人的情况，对合格儿童及负责照料该儿童的人提供援助。3. 鉴于残疾儿童的特殊需要，考虑到儿童的父母或其他照料人的经济情况，在可能时应免费提供按照本条第2款给予的援助，这些援助的目的应是确保残疾儿童能有效地获得和接受教育、培训、保健服务、康复服务，就业准备和娱乐机会，其方式应有助于该儿童尽可能充分地参与社会，实现个人发展，包括其文化和精神方面的发展。4. 缔约国应本着国际合作精神，在预防保健以及残疾儿童的医疗、心理治疗和功能治疗领域促进交换适当资料，包括散播和获得有关康复教育方法和职业服务方面的资料，以期使缔约国能够在这些领域提高其能力和技术并扩大其经验。在这方面，应特别考虑到发展中国家的需要。”遵循着公约的精神，未成年人保护法特别强调国家要保障残疾未成年人的受教育权。

最后是关于保障流动人口子女平等地接受义务教育的问题。所谓“流动人口”，是指在城市化进程中大量进入城市的农村人口。由于目前城市的教育管理体制不适应这一变化，进而产生了流动人口中未成年人受教育的问题。为解决这一问题，相关的部门主要通过各种文件加以解决，政府在部门法规和文件中逐渐明确了以流入地政府为主的责任制度。例如，1998 年国家教委和公安部联合制定了《流动儿童少年就学暂行办法》；2001 年 5 月 29 日颁布的《国务院关于基础教育改革与发展的决定》；2003 年 1 月 15 日颁布的《国务院办公厅关于做好农民进城务工就业管理和服务工作的通知》；2003 年 9 月国务院办公厅转发教育部、中央编办、公安部、发展改革委、财政部、劳动保障部《关于进一步做好进城务工就业农民子女义务教育工作的意见》。从 1998 年以后制定的相关政策法规的思路看，强调解决流动人口中的未成年人接受义务教育问题是政府无法推卸的责任，且流入地政府要负主要责任，并应采取多种措施保障流动少年儿童接受义务教育的合法权益。针对实际中存在的流动人口子女入学难的问题，义务教育法第十二条第二款明确规定：“父母或者其他法定监护人在非户籍所在地工作或者居住的适龄儿童、少年，在其父母或者其他法定监护人工作或者居住地接受义务教育的，当地人民政府应当为其提供平等接受义务教育的条件。具体办法由省、自治区、直辖市规定。”这一规定以法律的形式明确了当地政府的责任：一是允许流动人口子女在父母或者其他法定监护人工作地或居住地就近免试入学；二是不允许收取借读费，当地人民政府应当为其提供平等接受义务教育的条件。义务教育法的这条规定，充分体现了对流动人口中的未成年人平等接受义务教育的尊重和保护。

第二十九条　各级人民政府应当建立和改善适合未成年人文

化生活需要的活动场所和设施，鼓励社会力量兴办适合未成年人的活动场所，并加强管理。

【释义】 本条是关于各级政府保障未成年人文化活动场所和设施的责任的规定。

在对未成年人权益的保护方面，长期以来存在一种偏见，即认为未成年人的保护工作主要是家庭、学校的责任，忽略了政府和社会的作用。本条的规定，把政府为未成年人创造良好的文化生活场所和设施的责任，由一种道德上的责任明确为法律上的责任。本条所指的“各级人民政府”，是指中央人民政府和地方各级人民政府。中央人民政府即中华人民共和国国务院。地方各级人民政府包括省（自治区、直辖市）政府、市（自治州、直辖市的区政府）、县（自治县、市辖区及不设区的市）政府、乡（民族乡、镇政府）政府四级。地方各级人民政府作为地方各级国家权力机关的执行机关，负责组织和管理本行政区域内的一切行政事务。各级人民政府根据其自身的职权以及法律的授权，建立和改善适合未成年人文化生活需要的活动场所和设施，鼓励社会力量兴办适合未成年人的活动场所，并加强管理。

培养未成年人成为德、智、体全面发展的社会主义建设者和接班人，是关系国家命运、民族前途的根本性问题，同时也体现了未成年人保护法的立法目的。未成年人求知欲较强，是吸收各方面知识的最佳时期。国家应为未成年人提供一定数量和质量的文化活动场所和设施，以满足未成年人的健康成长，特别是文化素质提高的需要，满足未成年人正常的文化需求。如适合未成年人文化生活需要的活动场所和设施的数量及质量得不到保障，未成年人正常的文化生活需求得不到满足，未成年人就很可能会选择其他不正当的途径进行文化活动。这类不正当的途径所提供的文化活动的场所和设施，往往由于缺乏相关的监管，其文化活动的内容大多不利于未成年人的身心健康，甚至严重危害未成年人的成长。

而且这类活动场所和设施，由于设置不规范，往往存在较多的安全隐患，对未成年人的人身安全造成威胁。因此，为未成年人提供适合其文化生活需要的活动场所和设施，为未成年人的健康成长创造良好的社会环境，保障未成年人的文化权益，成为政府的一项重要责任。很多国家都在未成年人保护法中明文规定，国家保证适合开展文化、体育、娱乐活动的设备并对未成年人敞开使用。

本条规定主要包括两个方面的内容：

第一，各级人民政府应当建立和改善未成年人文化生活需要的活动场所和设施。目前，未成年人约占我国人口的三分之一，是我国未来社会主义现代化建设的主力军，未成年人的成长状况直接关系国家的发展、民族的未来、社会的进步，未成年人的保护工作具有长远的战略意义。因此，培养全面发展的社会主义事业接班人，建立和改善适合未成年人文化生活需要的活动场所和设施，成为政府的一项重要工作。2004 年，建设部印发《关于进一步加强和改进未成年人活动场所规划建设工作的通知》（建规〔2004〕167 号），要求大城市要逐步建立起布局合理、规模适当、功能配套的市、区、社区未成年人活动场所；中小城市要重点建设好市级未成年人活动场所。政府要加大城市规划实施管理的力度，把未成年人活动场所作为城市规划的强制性内容，各地政府在城市的旧区改建或新区开发建设中必须配套建设未成年人活动场所。各级政府应重视未成年人活动场所和设施的建设，从未成年人身心特点出发，结合当地的实际情况，把未成年人活动场所和设施的建设工作纳入当地建设发展规划，根据需要，采取相关措施，组织协调各有关部门，切实保障一定数量和规模的适合未成年人文化活动的场所和设施。

第二，各级人民政府应当鼓励社会力量兴办适合未成年人的活动场所，并加强管理。社会作为未成年人成长的大环境，对未成年人的健康成长发挥着重要作用。未成年人的保护工作，涉及社会各方面，不仅需要各级政府的努力，同样也需要社会力量的共同关心和支持，对未成年人的社会保护程度反映一个社会的文明程度。针对未成年人活动场所不足，且主要集中在大中城市和经济发达地区的现状，本条对鼓励社会力量兴办适合未成年人的活动场所予以了特别强调。政府的财政力量毕竟是有限的，特别是在一些经济欠发达地区，仅仅依靠政府的力量，可能在短期内很难达到为未成年人提供足量的活动场所的目标。因此，各级政府应依照法律和有关的规定采取措施，鼓励社会力量投入到未成年人活动场所的建设中，为未成年人的健康成长创造良好的条件。

同时，各级人民政府还应当加强对未成年人活动场所的管理。各有关部门应端正指导思想，明确具体责任，加强对所属的未成年人文化活动场所和设施的管理，注重思想性、知识性和教育性的结合，使社会力量兴办的场所和设施更好地为未成年人服务。目前，已建成投入使用的适合未成年人的活动场所已有不少，但很多场所都是一建了之，缺乏日常的管理和维护，不仅影响了未成年人文化活动的正常使用，还存在不少安全隐患。政府应加强监管，保障活动场所良好运转。对未成年人文化活动场所的监管，还要防止部分场所在经济利益的驱使下，利用作为未成年人活动场所的便利条件，纵容、诱使未成年人进行未成年人不宜，甚至是违法的活动，严重危害未成年人的身心健康。

第三十条　爱国主义教育基地、图书馆、青少年宫、儿童活动中心应当对未成年人免费开放；博物馆、纪念馆、科技馆、展览馆、美术馆、文化馆以及影剧院、体育场馆、动物园、公园等场所，应当按照有关规定对未成年人免费或者优惠开放。

【释义】　本条是关于公共文化体育设施对未成年人免费或者优惠开放的规定。

《公共文化体育设施条例》第二条明确规定：“本条例所称公

共文化体育设施,是指由各级人民政府举办或者社会力量举办的,向公众开放用于开展文化体育活动的公益性的图书馆、博物馆、纪念馆、美术馆、文化馆(站)、体育场(馆)、青少年宫、工人文化宫等的建筑物、场地和设备。”本条规定中的爱国主义教育基地、图书馆、青少年宫、儿童活动中心、博物馆、纪念馆、科技馆、展览馆、美术馆、文化馆以及影剧院、体育场馆、动物园、公园等场所属于公共文化体育设施。公共文化体育设施向未成年人免费开放,能够丰富未成年人精神文化生活,提高未成年人思想道德水平和科学文化素质,营造适宜未成年人健康成长的良好文化氛围和社会环境,同时还有利于发挥公共文化体育事业的潜能,进一步提高政府为全社会提供公共文化体育服务的水平。

目前,对公共文化体育设施免费或者优惠开放问题,政府各有关部门根据各自的职能做出了相关的规定。《公共文化体育设施条例》第二十一条规定:“需要收取费用的公共文化体育设施管理单位,应当根据设施的功能、特点对学生、老年人、残疾人等免费或者优惠开放,具体办法由省、自治区、直辖市制定。”2004 年,文化部、国家文物局下发了《关于公共文化设施向未成年人等社会群体免费开放的通知》。通知要求,从 2004 年 5 月 1 日起,全国文化、文物系统各级博物馆、纪念馆、美术馆要对未成年人集体参观实行免票;对学生个人参观可实行半票;家长携带未成年子女参观的,对未成年子女免票。公共文化设施在向未成年人等社会群体免费开放的同时,要坚持把社会效益放在首位,积极开展未成年人喜闻乐见的文化艺术活动,把思想道德建设内容融于其中,充分发挥对未成年人的教育引导功能。各地也根据通知的要求,结合当地的实际情况,做出了具体的规定。例如,在北京市《关于贯彻落实文化部等部门〈关于公益性文化设施向未成年人免费开放的实施意见〉的通知》中规定:“享受国家财政支持的各级各类公益性文化设施要坚决执行向未成年人免费或优惠开放的规定。各民办博物馆等文化设施可根据本馆经费及管理情况，创造条件逐步对未成年人参观优惠或免费开放。北京市所属各博物馆（院）、纪念馆、烈士纪念建筑物保护单位、美术馆、展览馆、科技馆、烈士纪念建筑物、名人故居除‘对学校组织的未成年人集体参观实行免票，对家长携带未成年子女参观的，对未成年子女免票’外，对未成年人个人参观的也实行免票，但馆内单独收费项目及部分临时展览除外。”“全市公共图书馆和少年儿童图书馆对未成年人实行免费办证和免费借阅图书报刊。”“享受各级财政拨款的文化馆（站）、文化宫（工人文化宫、工人俱乐部）、青少年官、儿童活动中心，对学校在该设施内组织的集体文化活动免费，未成年人个人参与的各级财政拨款的文化活动项目实行半价优惠或免费。”

目前关于公共文化体育设施对未成年人免费开放的规定虽然比较多，但大多是以行政规章或者政策文件的形式出现，且相互之间的规定存在较多不一致。因此，此次未成年人保护法的修改，在原法“博物馆、纪念馆、科技馆、文化馆、影剧院、体育场（馆）、动物园、公园等场所，应当对中小学生优惠开放”规定较为笼统模糊的基础上，予以了进一步的明确。

本条包括两方面的内容：一是关于对未成年人免费开放场所的规定。这类场所包括爱国主义教育基地、图书馆、青少年宫、儿童活动中心等由政府投资建设的公益性事业单位。这类场所应坚持把社会效益放在首位，全面贯彻公益性原则，对未成年人免费开放。这些场所不得以营利为目的开展经营性创收活动，应根据国家有关政策“对确需集中食宿、使用交通工具或使用消耗品的集体活动，只能收取成本费用；对集体组织的大规模普及性科技、艺术、体育竞赛及教育活动，要实行免费；对特长、专长学生的培训项目要按照财政、物价部门核准的收费标准，适当收取成本费，确有特长又有特殊困难的未成年人应实行免费”。二是对未成年人免费或者优惠开放场所的规定。这类场所包括博物馆、纪念馆、科技馆、展览馆、美术馆、文化馆以及影剧院、体育场馆、动物园、公园等。这类场所有的是由政府投资建设，有的是个人或者企业投资建设，其本身维持开放需要一定的成本，但仍应当坚持公益性原则，按照国家有关行政部门以及当地政府的有关规定，明确其功能定位，根据当地以及场所的实际情况，对未成年人免费或者优惠开放，以发挥自身的优势，为未成年人提供多种服务。

公共文化体育活动场所和设施，不仅要向未成年人免费或者优惠开放，而且还应针对未成年人的身心特点，不断丰富其活动内容，与学校教育相结合，充分发挥其社会教育功能，使未成年人通过在这些场所进行活动达到培养兴趣爱好、发展特长的目的。在开放时间上，主要针对未成年人的少年宫、青少年活动中心、儿童活动中心、儿童活动中心、图书馆等应坚持常年开放，特别应针对未成年人的休假情况，在节假日、寒暑假开放为未成年人提供更好的服务，使未成年人拥有轻松而有益的假期。

为确保本条的规定在实践中得以贯彻落实，各级财政部门要按照中央统一部署，加强管理，加大对公共文化体育场所和设施运转、维护的经费投入力度，保障公共文化体育场所和设施免费和优惠开放所需补偿资金，为免费开放工作提供切实的经费保障。保证公共文化体育场所和设施在免费和优惠开放后能够正常、高效运转。

第三十一条　县级以上人民政府及其教育行政部门应当采取措施，鼓励和支持中小学校在节假日期间将文化体育设施对未成年人免费或者优惠开放。

社区中的公益性互联网上网服务设施，应当对未成年人免费或者优惠开放，为未成年人提供安全、健康的上网服务。

【释义】　本条是关于中小学校的文化体育设施以及社区中的公益性互联网上网服务设施对未成年人免费或者优惠开放的

规定。

本条包括两款内容，第一款是关于中小学校的文化体育设施对未成年人免费或者优惠开会的规定。随着素质教育的逐步推进以及中小学学生课业负担的减轻，中小学学生课余时间逐渐增多，但又出现一方面学校文化体育设施闲置，另一方面中小学学生课余时间无处可去的现象。因此，各级各类学校的内部设施，在保证正常教学活动和满足师生需要的前提下，应积极创造条件，采取多种方式在节假日对未成年人免费或者优惠开放，为未成年人开展文化体育活动提供方便。这样不仅可以提高学校内部各种场馆、文化体育设施的使用率，合理调整和充分利用现有闲置的学校文化体育设施，还可以丰富未成年人节假日的文化体育生活。

第二款是关于社区的公益性互联网上网服务设施对未成年人免费或者优惠开放的规定。社区通常是指人们共同生活的一定区域。在社区这一特定区域内，人们按一定的社会制度和社会关系组织起来，形成具有共同人口特征的生活共同体。对于一个还在校学习的未成年人来说，除了家庭、学校，活动最多的地方就是社区。社区是未成年人生活、学习的落脚点，社区对未成年人生活习惯的养成、道德情操的培养、个人品格的形成，都有着重要的影响。因此，做好未成年人的保护工作，社区应当发挥重要作用。

本法第三十六条规定“互联网上网服务营业场所等不适宜未成年人活动的场所，不得允许未成年人进入”。但不可否认，目前我们已经进入一个网络时代，把未成年人与网络隔绝是不可能的，而且适度使用网络对未成年人仍是有益的，可以使未成年人开阔视野、丰富知识。引导未成年人正确地使用网络，保护未成年人免受不良网络信息的侵害，除加大监管力度，禁止未成年人进入互联网上网服务营业场所活动外，还应加强对公共设施的投入，主动为未成年人提供健康安全、积极向上的网络服务，让更多的未成年人可以方便、安全地接触网络。这样才能满足未成年人正当的网络需求,引导未成年人正确地使用网络获取知识,有效地禁止未成年人进入互联网上网服务营业场所活动。未成年人方便、安全地接触网络的途径,除家庭和学校的网络服务设施外,只有社区中的公益性互联网上网服务设施可供使用。受经济条件的制约,目前互联网上网服务设施尚未普及到每一个家庭,而学校的互联网服务设施的使用也大多仅限于教学课程的需要。因此,社区中的公益性互联网上网服务设施成为未成年人安全接触网络的一个重要途径,为未成年人正确地使用网络提供了良好的环境。需要到社区的公益性互联网上网服务设施上网的未成年人大多由于家庭经济条件欠佳而没有配备网络服务设施,如果社区中的公益性互联网上网服务设施收费过高,就会把这部分未成年人拒之门外。为更好地贯彻社区为群众服务、为未成年人服务的精神,社区内的互联网上网服务设施应免费或者优惠为未成年人开放,使未成年人得以接受安全且经济的互联网上网服务。

社区中的公益性互联网上网服务场所是以社区的未成年人为主要服务对象,以提供健康、丰富、文明、安全的网络信息服务为主要内容的公益性上网服务场所。社区中的公益性互联网上网服务设施应坚持公益性原则,不得开展以营利为目的的经营性活动,为未成年人提供健康有益的绿色上网空间,满足信息化时代未成年人日益增长的文化需求;为未成年人提供便利、安全、有益的互联网信息服务,引导未成年人合理地使用互联网信息资源,充分享受网络文明。社区中的公益性互联网上网服务设施既可由共青团等社会团体投资创办,也可鼓励企业投资赞助创建,并由社区直接管理。社区中的公益性互联网上网服务设施必须遵循为社区服务的公益性原则,不得开展以营利为目的的经营性活动,不得实行经济承包、挂靠经营或以经济目标责任制的方式经营。社区中的公益性互联网上网服务设施应以为社会提供公益服务的、不以盈利为目的的中国教育和科研计算机网、中国科学技术网等公益性互联网络为主。未成年人不得利用电脑设备和互联网制作、下载、复制、查阅、发布、传播含有反动或不健康内容的信息,不得从事有关法律法规规定的危害网络安全和信息安全的行为,除文化部门指定的棋牌类等益智游戏外,不得上网游戏。

第三十二条　国家鼓励新闻、出版、信息产业、广播、电影、电视、文艺等单位和作家、艺术家、科学家以及其他公民,创作或者提供有利于未成年人健康成长的作品。出版、制作和传播专门以未成年人为对象的内容健康的图书、报刊、音像制品、电子出版物以及网络信息等,国家给予扶持。

国家鼓励科研机构和科技团体对未成年人开展科学知识普及活动。

【释义】　本条是关于国家鼓励有利于未成年人健康成长的作品的创作和传播以及鼓励针对未成年人开展的科普活动的规定。

影响未成年人健康成长的因素是多方面的,除了家庭、学校外,未成年人所接触的社会文化环境对其身心的健康发展同样也起着重要的作用。未成年人求知欲旺盛,为保证未成年人旺盛的知识需求得到满足,应为未成年人提供各种有益的科学文化知识。

本条包括两款内容,第一款是关于国家鼓励扶持有利于未成年人健康成长的作品的创作和传播的规定。本条所指的"有利于未成年人健康成长的作品",主要是指可以满足未成年人特定需求的精神文化作品。一方面要求作品的内容积极进步、健康向上,符合未成年人的需要,适合未成年人阅读观赏;另一方面作品的形式要适合未成年人的阅读观赏兴趣和口味,而且还要求作品种类丰富、数量充足,可以为未成年人提供足够的精神文化产品。有益的精神文化可以鼓励未成年人积极向上、陶冶情操,培养未成年人良好的品行;不良的社会文化的影响不仅危害未成年人的心理健康,甚至还会成为未成年人犯罪的一个重要诱因。未成年人正处于青春发育期,辨别是非能力、抵抗不良影响的能力都较弱,容易受到暴力、色情、凶杀等淫秽书刊、音像、网络制品的影响而产生享乐主义、追求刺激等不良的世界观、人生观、价值观,甚至会模仿实施犯罪行为。新闻、出版、信息产业、广播、电影、电视、文艺等单位和作家、艺术家、科学家等作为精神文化的主要提供者,应努力为未成年人的身心健康成长创作或者提供各种健康的作品,为未成年人的健康成长提供一个良好的文化环境。未成年人的经济承受能力有限,专门以未成年人为对象的作品的价格如果定得太高,势必缩减了一部分未成年人可以享用的精神文化资源。促进未成年人的健康成长,为未成年人提供适宜的文化作品是出版、传播部门需要承担的社会责任,但是,出版、制作和传播部门作为独立的经济主体,价格过低必然会使其出版工作难以继续。因此,创造一个适宜未成年人成长的健康的社会文化环境,不仅是新闻、出版、信息产业、广播、电影、电视、文艺等单位和作家、科学家、艺术家及其他公民的责任,更是国家政府的责任。为坚决扫除一切危害未成年人身心健康的作品,让健康有益的文化作品占领未成年人的文化市场,国家应采取有力措施鼓励单位和个人创作、提供有利于未成年人健康成长的作品,并对出版、制作传播此类作品的单位和个人给予政策上、经济上的扶持,使其不仅可以生存下来,还能得到不断的发展。本条规定国家应当鼓励大众媒体等文化创作、传播组织以及所有具备精神文化创造、生产和传播能力的公民,为未成年人提供健康向上的精神产品。出版、制作和传播专门以未成年人为对象的内容健康的图书、报刊、音像制品、电子出版物以及网络信息等,国家给予扶持。本条所称的“鼓励”“扶持”,包括多种方式。例如,各级政府相关部门召开工作会议布置任务、发表指示,或发出通知对某些节目或作品的创作给予示范性的鼓励、支持或表彰,或设置各种奖项、设立基金会,或制定各种税收上扶持政策，等等。政府应把禁止不良文化糟粕和鼓励有益文化成果相结合，把惩罚与推广、禁止与表彰相结合，对有益于未成年人身心健康的文化作品，大力鼓励、表彰、推广、奖励。

第二款是关于国家鼓励科研机构和科技团体对未成年人进行普及科学知识活动的规定。加强未成年人科普工作是加强和改进未成年人思想道德建设的重要环节。加强对未成年人科普教育，大力普及科学知识，从小培养未成年人对科学技术的兴趣和爱好，增强科技创新的能力，引导未成年人逐步形成科学的世界观和方法论，不断提高科技素质，是关系到“科教兴国”的长期战略性工程。国家应积极组织和动员社会各界力量参与未成年人科普教育工作。各科研机构和科技团体应加强贯彻落实科学技术普及法的规定，依法组织和动员社会各方面力量开展针对未成年人的普及科学知识的活动，倡导科学方法、传播科学思想、弘扬科学精神，教育未成年人崇尚科学文明、反对迷信邪教。

针对未成年人进行的普及科学知识的活动，应把对未成年人的科普活动和思想道德建设相结合，根据未成年人身心特点以及科普活动特点，有针对性地为未成年人编印科普读物，组织未成年人进行科技培训，举办各种科普讨论、展览、培训、科技竞赛、科普游园等活动，充分利用网络、场馆、宣传栏等各种方式开展形式多样、内容丰富、健康向上的、经常性的科普活动，大力宣传科技知识，培养未成年人对科学技术的兴趣和爱好，增强社会责任感以及运用科学知识解决问题的能力，提高未成年人科学素质。在农村，要结合当地的实际情况，充分发挥基层技术站（所）和科技特派员、科技辅导员的作用，广泛开展针对未成年人的科普活动，加强对农村未成年人科技知识的传播，积极引导未成年人健康成长。对投资举办未成年人科普活动的科研机构和科技团体，政府应按有关规定给予鼓励和扶持。

第三十三条　国家采取措施，预防未成年人沉迷网络。

国家鼓励研究开发有利于未成年人健康成长的网络产品，推广用于阻止未成年人沉迷网络的新技术。

【释义】　本条是关于国家预防未成年人沉迷网络的措施的规定。

人类社会已经进入网络时代，网络所提供的种种便利极大地改变了我们的生活。但网络同样也是一把“双刃剑”，对于未成年人来说更是如此。按照中国互联网中心公布的数据，我们现有网民为8700万，其中18岁以下将近20%左右，计算下来大约有将近2000万不满18岁以下的未成年人。一方面，未成年人可以通过网络获取大量的科学文化知识，开阔眼界，增加自身的知识积累；另一方面，沉迷网络也严重影响了未成年人的学业，对其身心健康造成很大的伤害，甚至诱使未成年人走向犯罪。近年来，互联网在诱发未成年人违法犯罪要素中所占的比例急剧上升。2006年2月，一项针对北京市未成年犯管教所五百余名少年犯的网络犯罪问题调查显示，曾经经常上网的占43.6%，偶尔上网的占25.5%；在经常上网的人中，因为没钱上网而去偷东西的占62.5%，因玩网络游戏而导致犯抢劫罪的占63.9%，犯强奸罪的占23%。

未成年人上网成瘾，长时间沉迷于网络，严重影响其身心健康，已经成为一个严重的社会问题。保护未成年人健康成长，建设文明的网络文化已经成为当今社会关注的焦点。对此，未成年人保护法除规定未成年人不得进入互联网上网服务营业场所活动，学校、家长应加强对未成年人的管理和指导外，还规定国家也应承担起相应的责任和义务，采取措施预防未成年人沉迷网络。例如，鼓励研究开发有利于未成年人健康成长的网络产品，推广用于阻止未成年人沉迷网络的新技术供家庭和社会使用等，以有效地解决这一问题。

目前在防范未成年人沉溺网络方面，我国的立法比较零散、杂乱,给未成年人保护带来了诸多法律缺憾。此次未成年人保护法的修改,增加了对防范未成年人沉溺网络的规定。本条分为两款,第一款是关于国家在防止未成年人沉溺网络方面责任的明确规定。沉溺网络,又称网络成瘾症,是一种过度使用、依赖互联网的心理疾病。在目前上网的人群中,这一病症发病率越来越高,而且未成年人患病比例更是远远高于成年人。心理医学专家对"网络成瘾症"患者的描述是:进行网络操作时出现时空失控,而且随着乐趣的增强,欲罢不能。沉溺网络可造成人体神经紊乱、体内激素水平失衡、免疫功能降低,引发心血管疾病、胃肠神经官能病、紧张性头痛、焦虑、忧郁等。目前的网络游戏大多以"攻击、战斗、竞争"为主要内容。这些游戏都是让参与者身临其境,在虚拟社会漫长的体验过程中获得升级,获得成就感,未成年人自制力较差,好奇心强,很容易沉溺其中难以自拔。而且,现在的未成年人多为独生子女,本来就与他人缺乏沟通,如再沉迷网络,更会缺乏人际交流,甚至产生自闭倾向。因此,未成年人沉溺网络的问题,必须引起国家相关部门的充分重视。国家相关部门应积极采取措施弘扬先进网络文化,创建绿色网络环境,防范未成年人沉溺网络。教育部等相关部门 20 世纪末就提出并实施了"素质教育";第四届网博会文化部牵头举办"中国未成年人网络工程",向家长和学生推荐优秀的未成年人网站;2005 年,文化部公布了 15 款适合未成年人的网络游戏产品名单,为家长和社会各界指导未成年人适度游戏提供参考等。2006 年 10 月 6 日,中央文明办、共青团中央、国家新闻出版总署、信息产业部、文化部等部门出台 10 项举措:一是深化研究,强化引导,寻找变"网瘾少年"为"网创人才"的成长规律;二是精心编撰,精心制作,努力把优秀的专题图书和主题影视作品奉献给青少年;三是不断推进志愿者巡讲和网络志愿服务活动;四是深入开展以素质教育为核心的重点行动;五是切实开展为青少年喜闻乐见的网络文化活动,适时举办中国青少年网络文化节；六是大力开发和积极推荐一批适合未成年人的绿色网络游戏；七是充分运用技术手段帮助青少年预防和戒除网瘾，消除不良信息对他们的侵害；八是推动成立网瘾研究救治基地和网络创新实践基地，促进青少年人格健康发展；九是积极倡导建立青少年玩家组织联盟，主动引领青少年健康的网络娱乐方向；十是及时建立不良网络行为举报和处理中心。

第二款是关于国家为解决未成年人沉迷网络的问题，而采取的相关措施的规定。首先是国家鼓励研究开发有利于未成年人健康成长的网络产品。为防范未成年人沉迷网络，为减少网络游戏泛滥给未成年人造成的负面影响，一方面需要国家采取积极有效的措施，规范网络游戏市场；另一方面，国家应积极鼓励从事网络游戏制作等相关企业研究开发有利于未成年人健康成长的网络产品。研究开发有利于未成年人健康成长的网络产品，既是从事网络游戏制作的企业在保障未成年人权益方面应尽的社会责任，也是与企业建立自身商业价值、保持企业长久发展与凸显品牌价值等紧密相关的核心战略问题。从事网络游戏制作的企业，应承担相应的社会责任，服从国家规范网络游戏行业商业环境、净化网络游戏行业规范的要求，提供有利于未成年人智力开发、有利于未成年人良好道德培养的网络产品，有助于未成年人健康成长。

其次，国家推广用于阻止未成年人沉迷网络的新技术。由于未成年人的自制力较差，依靠其自觉性以及家长监管，还不足以完全解决未成年人沉迷网络的问题。国家应积极推广用于阻止未成年人沉迷网络的新技术，从技术上使未成年人不可能长时间沉迷网络。2005 年，文化部、信息产业部《关于网络游戏发展和管理的若干意见》指出，网络游戏企业应当依法经营，按照国家有关标准，开发网络游戏产品身份认证和识别系统软件，对未成年人上网游戏和游戏时间加以限制；对可能诱发网络游戏成瘾症的游戏规则进行技术改造，其中 PK 类练级游戏（依靠 PK 来提高级别）应当通过身份证登录，实行实名游戏制度，拒绝未成年人登录进入。

为避免未成年人沉溺网络，除积极采取本条规定的措施外，还应该加强对未成年人的教育，为未成年人的健康成长创造良好的社会文化环境，为未成年人进行有益的课外活动提供更多的便利条件。

第三十四条　禁止任何组织、个人制作或者向未成年人出售、出租或者以其他方式传播淫秽、暴力、凶杀、恐怖、赌博等毒害未成年人的图书、报刊、音像制品、电子出版物以及网络信息等。

【释义】　本条是关于禁止制作或者传播含有毒害未成年人身心健康内容的图书、报刊、音像制品、电子出版物以及网络信息等的规定。

未成年人是祖国的未来、社会主义事业的接班人，把未成年人培养成为有理想、有道德、有文化、有纪律的全面发展的合格人才关系我国社会主义建设事业的成败。未成年人正处在长身体、长知识的阶段，吸收知识快，求知欲强，但未成年人生理、心理尚未完全发育成熟，辨别能力差，有时甚至良莠不分，容易沾染不良习气。图书、报刊、音像制品、电子出版物以及网络信息等是未成年人汲取知识和营养的重要的渠道，其内容应该健康向上，有益于传播和积累科学技术和文化知识，有益于弘扬民族优秀文化，有益于促进国际文化交流，有益于丰富和提高人民的精神生活。以未成年人为对象的图书、报刊、音像制品、电子出版物以及网络信息等更要精益求精，其内容不但要适应未成年人学习知识的需要，而且还要适应未成年人身心发展的特点，有益于未成年人的健康成长。

保障未成年人的精神文化权益，一方面要求国家和社会积极创造有利条件，为未成年人提供各种有益的精神产品；另一方面，对那些不利于未成年人身心健康的印刷品和电子出版物，则需要国家立法予以限制、禁止和排除。近年来，为牟取暴利，一些组织和个人不惜铤而走险,违反法律法规的规定,制作、传播淫秽、暴力、凶杀、恐怖、赌博等毒害未成年人的图书、报刊、音像制品、电子出版物以及网络信息等。据贵州省某监狱管理局公布资料,未成年人性犯罪70%是由于不良信息刺激引起的。而且随着技术的发展,信息的传播方式也在发生变化,网络信息成为传播淫秽、暴力、凶杀、恐怖等毒害未成年人信息的另一个重要渠道,需要立法予以制止。预防未成年人犯罪法第三十条明确规定:以未成年人为对象的出版物,不得含有诱发未成年人违法犯罪的内容,不得含有渲染暴力、色情、赌博、恐怖活动等危害未成年人身心健康的内容。预防未成年人犯罪法第三十一条规定:"任何单位和个人不得向未成年人出售、出租含有诱发未成年人违法犯罪以及渲染暴力、色情、恐怖活动等危害未成年人身心健康内容的读物、音像制品或者电子出版物。"《出版管理条例》第二十六条规定:"任何出版物不得含有下列内容:(一)反对宪法确定的基本原则的;(二)危害国家统一、主权和领土完整的;(三)泄露国家秘密、危害国家安全或者损害国家荣誉和利益的;(四)煽动民族仇恨、民族歧视,破坏民族团结,或者侵害民族风俗、习惯的;(五)宣扬邪教、迷信的;(六)扰乱社会秩序,破坏社会稳定的;(七)宣扬淫秽、赌博、暴力或者教唆犯罪的;(八)侮辱或者诽谤他人,侵害他人合法权益的;(九)危害社会公德或者民族优秀文化传统的;(十)有法律、行政法规和国家规定禁止的其他内容的。"第二十七条进一步明确规定:"以未成年人为对象的出版物不得含有诱发未成年人模仿违反社会公德的行为和违法犯罪的行为的内容,不得含有恐怖、残酷等妨害未成年人身心健康的内容。"这些规定,都有利于在源头上打击出版危害未成年人身心健康的出版物的非法活动。

随着科技的进步,现代社会的传播方式越来越多样化,也越来越便捷、快速,特别是计算机的普及、网络的发展,为未成年人接受知识和信息提供了更为便利、更为广泛的途径。但与此同时,一些单位和个人在巨额经济利润的驱使下,利用通讯、网络等方式向未成年人传播淫秽、暴力、凶杀、恐怖、赌博等毒害未成年人的内容及信息。例如,利用网络传送淫秽的图片、信息,以及包含淫秽内容的电话热线等,严重毒害和腐蚀了辨别力、抵抗力不强的未成年人,危害了未成年人的健康成长,诱发了未成年人的违法犯罪活动。对此,必须予以坚决禁止和严厉打击。因此,本条作出进一步规定:“禁止任何组织、个人制作或者向未成年人出售、出租或者以其他方式传播淫秽、暴力、凶杀、恐怖、赌博等毒害未成年人的图书、报刊、音像制品、电子出版物以及网络信息等。”

本条为禁止性规定,任何违反本条规定的违法行为,都将承担相应的法律责任。本法第六十四条规定:“制作或者向未成年人出售、出租或者以其他方式传播淫秽、暴力、凶杀、恐怖、赌博等图书、报刊、音像制品、电子出版物以及网络信息等的,由主管部门责令改正,依法给予行政处罚。”

第三十五条　生产、销售用于未成年人的食品、药品、玩具、用具和游乐设施等,应当符合国家标准或者行业标准,不得有害于未成年人的安全和健康;需要标明注意事项的,应当在显著位置标明。

【释义】　本条是关于对用于未成年人的食品、药品、玩具、用具和游乐设施等的质量以及包装要求的规定。

近年来,食用不合格奶粉致使婴儿成为“大头娃娃”、果冻包装不当致使儿童死亡等因使用劣质产品造成未成年人伤亡的事件频频发生,引起了社会各界对未成年人产品的关注。因此,此次未成年人保护法的修改,对用于未成年人的食品、药品、玩具、用具和游乐设施等产品的质量以及包装作出了明确的要求。

首先,是对用于未成年人的食品、药品、玩具、用具和游乐设施等的质量的要求。生产、销售用于未成年人的食品、药品、玩具、用具和游乐设施等,应当符合国家标准或者行业标准,不得有害于未成年人的安全和健康。产品质量法第二十六条规定:“生产者应当对其生产的产品质量负责。产品质量应当不存在危及人身、财产安全的不合理的危险,有保障人体健康和人身、财产安全的国家标准、行业标准的,应当符合该标准。”用于未成年人的食品、药品、玩具、用具和游乐设施等的生产者、销售者应当对其生产、销售的产品质量负责,不得有害于未成年人的人身、财产安全和健康,有保障人体健康和人身、财产安全的国家标准、行业标准的,应当符合该标准。国家标准是指对全国经济技术发展有重大意义,需要在全国范围内统一技术要求所制定的标准。国家标准在全国范围内适用,其他各级标准不得与之相抵触。行业标准是指对没有国家标准而又需要在全国某个行业范围内统一技术要求,所制定的标准。行业标准是对国家标准的补充,是专业性、技术性较强的标准。行业标准的制定不得与国家标准相抵触,国家标准公布实施后,相应的行业标准即行废止。国家标准、行业标准分为强制性标准和推荐性标准。保障人身、财产安全的标准和法律、行政法规规定强制执行的标准是强制性标准,国家通过法律的形式明确要求对于一些标准所规定的技术内容和要求必须执行,不允许以任何理由或方式加以违反、变更,这样的标准称之为强制性标准。省、自治区、直辖市标准化行政主管部门制定的工业产品的安全、卫生要求的地方标准,在本行政区域内是强制性标准。对违反强制性标准的,国家将依法追究当事人法律责任。推荐性标准是指国家鼓励自愿采用的具有指导作用而又不宜强制执行的标准,即标准所规定的技术内容和要求具有普遍的指导作用,允许使用单位结合自己的实际情况,灵活加以选用。

用于未成年人的食品是指满足未成年人正常生长发育所需的食品,包括主食品和辅食品。主食品是指含有未成年人生长发育所需营养素的主要食品。辅食品是根据未成年人生长发育的不同阶段对各种营养素需求的增加，而添加、补充其他营养素的辅助食品。由于未成年人特别是婴幼儿的生理特点，为满足其生长发育的特殊需要，用于未成年人的食品的配方、工艺流程及原辅料等较一般食品在营养、卫生等方面有着更高的要求。例如，婴幼儿食品必须含有一定比例与数量的营养素，严禁添加对婴幼儿生长发育有害的食品添加剂及其他化学物质。我国食品卫生法对专供婴幼儿的主、辅食品的营养与卫生要求作出了专门的规定："专供婴幼儿的主、辅食品，必须符合国务院卫生行政部门制定的营养、卫生标准。"

用于未成年人的药品是指根据未成年人的身体特点，而专门研究生产的、供未成年人使用的药品。由于未成年人特别是幼儿的身体发育尚未成熟，脏器稚嫩，患病时应该使用专用的药品。但据有关资料统计，目前在我国市场上流通且较为常用的3000多种药物中，幼儿处方药所占比重不足3%。我国约有四亿幼儿，患病幼儿占总患病人口的20%左右，但90%以上的药物没有专用剂型，只能根据体重、体表面积或年龄等因素将成人剂量折算后给幼儿使用。但由于幼儿存在对药物敏感、肝肾等脏器发育不全、解毒排泄功能弱等特点，在成人身上的轻微副作用，在幼儿身上可能就是毒性反应。例如，在使用解热镇痛药时，成人使用的去痛片中部分成分易使幼儿出现再生障碍性贫血和紫癜；新生儿使用阿司匹林易在胃内形成黏膜糜烂；感冒通可造成幼儿血尿；超量或过长时间给孩子用药特别是一些氨基糖甙类药物和解热镇痛药，使用不慎可导致幼儿听力、注意力和生长受影响。因此，未成年人的用药问题必须引起重视，否则不但会造成药品资源的浪费，而且会严重危害未成年人的身体健康。

玩具、游乐设施玩具是指供未成年人特别是幼儿玩耍，以提高智力的特殊用具。用具是指供未成年人使用，或者保教未成年人时使用的物品，如奶瓶、摇篮。用于未成年人的玩具、游乐设施、用具等也应符合未成年人的身心发育要求,保证未成年人使用时的安全,促进未成年人的健康成长。

其次,是对用于未成年人的食品、药品、玩具、用具和游乐设施等的包装事项的要求。用于未成年人的食品、药品、玩具、用具和游乐设施等应当在显著位置标明需要注意的事项。由于未成年人身体特点,一些对成年人没有危害或者危害甚微的事项,可能对未成年人造成致命的伤害。以果冻为例,从2001年开始,就时有幼儿因食用果冻窒息死亡的悲剧发生。果冻导致幼儿窒息死亡与其体积形状和包装方式不当有着重要关系,其中小型杯样状的果冻问题更为突出,小型杯装果冻的大小与幼儿的喉咙相若,当幼儿通过挤压,将果冻吃进嘴里不慎被噎住时,可能会导致窒息死亡。3岁以下幼儿咽部发育远未成熟,吸食食物的时候,更容易被堵住气管。为防止幼儿吞食果冻导致窒息的事件发生,2006年5月1日起开始执行的果冻新标准,规定杯形凝胶果冻直径不得小于3.5厘米,长杯形凝胶果冻长度不小于6厘米,异形凝胶果冻的净含量不少于30克。国家标准提供了一种方式标注"3岁以下儿童不宜食用,勿一口吞食,老人儿童需在监护下食用",且"应在包装正面的明显位置处,用白底(或黄底)红字标示安全警示语和食用方法,且文字高度应不小于3毫米"。

为有效防止因包装不当引起的对未成年人的意外伤害,除用于未成年人的食品、药品、玩具、用具和游乐设施等应当在显著位置标明需要注意的事项外,还应加强儿童安全包装意识。由于未成年人特别是幼儿的好奇心较强,而且抵御意外伤害的能力较差,很容易发生误食中毒、意外伤亡等情况,加强儿童安全包装意识可以进一步降低儿童误吞药品或有毒物品情况的出现。同时作为一种更为人性化、更注重社会效应的科学的包装方法与包装理念,体现了国家对未成年人权益的重视和保护。儿童药品安全包装是指可以避免儿童因误吞有毒药品或化学物质而造成一定程度身心意外伤害甚至死亡而为的一种相对较为简易的安全防护包装器皿或方法。其通常是指5岁以下的儿童难以自行打开但是一般成人可以无困难地开启,并正确使用的安全包装器皿或方法。美国是最早进行儿童包装研究并制定其测试方法标准的国家。美国自1970年《中毒预防包装法案》(Poison Prevention Packaging Act ,PPPA)首先针对含有Aspirin成分的药品要求儿童安全包装,后逐年将儿童安全包装扩大至不同类药品。1972年美国消费者产品安全委员会(Consumer Product Safety Commission, CPSC)也要求使用儿童安全包装。1997年华盛顿大学的完整儿童包装与中毒预防包装法案(Harborview Injury Prevention and Research Center)介入前后的研究报告数据表明,儿童包装大幅度减少了急诊求诊次数及幼儿误服药品的死亡率。1989年,国际标准化组织包装技术委员会制定了ISO8317《儿童包装——可重新封口包装的要求和试验方法》国际标准,正式在国际上提出了"儿童安全包装"这一概念,并对其要求和试验方法作出了规定。

本条为禁止性条款,任何违反本条规定的行为都将承担相应的法律责任。本法第六十五条规定:"生产、销售用于未成年人的食品、药品、玩具、用具和游乐设施不符合国家标准或者行业标准的,或者没有在显著位置标明注意事项的,由主管部门责令改正,依法给予行政处罚。"在执法过程中,除按照产品质量法的规定对产品的质量进行严格的监管,对产品质量不合格的给予处罚外,还应注意用于未成年人产品的包装问题,改变过去重视产品质量、忽视产品包装的做法,对没有在显著位置标明注意事项的也应依法进行处罚。

第三十六条　中小学校园周边不得设置营业性歌舞娱乐场所、互联网上网服务营业场所等不适宜未成年人活动的场所。

营业性歌舞娱乐场所、互联网上网服务营业场所等不适宜未

成年人活动的场所，不得允许未成年人进入，经营者应当在显著位置设置未成年人禁入标志；对难以判明是否已成年的，应当要求其出示身份证件。

【释义】 本条是关于加强对营业性歌舞娱乐场所、互联网上网服务营业场所等不适宜未成年人进入场所的管理的规定。

加强对营业性歌舞娱乐场所、互联网上网服务营业场所等不适宜未成年人活动场所的管理是一项关系未成年人身心健康成长的重要工作，党和政府历来高度重视。《互联网上网服务营业场所管理条例》《娱乐场所管理条例》等的相关规定，对规范营业性歌舞娱乐场所、互联网上网服务营业场所的经营秩序，保护未成年人免受等不良环境的影响，发挥了重要作用。但这些规定多是针对不同的场所制定的单独规定，较为分散、混乱。实际中，有些经营者为追求经济利益，不仅不制止反而诱使未成年人进入。因长时间在互联网上网服务场所活动而严重影响未成年人的学业，给未成年人的身体健康造成伤害，甚至导致死亡的事件时有发生。为有效保障未成年人的身心健康，本条明确规定了加强对营业性歌舞娱乐场所、互联网上网服务营业场所等不适宜未成年人进入场所的管理。

本条分为两款，第一款是关于中小学校园周边不得设置不适宜未成年人活动场所的规定。不适宜未成年人活动的场所，是指以成年人为服务对象，供成年人娱乐消遣而不利于未成年人身心健康发展的一些特定的娱乐场所，如营业性歌舞娱乐场所、互联网上网服务营业场所。这类场所，无论是活动场所的环境，还是活动的内容都不适合未成年人，而且这类场所往往极易引发社会治安问题。

中小学校园周边不得设置营业性歌舞娱乐场所、互联网上网服务营业场所等不适宜未成年人进入的场所，是因为中小学校园是未成年人较为集中的地方，这些不适宜未成年人进入的场所对经常进出校园的未成年人具有或多或少的诱惑力，而且涉足这些场所的人员成分复杂和流动性大，甚至有很多违法犯罪人员混迹其中，中小学校园周边设置这类场所会对未成年人造成极坏的影响，对正常的校园秩序造成干扰。考虑到城市和农村、人口密集的地方和人口稀疏的地方之间的差异，本款对“中小学校园周边不得设置营业性歌舞娱乐场所、互联网上网服务营业场所等不适宜未成年人进入的场所”中的“周边”的范围，并未作具体规定，各地应根据当地的不同情况以及相应的行政法规做出切实可行的规定。《互联网上网服务营业场所管理条例》规定：“中学、小学校园周围200米范围内和居民住宅楼（院）内不得设立互联网上网服务营业场所。”

第二款是关于限制未成年人进入营业性歌舞娱乐场所、互联网上网服务营业场所等场所活动的规定。营业性歌舞娱乐场所、互联网上网服务营业场所等不适宜未成年人活动的场所，不得允许未成年人进入，经营者应当在显著位置设置未成年人禁入标志；对难以判明是否已成年的，应当要求其出示身份证件。《娱乐场所管理条例》第二十三条规定：“歌舞娱乐场所不得接纳未成年人。”《互联网上网服务营业场所管理条例规定》第二十一条规定：“互联网上网服务营业场所经营单位不得接纳未成年人进入营业场所。互联网上网服务营业场所经营单位应当在营业场所入口处的显著位置悬挂未成年人禁入标志。”

为有效限制未成年人进入，本条款进一步规定，经营者对难以判明是否已成年的，应当要求其出示身份证件。《互联网上网服务营业场所管理条例》第二十三条规定：“互联网上网服务营业场所经营单位应当对上网消费者的身份证等有效证件进行核对、登记，并记录有关上网信息。”这些规定使本条的规定更具有实际可操作性，经营者可以根据有无身份证以及身份证的年龄判断其是否已成年。

本条为禁止性规定，违法本规定的应承担相应的法律责任。本法第六十六条规定："在中小学校园周边设置营业性歌舞娱乐场所、互联网上网服务营业场所等不适宜未成年人活动的场所的，由主管部门予以关闭，依法给予行政处罚。营业性歌舞娱乐场所、互联网上网服务营业场所等不适宜未成年人活动的场所允许未成年人进入，或者没有在显著位置设置未成年人禁入标志的，由主管部门责令改正，依法给予行政处罚。"《互联网上网服务营业场所管理条例》第三十条规定："互联网上网服务营业场所经营单位有下列行为之一的，由文化行政部门给予警告，可以并处15000元以下的罚款；情节严重的，责令停业整顿，直至吊销《网络文化经营许可证》：……（二）接纳未成年人进入营业场所的……"2004年，《关于开展网吧等互联网上网服务营业场所专项整治意见的通知》要求严厉查处接纳未成年人进入行为，"文化行政部门对累计2次接纳未成年人进入的网吧等互联网上网服务营业场所，要责令其停业整顿；对累计3次接纳未成年人进入的，要吊销其《网络文化经营许可证》；对在规定营业时间以外接纳未成年人进入的，一经发现，立即吊销其《网络文化经营许可证》"。

第三十七条　禁止向未成年人出售烟酒，经营者应当在显著位置设置不向未成年人出售烟酒的标志；对难以判明是否已成年的，应当要求其出示身份证件。

任何人不得在中小学校、幼儿园、托儿所的教室、寝室、活动室和其他未成年人集中活动的场所吸烟、饮酒。

【释义】　本条是关于保护未成年人免受烟酒危害的规定。

本条规定的目的是保护未成年人不受烟酒的危害，促使未成年人养成健康的生活习惯。1999年颁布的预防未成年人犯罪法中规定："未成年人的父母或者其他监护人和学校应当教育未成年人不得吸烟，任何经营场所不得向未成年人出售烟酒。"但由于法律只是作了概括性的规定,且并未明确规定相应的法律责任,造成实际生活中向未成年人出售烟酒虽属违法,但却出现执法困难、屡禁不止的现象。这一规定也就形同虚设。针对这一情况,近年来,行政法规以及一些地方性法规都对禁止向未成年人出售烟酒做出了更具有操作性的规定,并制定了相应的处罚性条款。本法此次修订,增加了“禁止向未成年人出售烟酒,经营者应当在显著位置设置不向未成年人出售烟酒的标志;对难以判明是否已成年的,应当要求其出示身份证件”的规定,使这一措施更具有可操作性,并在法律责任部分明确规定违反这一规定的法律责任,以求达到令行禁止的目的。

本条包括两款内容:第一款是关于禁止向未成年人出售烟酒的规定;第二款是关于禁止在未成年人集中活动的场所吸烟、饮酒的规定。两款规定的内容虽不同,但目的却是一致的,即保护未成年人免受烟酒的危害,促使未成年人养成健康的生活习惯。

首先,就吸烟而言,吸烟对人体具有严重的伤害,已经是举世公认的事实。公共场所禁烟反映了一个社会的文明程度,但以法律的形式规定在中小学校、幼儿园、托儿所的教室、寝室、活动室和其他未成年人集中活动的场所禁烟,则反映了国家保护未成年人免受烟草危害的决心。本条之所以作出禁止向未成年人售烟以及禁止在未成年人集中活动的场所吸烟的规定,主要有以下三方面的原因:

1. 吸烟严重危害人体健康,而且未成年人吸烟还会带来一系列的社会问题。有关调查数据表明,若吸烟者从年幼时开始吸烟并养成习惯,会有50%的几率死于与烟草相关的疾病。其中半数将死于中年或70岁之前,损失大约22年的正常期望寿命。远离香烟与烟雾是保障身体健康的明智之举。未成年人吸烟导致的社会问题并不仅仅止于危害身体健康这一项,由此引发的其他许多社会问题,同样值得我们深思。未成年人处于身体发育时期,生理和心理机能都尚未完全成熟，吸烟还会对未成年人的心理造成不良影响，使未成年人意志消沉、自暴自弃等，严重危害未成年人的个性发展。同时，吸烟还会增加未成年人与社会上其他不法分子交往的可能，还可能导致为筹集烟资而引发的盗窃、抢劫等违法犯罪行为，给未成年人以及社会带来严重的危害。

2. 未成年人的模仿心理、好奇心理较强，在中小学校、幼儿园、托儿所的教室、寝室、活动室和其他未成年人集中活动的场所吸烟，对未成年人造成极坏的影响，增加未成年人吸烟的几率。我国是世界上烟草生产和消费最大的国家，吸烟率在 37% 以上。有资料统计，世界上的吸烟人数正在下降，而与此同时，中国的烟民队伍却在不断扩大，吸烟已成为一个严重影响我国广大群众健康的公共卫生问题。由于香烟中尼古丁的存在，已经吸烟成隐的烟民戒烟非常困难。专门研究发现，知道吸烟有害的人大约有 95%，表示吸烟有害想戒烟的有 50%，真正戒烟成功的却只有 5%。从 95% 到 50%，再到真正戒烟成功的 5%，从知识到信念再到行为，这个巨大的差距表明戒烟是一件很困难的事情。因此，专家强调，要减少烟民队伍，最重要的还是控制新烟民的产生，而未成年人则成为控制烟草的重点干预对象。世界卫生组织 2004 年对上海地区的调查发现，在初二至高一的学生中，青少年烟民竟高达 4%，更有 23.8% 的被调查未成年人曾尝试过吸烟。未成年烟民中，最早开始吸烟的年龄已提前到 7 岁，甚至更早。在未成年人中开展“拒吸第一支烟”的教育已经迫在眉睫。防止未成年人中新烟民的出现，关键是要求未成年人父母、老师不要吸烟。父母、老师不吸烟或主动戒烟实际上是无声地向孩子表示吸烟是一种陋习，有利于引导未成年人拒绝烟草。有关调查结果显示，与家庭中始终有吸烟父母的孩子相比，在父母双双都在孩子 8 岁左右时就戒烟的家庭里，孩子最终不会变成烟民的可能性高达近 40%。在父母中有一人在孩子 8 岁左右时就戒烟的家庭里，孩子变成烟民的机会则可以减少25%。调查发现,防止孩子长大后也成为烟民最为有效的办法是家中父母都不吸烟。当然,父母、老师戒烟也并非易事,但即使那些一时还难以戒烟的未成年人父母、老师,也不得在中小学校、幼儿园、托儿所的教室、寝室、活动室和其他未成年人集中活动的场所吸烟,并应经常对未成年人进行吸烟有害的教育,提高孩子对吸烟的反感度,努力防止未成年人吸烟,减少未成年烟民的出现。因此,从禁止在中小学校、幼儿园、托儿所的教室、寝室、活动室和其他未成年人集中活动的场所吸烟开始,全社会都应重视对未成年人吸烟危害健康的教育,使未成年人深刻了解吸烟对人体的危害,共同营造一个健康的生活环境。

3. 被动吸烟对未成年人的身体健康同样有严重的伤害。根据世界卫生组织定义,被动吸烟是指不吸烟者一周中有一天以上每天吸入吸烟者呼出的烟雾长于15分钟。医学专家指出,中国被动吸烟状况相当普遍,被动吸烟率高达52.5%,受被动吸烟危害的有6亿人之多。被动吸烟危害人体健康的理论已得到证实,被动吸烟产生的活化氧(自由基)损伤基因和细胞膜蛋白,促发疾病和肿瘤等病。被动吸烟还会减少血红蛋白携氧并使心肌利用氧的能力下降,尤其是对未成年人的危害更为严重,有关研究表明香烟烟雾可使婴幼儿肺部呼量能力减少3%到5%,使其更容易患肺部炎症,还可导致婴幼儿呼吸道疾病及中耳疾病,甚至造成婴幼儿急性死亡。因此,在中小学校、幼儿园、托儿所的教室、寝室、活动室和其他未成年人集中活动的场所吸烟不仅增加未成年人未来吸烟的可能性,而且还严重危害未成年人的身体健康,把未成年人置于更危险的境地。

其次,将禁止向未成年人售酒以及不得在中小学校、幼儿园、托儿所的教室、寝室、活动室和其他未成年人集中活动的场所饮酒写进法律,是此次对未成年人保护法修改的一项重要内容。酒是一把“双刃剑”,成年人少量饮酒对健康有一定的好处,但过量饮酒同样会成为损害健康的一大罪魁祸首。世界卫生组织的最新观点是:酒,越少越好。但因为许多人饮酒是越喝越多,最终不能自制,患上酗酒综合症,即人体过多地依赖酒精的作用来维护正常的生活,一旦酒瘾发作,就会出现发颤、抖动的感觉,并常伴有心率加快、瞳孔放大、烦躁不安、产生幻觉等症状。酗酒还会影响家庭的和睦,给未成年孩子身心发展造成严重不良的影响。调查发现,50%的监狱罪犯、40%的交通事故、25%的住院病人与酗酒有关。而未成年人本身的自制力较差,更容易发展为酗酒,导致身体机能严重受损、记忆力衰退、学习下降,甚至诱发各类违法犯罪活动,对自身的健康以及社会的安定和谐都造成损害。

因此,禁止向未成年人出售烟酒,禁止在中小学校、幼儿园、托儿所的教室、寝室、活动室和其他未成年人集中活动的场所吸烟、饮酒,不仅是控烟、控酒工作的当务之急,而且对建立健康的社会环境、培养未成年人良好的生活习惯、加强对未成年人权益的保护也有着重要的意义。

本条为禁止性规定,本法第六十七条规定:"向未成年人出售烟酒,或者没有在显著位置设置不向未成年人出售烟酒的标志的,由主管部门责令改正,依法给予行政处罚。"在执行规程中,应注意加强对设置不向未成年人出售烟酒的规定的检查,对不设置禁售烟酒标志的应责令改正,并给予行政处罚。

第三十八条 任何组织或者个人不得招用未满十六周岁的未成年人,国家另有规定的除外。

任何组织或者个人按照国家有关规定招用已满十六周岁未满十八周岁的未成年人的,应当执行国家在工种、劳动时间、劳动强度和保护措施等方面的规定,不得安排其从事过重、有毒、有害等危害未成年人身心健康的劳动或者危险作业。

【释义】 本条是关于禁止使用童工和对未成年工进行特殊

劳动保护的规定。

本条是对原未成年人保护法第二十八条的修改。这次修改主要是对该条第二款规定进行某些文字调整,使条文表述更加准确,未作实质性修改。

(一)本条第一款规定了禁止使用童工的原则

未成年人正处于身体成长发育的过程中,过早进行有偿劳动或者从事过长时间、过度繁重和对健康有害的劳动,会对他们的身心健康造成损害,不利于未成年人的健康成长。保证未成年人不致过早进行有偿劳动或者从事超过其身体承受能力的工作是国家应该承担的主要义务之一。根据联合国1990年《儿童权利公约》第三十二条的规定:缔约国确认儿童有权受到保护,以免受到经济剥削和从事任何可能妨碍或影响儿童教育或有害儿童健康或身体、心理、精神、道德或社会发展的工作;应规定受雇的最低年龄、有关工作时间和条件的适当规则,以及适当的惩罚或其他制裁措施;采取立法、行政、社会和教育措施确保本条得到执行。我国作为缔约国之一,一直严格遵守这一国际通例,采取了立法、行政、社会和教育等一系列措施,禁止童工的使用,并对未成年工实行特殊的劳动保护制度,以保障未成年人身心的健康成长。当前,一些地方非法雇用童工的情况仍然比较严重,有的还造成了很严重的后果。为了进一步加强对未成年人的保护,在未成年人保护法中对禁止使用童工和未成年人工的特殊劳动保护作了进一步规定。

为保证未成年人的健康成长,我国法律法规根据未成年人的自身特点,禁止招收、录用未满16周岁的未成年人,即禁止使用童工。

为杜绝使用童工这一丑恶现象,修订后的未成年人保护法重申了禁止使用童工的原则,规定“任何组织和个人不得招用未满十六周岁的未成年人,国家另有规定的除外”。这一规定包括以下两方面含义:

一是禁止任何组织或者个人招用未满 16 周岁的未成年人从事劳动。我国相关的法律、法规对此有详尽的规定。早在 1986 年,我国义务教育法明确规定了禁止任何组织或者个人招用应该接受义务教育的适龄儿童、少年就业,同时规定了相应的法律责任。1991 年 4 月 15 日,国务院第 81 号令发布了《禁止使用童工规定》,专门对使用童工行为作出规范,其中明确规定:"童工是指未满十六周岁,与单位或者个人发生劳动关系从事有经济收入的劳动或者从事个体劳动的少年、儿童。"该规定同时明确禁止使用童工,禁止为未满 16 周岁的未成年人介绍职业,禁止为不未满 16 周岁的未成年人核发个体营业执照,并规定了相应的法律责任。1994 年劳动法第十五条第一款明确规定:"禁止用人单位招用未满十六周岁的未成年人。"可见,16 周岁是我国法定的最低就业年龄条件,也就是说,公民只有达到 16 周岁,才具有了劳动就业的权利和行为能力,才有条件就业,低于这一法定年龄条件的,除了法律另有规定外,一般不能就业。用人单位使用未满 16 周岁的未成年人劳动的,就是使用童工,是违法的。

当前,一些地方非法雇用童工的情况仍然比较严重,有的还造成了很严重的后果。为了进一步加强对未成年人的保护,加大对非法雇用童工行为的打击力度。2002 年 10 月 16 日,国务院以第 364 号令发布了新的《禁止使用童工规定》,其中第二条明确规定:"国家机关、社会团体、企业事业单位、民办非企业单位或者个体工商户均不得招用不满 16 周岁的未成年人。禁止任何单位或者个人为不满 16 周岁的未成年人介绍就业。禁止不满 16 周岁的未成年人开业从事个体经营活动。"与 1991 年的规定相比,新的规定措辞更严厉,对违反者规定了更加严厉的处罚措施,体现了国家对未成年人合法权益的严格保护。例如,对于拐骗童工,强迫童工劳动,使用童工从事高空、井下、放射性、高毒、易燃易爆以及国家规定的第四级体力劳动强度的劳动,使用不满 14 周岁的童工,或者造成童工死亡或者严重伤残的，按照旧法规的规定，首先是进行行政处罚，但新法规明确规定直接依照刑法关于拐卖儿童罪、强迫劳动罪或者其他罪的规定，依法追究刑事责任。同时，2002 年 12 月的《刑法修正案（四）》还对非法雇佣童工罪作出专门规定，即“违反劳动管理法规，雇用未满十六周岁的未成年人从事超强度体力劳动的，或者从事高空、井下作业的，或者在爆炸性、易燃性、放射性、毒害性等危险环境下从事劳动，情节严重的，对直接责任人员，处三年以下有期徒刑或者拘役，并处罚金；情节特别严重的，处三年以上七年以下有期徒刑，并处罚金”。犯非法雇用童工罪，并造成事故，同时构成其他犯罪的，依照数罪并罚的规定处罚。

对于童工而言，并没有所谓适合其身体发育状况的体力劳动的分级。雇用未满 16 周岁的未成年人，无论实际从事何种强度体力劳动，均属于非法使用童工。虽然雇用童工从事体力劳动行为本身均属于非法行为，但是其违法的程度与童工所从事的劳动的强度大小是密切联系的。例如，雇用童工所从事的体力劳动在劳动时间率、平均耗能值等方面相当于国家规定的一级体力劳动强度的，其危害性显然要小于雇用童工从事劳动强度相当于国家规定的二级或者三级体力劳动强度的劳动。在具体认定是否雇用童工从事超强度体力劳动时，需要由司法机关根据案件的具体情况结合童工的年龄、身体发育状况、承受能力，童工所从事的劳动的性质等因素，综合考虑。

二是国家另有规定的除外。本条第一款规定“国家另有规定的除外”主要是指未满 16 周岁的未成年人，其就业并非绝对禁止，有不少特殊行业的工作，要求必须从小加以训练，如文艺领域的舞蹈专业、杂技专业演员，体育领域的跳水、游泳、体操等运动员，要求必须从小进行系统训练甚至参加比赛，年龄大了很难出成果、出成绩。考虑到在文艺、体育、特殊工艺等特殊行业领域，确实需要招收不满 16 周岁的未成年人，从小进行培训，因此，国家规定上述特殊行业可以招用不满 16 周岁的未成年人。同时，我国劳动法第十五条第二款规定，文艺、体育和特种工艺单位招用未满 16 周岁的未成年人，必须依照国家有关规定，履行审批手续，并保障其接受义务教育的权利。国务院《禁止使用童工规定》第十三条第一款规定，文艺、体育单位经未成年人的父母或者其他监护人同意，可以招用不满 16 周岁的专业文艺工作者、运动员。按照 1992 年劳动部《关于界定文艺工作者、运动员、艺徒概念的通知》的规定，文艺工作者系指专门从事表演艺术工作的人员；运动员系指专门从事某项体育运动训练和参加比赛的人员；艺徒系指在杂技、戏曲以及工艺美术等领域中从师学艺的人员。

根据上述有关劳动法律法规，文艺、体育单位经未成年人的父母或者其他监护人同意，可以招用不满 16 周岁的专业文艺工作者、运动员。用人单位应当保障被招用的不满 16 周岁的未成年人的身心健康，保障其接受义务教育的权利。文艺、体育单位，确需招用未满 16 周岁的文艺工作者、运动员的，必须按照国家有关规定，报经县级以上（含县级）劳动行政部门批准。

其次，国家另有规定还指《禁止使用童工规定》第十三条第二款规定，即学校、其他教育机构以及职业培训机构按照国家有关规定组织不满 16 周岁的未成年人进行不影响其人身安全和身心健康的教育实践劳动、职业技能培训劳动，不属于使用童工，如学校组织小学生进行植树教育等活动。

（二）本条第二款规定了对未成年工实行特殊劳动保护的原则

这一款规定包含了以下几层意思：

1. 用人单位可以依法招用年满 16 周岁未满 18 周岁的劳动者就业

我国实行的是九年制义务教育，根据义务教育法规定，凡年满 6 周岁的儿童，其父母或者其他法定监护人应当送其入学接受并完成义务教育；条件不具备的地区的儿童，可以推迟到 7 周岁。推算下来，未成年人接受完义务教育后，如果不再升学，初中毕业时一般都未满 18 周岁。根据我国的实际情况，特别是广大农村的教育发展现状，已满 16 周岁不满 18 周岁的未成年人参加就业不可避免。因此劳动法第五十八条第二款规定，未成年工是指年满 16 周岁未满 18 周岁的劳动者。依据本法这一款的规定，用人单位按照国家有关规定可以招用已满 16 周岁的未满 18 周岁的未成年人。

2. 对未成年工实行特殊劳动保护

依据本款的规定，任何组织或者个人招用未成年工时，应当执行国家在工种、劳动时间、劳动强度和保护措施等方面的规定，不得安排其从事过重、有毒、有害等危害未成年人身心健康的劳动或者危险作业。

未成年人的身体还处于生长发育期，身心尚未发育成熟，比成年人更需要充分的休息和营养，其机体对疲劳的承受和恢复能力均不如成年人，加之这一时期的未成年人往往还有接受教育的需要，所以对于已满 16 周岁未满 18 周岁的未成年工，无论从生理、心理还是社会角色上，都无法承担不适于其从事的过重、有毒、有害等危害其身心健康的劳动或者危险作业。过重和过度紧张的劳动、高温等不良的工作环境，不合适的劳动工具等因素，势必影响未成年工健康发育、损害他们的合法权益。

劳动保护是指在法律、技术、设备、设施、组织制度和教育等方面所采取的一系列措施，以保障职工在生产、劳动过程中的安全和健康。未成年工的特殊劳动保护，是指针对未成年人的身体状况、生理特点及自身的特殊需要，在适用一般劳动安全卫生制度的基础上，法律另外规定的对未成年人所采取的特殊的安全和卫生保护措施，不适用于成年职工的专门的保护制度。我国劳动法第五十八条第一款明确规定了国家对未成年工实行特殊劳动保护。该法第六十四规定:“不得安排未成年工从事矿山井下、有毒有害、国家规定的第四级体力劳动强度的劳动和其他禁忌从事的劳动。”本法保留了原未成年人保护法和劳动法对未成年工实行特殊的劳动保护的原则规定:一是在要在工种、劳动时间、劳动强度和保护措施等方面充分考虑未成年工的安全和健康要求;二是注意不安排其从事过重、有毒、有害等危害未成年工身心健康的劳动或者危险作业。

工种是按生产操作的技术内容划分的工作种类,如铸铁、钳工。安排工种应当充分照顾到未成年工的身体承受能力,使未成年工力所能及。禁止安排未成年工从事矿山、井下、高空、易燃易爆、放射性等危险作业,特别繁重或者对身体发育有毒有害的工种。劳动时间包括两个方面的要求:一是劳动时间不能太长,以利于未成年工劳动后及时恢复体力;二是时间安排要照顾未成年工长身体的需要,安排在白天而不要安排在晚上。劳动强度包括劳动的繁重程度和紧张程度,前者要求安排给未成年工的劳动不能太重,量不能太大;后者要求为未成年工安排的劳动频率不要太快。安全措施则是指为保障未成年工的劳动安全采取的措施。这些措施要根据具体工作的不同需要而预先采取,不能出了事故再予以补救。

不得安排未成年工从事过重的劳动,要求安排未成年工的劳动要使其体力能承担得了。有毒的劳动则包括未成年工劳动的环境有毒、劳动工具有毒和劳动对象有毒。例如,农药厂的劳动,环境往往有发生毒害的危险;搬运、装卸、使用沥青的工作,就属于劳动对象有毒的工作。有害劳动一般指有害于未成年工的健康,容易导致未成年工产生职业病的劳动。例如,在生产中产生游离二氧化矽 10% 以上粉尘的劳动,容易产生硅肺病,未成年工不宜承担。危险作业指容易发生工伤事故的作业。例如,高空作业容易从高空摔下来,锅炉工操作不规范会引起锅炉爆炸,等等。

随着社会的不断发展,以及实际情况的复杂性,上述具体规定可能无法穷尽未成年工不宜从事的"劳动或者危险作业"的范围。出于更切实有效地保护未成年工合法权益的目的,未成年人保护法将"危害未成年人身心健康"作为判断一项工作是否适宜未成年工从事的终极标准。

我国对未成年工实行特殊保护,主要体现在以下三个方面:

(1)禁止安排未成年工从事特定的劳动范围

首先是一般情况下禁止用人单位安排未成年工从事某些特定的劳动,即1994年劳动部颁布的《未成年工特殊保护规定》第三条所列举的十七种工作。其具体包括:《生产性粉尘作业危害程度分级》国家标准中第一级以上的接尘作业;《有毒作业分级》国家标准中第一级以上的有毒作业;《高处作业分级》国家标准中第二级以上的高处作业;《冷水作业分级》国家标准中第二级以上的冷水作业;《高温作业分级》国家标准中第三级以上的高温作业;《低温作业分级》国家标准中第三级以上的低温作业;《体力劳动强度分级》国家标准中第四级体力劳动强度的作业;矿山井下及矿山地面采石作业;森林业中的伐木、流放及守林作业;工作场所接触放射性物质的作业;有易燃易爆、化学性烧伤和热烧伤等危险性大的作业;地质勘探和资源勘探的野外作业;潜水、涵洞、涵道作业和海拔三千米以上的高原作业(不包括世居高原者);连续负重每小时在六次以上并每次超过二十公斤,间断负重每次超过二十五公斤的作业;使用凿岩机、捣固机、气镐、气铲、铆钉机、电锤的作业;工作中需要长时间保持低头、弯腰、上举、下蹲等强迫体位和动作频率每分钟大于五十次的流水线作业;锅炉司炉。

其次是用人单位不得安排患有某种疾病或具有某些生理缺陷(非残疾型)的未成年工从事某些特定的劳动。《未成年工特殊保护规定》第五条对上述疾病或生理缺陷进行了详细界定,并在第四条列举了这种未成年工不得从事的劳动。其具体包括:《高处作业分级》国家标准中第一级以上的高处作业;《低温作业分级》国家标准中第二级以上的低温作业;《高温作业分级》国家标准中第二级以上的高温作业;《体力劳动强度分级》国家标准中第三级以上体力劳动强度的作业;接触铅、苯、汞、甲醛、二硫化碳等易引起过敏反应的作业。

(2)未成年工健康检查制度

对未成年工进行健康检查是预防疾病,保障未成年工身体健康的重要措施。劳动法第六十五条规定:"用人单位应当对未成年工定期进行健康检查。"由此可见,对未成年工进行定期的健康检查是用人单位的一项法定义务,用人单位不得以任何借口加以取消。根据《未成年工特殊保护规定》,用人单位对未成年工定期进行健康检查时间安排为:安排工作岗位之前;工作满一年;年满18周岁,距前一次的体检时间已超过半年。对于未成年工的健康检查,应按照《未成年工健康检查表》列出的项目进行。未成年工健康检查的意义在于:用人单位应根据未成年工的健康检查结果安排其从事适合的劳动,对不能胜任原劳动岗位的,应根据医务部门的证明,予以减轻劳动量或安排从事其他劳动。未成年工的健康检查结果证明未成年工患有某种疾病,需要加以治疗的,用人单位应依法给予一定的医疗期。

(3)未成年工使用和特殊保护的登记制度

未成年工使用和特殊保护的登记,是劳动行政部门对用人单位使用和保护未成年工情况的监督管理制度。根据劳动部《未成年工特殊保护规定》的规定,对未成年工的使用和特殊保护实行登记制度;用人单位招收使用未成年工,除符合一般用工要求外,还须向所在地的县级以上劳动行政部门办理登记。

第三十九条　任何组织或者个人不得披露未成年人的个人隐私。

对未成年人的信件、日记、电子邮件，任何组织或者个人不得隐匿、毁弃；除因追查犯罪的需要，由公安机关或者人民检察院依法进行检查，或者对无行为能力的未成年人的信件、日记、电子邮件由其父母或者其他监护人代为开拆、查阅外，任何组织或者个人不得开拆、查阅。

【释义】 本条是关于保护未成年人隐私权的规定。

本条是对原未成年人保护法第三十条和第三十一条的修改。这次修改主要是考虑原法这两条都是从不同的角度对未成年人的隐私权进行保护，从而将这两条分别作为两款合并为一条规定作为新法第三十九条。本条第二款是对原法第三十一条的规定进行某些文字调整，使条文表述更加准确，未作实质性修改。新法充分保留了原法的有关规定，并针对记载未成年人个人隐私的日记和电子邮件容易被其父母或者其他监护人查阅等作出了部分修改。

（一）不得披露未成年人的隐私

本条第一款规定了任何组织或者个人不得披露未成年人的个人隐私。在未成年人保护工作中，必须遵循尊重未成年人人格尊严和保护未成年人隐私权这一原则，不得披露未成年人的个人隐私。

隐私是指公民不希望被他人知悉或不愿意被公开的个人私事、个人信息、私人活动等个人私生活领域内的事情，如私人日记、个人身体秘密。隐私一旦被他人知晓，当事人往往感到羞愧难当，在心理上引起强烈反响，有的甚至因此而结束自己的生命。因此，保护个人隐私，是每个公民的正当需求，也是国家和公民的责任。

未成年人心理活动尚未成熟，但未成年人也会有自己的隐私，如个人的身体秘密、心理活动的私密记录（日记）、出生情况、家庭情况。个人是否存在隐私，并不能以其心理活动功能是否成熟作为评判条件。未成年人正处于生长发育时期，其情感还比较脆弱，自我控制能力和心理防卫能力都比较差。其个人隐私一旦遭受侵犯，往往会造成其心理扭曲和对社会的抵触情绪，损害其身心健康。因此，未成年人的个人隐私同样应当受到保护。

隐私权是人格权的一种，受法律保护。未成年人隐私权是指未成年人就自己的个人私事、个人信息、私人活动等个人生活领域内的事情不为他人知悉，禁止他人干涉的权利，是未成年人的人格权的一部分。侵犯未成年人隐私权的，应当依法承担法律责任。

未成年人年龄在 18 周岁以下，行为能力受到限制，其中年龄在 10 周岁以下的，完全没有行为能力。这一特点决定了未成年人只能处于受抚养、受监护和受教育的地位。抚养人和被抚养人、监护人和被监护人、教育者和受教育者的特殊关系，使未成年人的隐私权常常受到抚养人、监护人和教师等的忽视和侵犯。在许多情况下，抚养人、监护人和教师侵害未成年人隐私权的出发点是为了未成年人的利益着想，为了未成年人更好地成长。但他们往往没有认识到自己和未成年人在地位上是平等的，在人格上是平等的，同时也不充分相信未成年人能处理好自己的事务，从而看轻未成年人的人格。这些都是不尊重未成年人人格尊严的典型表现。在现实生活中，许多人，尤其是一些未成年人的父母、其他监护人或者老师不懂得尊重未成年人的隐私权，侵犯未成年人隐私权的现象时有发生，主要表现为：(1)隐匿、毁弃、非法开拆、查阅未成年人的信件和电子邮件；(2)偷看未成年人的日记；(3)采用暴力、胁迫、引诱等方式要求未成年人说出内心并不愿意被他人知道的秘密；(4)私自检查未成年人的物品以窥视未成年人的秘密；(5)其所知晓的未成年人的隐私向外宣扬，等等。尽管他们的这些行为多是出于好意，是想了解未成年人的思想动态，以便更好地对他们进行引导和教育，防止其走上歧路。但这样做的实际效果往往是事与愿违，其行为不仅伤害了未成年人的感情，造成了彼此间的不信任感，引发其他更为严重的后果，更是对未成年人隐私权的侵犯，是一种违法行为。

同时，未成年人身体发育不健全、心理发展不成熟、社会经验缺乏，其隐私权还容易受到其他人的侵犯。那些认为未成年人年幼无知，无羞耻之心，可以随便利用其隐私开玩笑的行为是违法的。

对于成人而言，隐私一般仅指生活秘密，如果涉及社会公共事务，一般不能以保护隐私权为由要求保护，如涉及贪污、受贿等犯罪事件或者横穿马路等违反社会秩序的行为，对于上述社会事件，他人有进行评论或者批评的权利，媒体也有公开报道的权利。但对于未成年人的隐私权，却不仅仅是生活秘密，也应该包括社会事件。即使未成年人违法犯罪或者违反公共秩序，他人也无权宣扬，媒体也不能披露真实姓名、住址或者足以推断出具体是谁的信息资料。这一点在预防未成年人犯罪法第四十五条和本法第五十八都有明确规定，即对未成年人犯罪的案件，新闻报道、影视节目、公开出版物、网络等不得披露该未成年人的姓名、住所、照片、图像及或者可能推断出该未成年人资料。

综上所述，正因为未成年人年龄小，心理承受能力较弱，才更需要全社会，尤其是他们的父母和其他监护人加以关心和爱护，尊重他们的隐私权，维护他们的人格尊严。因此，本条第一款明确规定："任何组织或者个人不得披露未成年人的个人隐私。"此处所谓"任何组织或者个人"包括公检法等国家机关、学校、媒体以及其他社会组织、企业事业单位、未成年人的父母或者其他监护人、亲属、朋友、教师以及其他知晓或者可能知晓未成年人隐私的人员。任何组织或者个人如果掌握或了解了一些未成年人的隐私，不能透露给他人、进行宣扬或者予以公开，否则将承担法律责任。

这里应当注意的是，隐私权与名誉权并不相同。隐私是指个人的秘密，有些可能是引起社会的积极评价，有些可能是引起社会的消极评价，但不论如何，只要当事人不愿意公开，就构成隐私权保护的对象；而只有贬损他人评价的行为才能构成对他人名誉权的侵害。另外,两者的范围不同。只要你偷看了别人的信件,即便你没有告诉任何人,也构成了对隐私权的侵害;而名誉是一种社会评价,而非某个人的评价,如果只是一个人对另外一个人评价某人如何如何,以后也没有再向外宣扬、散布,那么不应该构成侵害名誉权。所以说,侵害隐私权并不意味着一定构成侵害他人名誉权。

当未成年人发现父母窥探自己的秘密时,应该有礼貌地告诉父母这是自己的隐私,自己有权保守这些隐私;如果父母不经过自己允许擅自窥探,那么就违反了法律的规定,应该承担相应的法律责任。如果父母不听劝阻,仍旧窥探自己的秘密,未成年人可以向未成年人保护委员会等机构反映,请求这些机构对父母进行批评教育。如果父母侵害自己隐私权的行为给自己造成了很大伤害,未成年人也可以直接向法院起诉,要求父母停止侵害、赔礼道歉甚至赔偿损失。

(二)不得隐匿、毁弃、非法开拆、查阅未成年人的信件、日记、电子邮件

本条第二款规定了任何组织或者个人不得隐匿、毁弃、非法开拆、查阅未成年人的信件、日记、电子邮件。这一规定是尊重未成年人人格尊严、保护未成年人隐私权、不得披露未成年人的个人隐私的延伸。这里所规定的“隐匿”,是指将他人投寄或发送给未成年人的信件或者电子邮件或者未成年人的日记秘密隐藏起来,使未成年人无法查找的行为;“毁弃”,是指将他人投寄或发送给未成年人的信件或者电子邮件或者未成年人的日记予以撕毁、烧毁、扔弃或者删除等,致使未成年人无法查找的行为;“非法开拆、查阅”,是指违反国家有关规定,未经发信人或者收件人的同意,私自开拆未成年人的信件、电子邮件,查阅信件和电子邮件内容信息的或者未经未成年人同意查阅其日记的行为。

通信是个人与个人之间的交流,信件和电子邮件上的内容往往是只能让收信人了解的个人的心理活动。既然是给特定的人信

件和电子邮件,其内容就只能让收信人知悉,对其他的非收信人而言则属于他人的个人隐私。日记更是本人心理活动的私密记录,属于个人隐私。因此,保护未成年人隐私权、不得披露其隐私,必然要求任何组织或者个人,无论是一般公民、社会组织还是未成年人的父母、其他监护人或者老师等,都不得隐匿、毁弃、非法开拆、查阅未成年人的信件、日记、电子邮件。

对于上述禁止性规定,本条第二款还规定了两个法定的例外:第一,如果因追查犯罪的需要,公安机关(包括国家安全机关)、检察机关有权依照法律的程序对未成年人的信件、日记、电子邮件进行检查。该规定与相关刑事实体、程序法律规定相衔接。第二,对于无行为能力的未成年人,即我国民法通则所规定的未满10周岁的未成年人,或者虽已满10周岁但不能辨认自己行为的未成年精神病人,其父母或者其他监护人有权代为开拆、查阅其信件、日记、电子邮件,其他任何组织或者个人则无此权利。同时,即使是无行为能力的未成年人父母或者其他监护人,也不得隐匿、毁弃其信件、日记,或者私自删除其电子邮件,更不得将其内容向他人披露。

未成年人的信件和电子邮件,其内容可能涉及个人隐私,还涉及未成年人的通信自由和通讯秘密。根据我国宪法第四十条的规定,中华人民共和国公民的通信自由和通信秘密受法律保护。邮政法第四条也规定:“通信自由和秘密受法律保护。”根据刑法第二百五十二条规定的,隐匿、毁弃或者非法开拆未成年人信件(包括电子邮件),侵犯其通信自由权利,情节严重的,构成侵犯公民通信自由罪。这里应该注意两个问题:

1. 在我国,公安机关(包括国家安全机关)或者人民检察院在办理案件时,因追查犯罪的需要,依法定程序进行检查、扣留邮件信件或者电子邮件且开拆的行为不属于侵犯公民通信自由的行为。除此之外,任何机关、团体、单位和个人都不得侵犯公民的通信自由和通信秘密。

2. 在现实生活中,对于未成年人而言,很多父母和老师喜欢开拆孩子信笺,虽然说是出于保护孩子的考虑,但这种行为同样可能触犯法律。父母开拆无民事行为能力的未成年人的信笺不属于违法行为,当然也不会构成犯罪。开拆限制民事行为能力的未成年人的信笺就要具体分析,一般情况下虽然说是违法的,但从保护监护人充分善意管理、教育未成年人的角度考虑,也不应该构成犯罪,只有情节非常严重时,才能构成犯罪。基于老师的监护人代理人身份,老师也只有在隐匿、毁弃或者非法开拆学生信笺情节严重时才构成犯罪。所谓情节严重,一般是指多次、经常隐匿、毁弃或者非法开拆他人信笺而屡教不改的;隐匿、毁弃或者非法开拆他人信笺数量较多的;因为隐匿、毁弃或者开拆而造成严重后果的,如该未成年人负气自杀或者离家出走,或者耽误了某些重大事件;恶意隐匿、毁弃或者开拆他人信笺的;开拆他人信笺后到处宣扬,使他人名誉受到损害的,等等。

第四十条　学校、幼儿园、托儿所和公共场所发生突发事件时,应当优先救护未成年人。

【释义】 本条是关于遇突发事件时优先救护未成年人的规定。

突发事件,是指突然发生,造成或者可能造成严重社会危害,需要采取应急处置措施予以应对的自然灾害(如水灾、火灾、地震)、事故灾害(如重大交通事故、校园重大踩踏事故或者校舍坍塌事故)、公共卫生事件(如传染病暴发、集体性食物中毒或者药品不良反应事件)和社会安全事件。突发事件往往会给公众的人身安全造成巨大危害,这种情况如果发生在学校、幼儿园、托儿所、少年宫或者其他一些未成年人聚集的公共场所,其后果往往更为严重。例如,1994 年 12 月 8 日在新疆克拉玛依市友谊馆剧场发生火灾,由于在场负责人要求学生“先不要动,请领导同志先走”,

导致在场观看“专场文艺演出”的796名学生全部陷入火海，其中288人死亡，酿成了血的惨痛教训。

联合国《儿童权利公约》第三条规定了儿童利益最大化原则，即关于儿童的一切行动，不论是由公私社会福利机构、法院、行政当局或立法机构执行，均应以儿童的最大利益为一种首要考虑。这就要求各国在采取立法、行政、司法等一系列措施时，如果涉及未成年人的权益的保护，则应采取能够最大可能地保护未成年人利益的最优方案。我国《国民经济和社会发展第十一个五年规则纲要》以及《中国儿童发展纲要(2001—2010)》均规定，坚持儿童优先原则，保障儿童生存、发展、受保护和参与的权利，改善儿童成长环境，促进儿童身心健康发展。本法在修改时，对儿童优先原则进行了规定。

在审议修订草案的程序中，一些常委委员提出，公民的生命健康权利是平等的，不能单独规定在发生突发事件时优先救护未成年人。是否优先救护，只能视突发事件发生时的具体情况而定。另外一些常委委员提出，联合国《儿童权利公约》规定了儿童利益最大化原则，本法是保护未成年人的专门法律，应该充分体现儿童利益最大化原则。在突发事件发生时，同等危急情形下，应当先对未成年人进行组织救护，也是儿童利益最大化原则的体现。立法机关采取了后一种意见。因为，与成年人相比较而言，未成年人在突发事件中的应变能力、保持镇静的能力和自我防护的能力更差，尤其是在缺乏成年人进行有效组织、协调的情况下，更容易发生秩序混乱，扩大危害后果。在这个意义上讲，在遇到突发事件时，未成年人比成年人更需要及时接受救护，在顺序上应优先于成年人。从道德层面上讲，在遇到突发事件时，优先救护妇女、儿童也是当今世界所公认的优良品质。上述新疆克拉玛依市友谊馆剧场火灾，未能优先求助未成年人，安排其有序撤离，是导致如此惨烈的伤亡后果一个重要原因。

因此,修订后的未成年人保护法明确规定:"学校、幼儿园、托儿所和公共场所发生突发事件时,应当优先救护未成年人。"本条的这一规定也是对总则规定的儿童特殊优先原则的具体体现。这里的"公共场所"主要是指公众进行公开活动的场所,如商店、影剧院、体育场、公共交通工具、街道等场所。

第四十一条 禁止拐卖、绑架、虐待未成年人,禁止对未成年人实施性侵害。

禁止胁迫、诱骗、利用未成年人乞讨或者组织未成年人进行有害其身心健康的表演等活动。

【释义】 本条是对禁止拐卖、绑架或者虐待未成年人,禁止对未成年人实施性侵害,禁止胁迫、诱骗、利用未成年人乞讨,禁止组织未成年人进行有害其身心健康的表演等活动的规定。

拐卖、绑架、虐待未成年人和对未成年人实行性侵犯是常见的严重侵犯未成年人人身权利的违法犯罪行为。胁迫、诱骗、利用未成年人乞讨或者组织未成年人进行有害其身心健康的表演等活动则是近几年来比较常见的侵害未成年人人合法权益的新型的违法犯罪行为。我国刑法和治安管理处罚法都对这些行为作了相应的处罚规定。未成年人保护法作为保护未成年人权益的专门法律,对这种严重侵害未成年人合法权益的行为应坚决予以制止。本次未成年人保护法修订增加对上述行为的禁止性规定。

(一)禁止拐卖、绑架、虐待未成年人,禁止对未成年人实施性侵害

本条第一款规定了保护未成年人不受拐卖、绑架、虐待和性侵犯行为侵害的法律措施。法律保护公民的人身权利不受侵害,未成年人自我保护能力差,其人身权利比成年人更容易遭受侵害。常见的严重侵犯未成年人人身权利的违法犯罪行为主要有拐卖、绑架、虐待和性侵犯。根据我国公安机关的统计,2003 年至 2004

年,我国公安机关共破获拐卖儿童案件 2311 起,解救被拐卖儿童八千余名。2005 年 1 月至 10 月,全国公安机关共破获拐卖儿童案件 935 起,解救被拐儿童 1741 名。根据联合国儿童基金会与中国全国妇联等机构联合进行的一项调查显示,同世界其他国家一样,中国也普遍存在虐待儿童的现象。在北京等六个省市对近四千名大、中专学生进行的匿名问卷调查显示,约四成曾受到过不同程度的身体、情感或性虐待。这些违法犯罪行为对于未成年人的身心健康损害都非常严重。例如,被拐卖、绑架的儿童,不仅失去了父母的关爱,而且还可能受到身心伤害甚至被犯罪分子杀害。再如,被虐待或者遭受性侵犯的未成年人,不仅在生理上可能留下终身伤残,其儿时的这种不幸经历更可能对其产生长远的负面心理影响。因此,新修订的未成年人保护法第四十一条第一款特别强调:"禁止拐卖、绑架、虐待未成年人,禁止对未成年人实施性侵害。"本款主要包含了四层意思:

1. 禁止拐卖未成年人

拐卖未成年人即拐卖儿童,是指以出卖为目的,欺骗、引诱、威胁、绑架等手段,将儿童拐骗、绑架、收买、贩卖、接送或者中转的违法犯罪行为;行为人只要实施上述行为之一,即构成拐卖妇女、儿童罪。拐卖儿童会严重侵害未成年人的人身安全,摧残儿童的身心健康,破坏儿童的家庭和社会治安秩序,严重影响社会安定,侵害未成年人人身权利的严重违法犯罪行为,必须加以严厉打击和惩处。本罪为行为犯,不以实际"卖出"为既遂要件。另外本罪行为人只要在主观上具有"出卖"的目的即可,法律并未要求其必须具有"营利目的"。根据刑法第二百四十条规定,拐卖儿童的,处 5 年以上 10 年以下有期徒刑,并处罚金;情节严重的,处 10 年以上有期徒刑或者无期徒刑,并处罚金或者没收财产;情节特别严重的,处死刑,并处没收财产。

刑法第二百四十条第一款还具体列举了适用上述刑罚的六项

拐卖儿童的严重情形：(1)拐卖妇女、儿童集团的首要分子，即在有计划、有组织地进行拐卖妇女、儿童犯罪活动的犯罪集团中起组织、领导、指挥作用的犯罪分子，可能是一人，也可能是多人。(2)拐卖妇女、儿童3人以上的，即指犯罪分子直接参与拐卖的妇女、儿童的人数在3人以上(包括本数在内)，包括在拐卖妇女、儿童的犯罪活动中，以出卖为目的，拐骗、绑架、收买、贩卖、接送、中转妇女、儿童3人以上的。(3)以出卖为目的，使用暴力、胁迫或者麻醉方法绑架儿童的。(4)以出卖为目的，偷盗婴幼儿的。(5)造成被拐卖的儿童或者其亲属重伤、死亡或者其他严重后果的，即拐卖过程中，犯罪分子采用捆绑、殴打、虐待、侮辱等手段，造成被害人重伤、死亡等严重后果，以及被害人及其亲属因犯罪分子的拐卖行为而自杀、精神失常或者造成其他严重后果的。(6)将儿童卖往境外的，即犯罪分子为了牟取暴利，与境外的人贩子相勾结，并儿童卖往中华人民共和国领土以外其他国家或者我国的港澳台地区的行为。

2. 禁止绑架未成年人

绑架未成年人即绑架儿童，是指以勒索财物为目的或者出于其他目的，将儿童作为人质，使用暴力、胁迫或者麻醉等方法强行掳走儿童，非法限制其人身自由的犯罪行为。这种行为构成绑架罪。该罪是行为犯。以勒索财物为目的的绑架，行为人只要完成绑架人质的行为，即构成本罪的既遂。绑架儿童以追求非法利益为目的，直接对未成年人的人身权利和其他权利进行严重侵害，社会影响极其恶劣，社会危险性极大，必须予以严惩。根据刑法第二百三十九条第一款的规定，应处10年以上有期徒刑或者无期徒刑，并处罚金或者没收财产；致使被绑架人死亡或者杀害被绑架人的，处死刑，并处没收财产。以勒索财物为目的偷盗不满1周岁的婴儿或者偷盗1周岁以上不满6周岁的幼儿的行为，也视为劫持行为，以绑架论。值得注意的是，如果以出卖为目的，使用暴力、胁迫或者麻醉方法绑架儿童的，则以拐卖妇女、儿童罪论处。

3. 禁止虐待未成年人

虐待是指行为人经常以打骂、冻饿、禁闭、有病不给治疗、强迫过度劳动或限制自由、凌辱人格等各种方法，对未成年人从肉体上、精神上迫害、折磨、摧残的行为。虐待行为区别区偶尔打骂或者偶尔的体罚行为的明显特点是：虐待行为往往是经常甚至一贯进行的，具有相对连续性。

其中虐待家庭成员，情节恶劣的，依照刑法第二百六十条规定构成虐待罪。本罪主体必须是共同生活的家庭成员，如夫妻、子女、兄弟姐妹，也包括共同生活的亲友。非家庭成员之间的虐待行为，不构成本罪。这里所说的“情节恶劣”，是本罪的罪与非罪的重要界限，具体是指虐待的动机卑鄙、手段凶残；虐待年老、年幼、病残的家庭成员；长期虐待家庭成员屡教不改的，等等。本罪主观方面是故意，至于为何虐待并不影响犯罪的成立，如有的父母嫌子女学习成绩差、爱撒谎、活泼好动，就经常打骂、冻饿该子女，目的是希望教育管理孩子，但在情节恶劣时，同样构成犯罪。本罪客观方面表现为经常或者连续折磨，偶尔一次打骂、冻饿等，即使造成严重后果也不构成本罪。实践中应注意：如果行为人故意伤害受虐的未成年人，致其重伤、死亡的，不应按照虐待罪定罪量刑，而应按照本法关于故意伤害罪或者故意杀人罪的规定定罪量刑。对于尚未构成刑事犯罪的，由公安机关按照治安管理处罚法有关规定处理。

“虐待”案件一般都需要以“被虐待人要求处理”或者“告诉才处理”作为追究行为人违法责任的条件。被害人不控告的，司法机关一般不能主动受理案件。但是如果被害人受到强制或者威吓而无法告诉的，或者被害人是未成年人的，其近亲属也可以告诉。

4. 禁止对未成年人实施的性侵害

“对未成年人实施的性侵害”，目前在我国尚无法定含义。学理上有人认为是指一切通过暴力、欺骗、讨好、物质诱惑或其他方式,把未成年人引向性接触,以求达到行为人满足的行为。从司法实践操作角度而言,常见的“对未成年人实施的性侵犯”行为包括有强奸、猥亵妇女或者猥亵儿童等行为。

其中强奸是指行为人违背妇女意志,使用暴力、胁迫或者其他手段,强行与妇女发生性交的行为。如果受害人是不满 14 周岁的幼女,则不论被害人是否同意,只要其与幼女发生性关系即构成强奸罪。根据 2003 年 1 月 8 日最高人民法院关于行为人不明知是不满 14 周岁的幼女双方自愿发生性关系是否构成强奸罪问题的批复,行为人明知是不满 14 周岁的幼女而与其发生性关系,不论幼女是否自愿,均应依照刑法第二百三十六条第二款的规定,以强奸罪定罪处罚;行为人确实不知对方是不满 14 周岁的幼女,双方自愿发生性关系,未造成严重后果,情节显著轻微的,不认为是犯罪。

猥亵他人,是指以强制或者非强制的方法,违背对方意志,实施的正常性接触以外的能够满足行为人淫秽下流欲望的行为。其主要包括以抠摸、指奸、鸡奸等淫秽下流的手段对他人身体的性接触行为。如果行为人只是追逐、堵截他人,或者向他人身上泼洒腐蚀物、涂抹污物,或者用下流的语言辱骂他人等,则不属于猥亵他人。行为人必须是故意实施猥亵他人的行为,其动机通常表现在为了刺激、满足行为人的或者第三人的性欲的倾向。行为必须具有违背他人意志的特征,如果对方对于行为人的猥亵行为表示同意,则不是猥亵他人的行为。猥亵他人的,依照治安管理处罚法第四十四条的规定处 5 日以上 10 日以下拘留。如果猥亵 14 周岁以上的未成年人的,则按猥亵他人行为论处。

强制猥亵 14 周岁以上不满 18 周岁的未成年女性,则以强制猥亵妇女罪论。强制猥亵妇女,是指以暴力、胁迫或者其他方法强制猥亵妇女的行为,行为人一般具有满足变态性要求的目的。

对不满 14 周岁的儿童实施猥亵行为的,构成猥亵儿童罪。考虑到不满 14 周岁的儿童的认知能力,尤其是对性的认识能力是很欠缺的,为了保护儿童的身心健康,构成猥亵儿童罪并不要求以暴力、胁迫或者其他方法强制进行。只要对儿童实施了猥亵行为,就构成了刑法第二百三十七条第三款规定的犯罪。

实践中应当注意划清以下三个方面的界限:一是要注意区分强制猥亵妇女罪的罪与非罪的界限。将强制猥亵妇女罪与一般的猥亵他人行为加以区分,具有"强制"行为的,才能作为犯罪处理。二是要区分猥亵他人与侮辱他人的界限。猥亵具有更为明显的性内容,是一种非自然的行为,只能通过身体动作实施;而侮辱一般不直接表现为性行为,且既可以是身体动作实施,也可以用语言进行。三是要区分猥亵他人与一般的对他人表示"亲昵"行为的界限。猥亵他人是出于行为人淫秽下流的欲望,往往对他人的身体或者思想、认识造成伤害或者不良影响,其行为一般为当地的风俗、习惯所不容;而对他人表示"亲昵"的行为,一般表现为出于喜爱或爱护对方而做出的亲昵动作,如亲吻或拥抱未成年人。另外,我国某些农村地区存在年老的长辈以开玩笑的形式捏摸幼小男孩的生殖器的陋习,因其行为不是出于淫秽下流的欲望,所以不构成猥亵儿童。

对于上述严重侵害未成年人人身权利案件的侦查、行政处罚和解救工作,均由我国公安机关负责办理。对于这类案件,公安机关应当依法及时履行职责。

(二)禁止利用、组织未成年人乞讨或者进行有害于身心健康的表演

本条第二款是关于禁止胁迫、诱骗、利用未成年人乞讨和禁止组织未成年人进行有害其身心健康的表演的规定。

1. 禁止胁迫、诱骗、利用未成年人乞讨

乞讨作为一种社会现象,在任何国家、任何社会都不同程度地存在。由于我国正处在经济快速发展阶段,存在贫富差别、城乡居

民收入和生活水平的差距加大等问题，一部分人在工作无着、生活困难的情况下，选择了流浪乞讨的生存方式。也有一些人并非生活无着而必须选择流浪乞讨的生活方式，而是胁迫、诱骗、利用未成年人乞讨为自己谋取利益，严重损害未成年人的合法权益，破坏社会秩序。对于胁迫、诱骗或者利用未成年人乞讨的行为，必须予以禁止。

胁迫、诱骗或者利用未成年人乞讨的现象自古有之，属于历史陋习。这种丑恶现象在新中国历史上曾一度得到过有效控制，几近消失，但近年来又有沉渣泛起之势。相关调查结果显示，未成年人乞讨占整个乞讨人数的一半左右，而这些未成年乞讨儿多数都是受人控制和操纵的。违法犯罪分子控制和操纵未成年人进行乞讨的具体方式多种多样，如恐吓、暴力威胁、冻饿、打骂、身体强制甚至利用毒品进行人身控制。这些未成年被害人被视做“赚钱工具”。更有甚者还以长期残害未成年人身体等极端残忍的方式胁迫、利用未成年人乞讨。例如，媒体曾报道过这样一个案例，2003年年底广州市白云区新市的一座天桥上每天都坐着一个令人惨不忍睹的乞讨小女孩：身体十分瘦弱，看上去最多五六岁，蜷缩着的两条僵硬乌黑的细腿无法直立，小腿至脚背处有多个化脓的伤口，右脚板处则有一个鲜血淋淋的窟窿。女孩的臀部仿佛一团死肉，被一块脏兮兮的破布遮住，大小便糊成一团。一些好心的市民经观察发现，这个孩子身上的那些伤只见烂不见好，一些伤本来快要结痂了，过一天又是一个血糊糊的口子，长好的肉又没了。因此，市民怀疑这个女孩的伤口是被人故意挖烂的，遂报警。后该女孩被解救。经调查发现，这名身世非常凄惨的残疾女童已 12 岁，但身高不足 1 米，身上多处伤口都是控制其乞讨的人的“杰作”，目的就是利用其凄惨可怜的形象进行乞讨。这个女孩不仅被人操纵乞讨，而且如果某一天讨得少了，就会挨皮带抽。

由于乞儿受到成人操纵且又年幼，所以他们不可能成为自身利益的捍卫者，也不可能自己主动到救助站寻求帮助。因而他们在受到侵害时，也只能保持沉默。针对这种情况，中央综治办、中央综治委预防青少年违法犯罪工作领导小组办公室、公安部、民政部、共青团中央于2006年8月28日联合召开座谈会，要求各地区、各部门加大工作力度，进一步把强迫诱骗未成年人流浪行乞整治工作抓实抓好。

本法出于保护未成年人利益的目的，明确规定了“禁止胁迫、诱骗、利用未成年人乞讨”。违反这一规定的，则可依照治安管理处罚法第四十一条的规定予以处罚。如果行为人故意伤害受其控制的未成年人，致其重伤、死亡的，则应以故意伤害罪故意或者杀人罪论处。所谓“胁迫”未成年人乞讨，是指行为人以立即实施暴力或其他有损身心健康的行为，如冻饿、罚跪相要挟，逼迫未成年人进行乞讨的行为。“诱骗”未成年人乞讨，是指行为人利用未成年人的弱点或亲属等人身依附关系，或者以许愿、诱惑、欺骗等手段指使未成年人进行乞讨的行为。“利用”未成年人乞讨，是指行为人怀有个人私利，使用各种手段让未成年人自愿地按其要求进行乞讨的行为。

对于以暴力、胁迫手段组织不满14周岁的未成年人乞讨的，依法构成犯罪，根据《刑法修正案（六）》的明确规定，处3年以下有期徒刑或者拘役，并处罚金；情节严重的，处3年以上7年以下有期徒刑，并处罚金。

2. 禁止组织未成年人进行有害其身心健康的表演等活动

所谓“组织”是指行为人通过纠集、控制未成年人或者以雇佣、招募等手段让未成年人进行有害其身心健康的表演或者活动。组织未成年人进行有害其身心健康的表演等活动主要是指组织未成年人进行恐怖、残忍表演。

组织未成年人进行恐怖、残忍等有害其身心健康的表演等行为，也在20世纪80年代初引起了国家相关部门的注意。例如，

1981年10月29日文化部、公安部就联合下发过《关于取缔流散艺人和杂技团体表演恐怖、残忍和摧残少年儿童节目的通知》。这里所说的“恐怖”表演，是指营造凶杀、暴力等恐怖气氛的表演项目，如碎尸万段、刀劈活人、大卸人体组织。“残忍”表演，是指对人的身体进行残酷折磨，以营造残忍气氛的表演项目，如刀劈小孩、脚踩女孩、人吃活蛇、蛇钻七窍、油锤贯顶、钉板打石、汽车过人、铁钉刺鼻。这些表演项目严重摧残未成年人的身心健康，影响了他们的正常发育。

国务院颁布的《营业性演出管理条例》规定，国家鼓励和支持营业性文艺表演团体和个体演员深入群众，努力创作和表演思想性、艺术性统一，具有强烈吸引力、感染力，为广大群众所欢迎的优秀节目；国家禁止举办表演方式恐怖、残忍，摧残演员健康的，或者利用人体缺陷或者以展示人体变异等招徕观众的演出活动。因此，组织、胁迫、诱骗未成年人进行恐怖、残忍表演的行为是违反国家规定的行为，应当受到惩处。对于这类违法行为尚未构成犯罪的，可以根据我国治安管理处罚法第四十条之规定进行处理：对于组织、胁迫、诱骗不满16周岁的人或者残疾人进行恐怖、残忍表演的，处10日以上15日以下拘留，并处500元以上1000元以下罚款；情节较轻的，处5日以上10日以下拘留，并处200元以上500元以下罚款。

实践中应当注意区分恐怖、残忍表演行为与一般杂技表演的界限。中国杂技源远流长，是我国传统文化的一部分，它不仅具有强身健体的作用，而且在日常生活中，杂技还常常作为一种颇具观赏性的表演节目展现在人们面前。杂技表演虽然也有一些惊险、离奇的动作，但其宗旨是以科学、文明体现自身价值的。而恐怖、残忍表演是以表现恐怖、暴力为内容，所追求的是感官刺激、恐怖气氛，并且这类表演大多缺乏必要的安全措施，极易发生危险，尤其是由不满16周岁的人或者残疾人表演这类节目，对其身心健康会带来极大伤害。

组织未成年人进行有害其身心健康的表演等活动还应包括组织未成年人进行色情表演活动、封建迷信活动等其他不利于未成年人身心健康成长的活动等。

上述种种行为不仅直接从生理上对未成年人造成伤残,更不利于其心理的健康发育。对于这类摧残未成年人身心健康的行为,国家必须予以坚决打击。因此,修订后的未成年人保护法明确规定了禁止组织未成年人进行有害其身心健康的表演等活动。

第四十二条　公安机关应当采取有力措施,依法维护校园周边的治安和交通秩序,预防和制止侵害未成年人合法权益的违法犯罪行为。

任何组织或者个人不得扰乱教学秩序,不得侵占、破坏学校、幼儿园、托儿所的场地、房屋和设施。

【释义】 本条是关于公安机关在维护校园周围治安和交通秩序,预防和制止侵害未成年人合法权益的违法犯罪行为工作方面应尽职责的规定,同时规定了不得扰乱教学秩序,不得侵占、破坏学校、幼儿园、托儿所的场地、房屋和设施。本条共分两款。

第一款是关于公安机关在维护校园周围治安和交通秩序,预防和制止侵害未成年人合法权益的违法犯罪行为工作方面应尽职责的规定。

维护好校园周围地区的治安秩序,是学校开展正常教育、教学工作的重要保障,也是未成年人健康成长的重要保障。目前一些地方存在不法分子滋扰校园的现象,有的问题还比较严重。他们有的在校园周围寻衅滋事、敲诈勒索,拦劫中小学生抢劫他们的财物;有的教唆、引诱未成年人参加违法犯罪行为;有的强行向学生兜售不合格商品,危害学生身体健康;有的追逐调戏侮辱女学生;有的在学校周围打架斗殴,甚至造成恶劣后果;有的在学校周围无故打骂师生。这些问题的存在，不仅直接威胁着学校师生的人身安全，严重影响了正常的教学秩序和社会秩序，还容易对正处于成长发育的未成年学生产生不良影响。一些未成年人明辨是非的能力薄弱，容易盲目模仿，误入歧途。另外，一些中小学校周围存在一定的交通隐患，存在严重交通违法行为，如不按规定让行、加速等行为，事故一旦发生，后果往往不堪设想。因此，本条特别规定了公安机关应当采取有力措施，依法维护校园周边的治安和交通秩序，预防和制止侵害未成年人合法权益的违法犯罪行为。

公安机关对维护校园治安秩序高度重视。1997 年公安部下发了《关于做好维护中小学校治安秩序工作的通知》，要求各地公安机关要高度重视中小学校治安秩序工作，要在党委、政府的领导下，统筹部署，切实维护好中小学校的治安秩序。通知特别强调要严厉打击侵害师生安全的违法犯罪活动，对问题突出的要开展重点整治，对经常扰乱学校秩序、侵害中小学师生人身安全的违法犯罪人员和团伙依法予以查处。通知要求基层公安机关要将维护好中小学校园及周围地区治安秩序作为一项经常性工作，公安派出所、巡警、交警等要充分履行职责，维护好中小学校园周围治安、交通秩序，及时处理涉及师生安全的各类案件。在中小学生上学、放学时间段内巡警要在重点地段巡逻，维护好治安秩序。交警要在交通状况复杂地段设立临时岗疏导车辆、行人。公安派出所在安全社区建设中要把中小学校安全工作纳入考核内容，将中小学校治安保卫工作纳入工作范围，作为责任区民警的职责。2005 年 6 月，公安部颁布了《公安机关维护校园及周边治安秩序八条措施》（以下简称《措施》）。《措施》要求对发生在校园及周边侵害师生人身、财产权利的刑事和治安案件，实行专案专人责任制；在校园周边治安复杂地区设立治安岗亭，有针对性地开展治安巡逻，强化治安管理；根据需要向学校、幼儿园派驻保安员，负责维护校园安全；选派民警担任中小学和幼儿园的法制副校长或法制辅导员，负责治安防范、交通和消防安全宣传教育工作，每月至少到校园工作2次；在地处交通复杂路段的小学、幼儿园上学、放学时，派民警或协管员维护校园门口道路的交通秩序；在学校、幼儿园周边道路设置完善的警告、限速、慢行、让行等交通标志及交通安全设施，在学校门前的道路上施划人行横道线，有条件的设置人行横道信号灯；在城市学校、幼儿园周边有条件的道路设置上学、放学时段的临时停车泊位，方便接送学生车辆停放；对寄宿制的学校、幼儿园，每半年至少组织一次消防监督检查，对其他学校、幼儿园，每年至少组织一次消防监督检查，并督促、指导其依法履行消防安全职责。2005年12月，公安部、教育部颁布了《公安部、教育部关于进一步加强中小学校交通安全工作的通知》，要求全面排查、摸清辖区内各中小学校、幼儿园周边道路状况、交通流量、校车和交通安全设施等基本情况，了解中小学校对校园周边交通安全设施建设、停车泊位施划等方面的需求和对交通安全管理工作的意见。在查清底数的基础上，制订完善中小学校周边道路交通安全设施的实施方案，明确工作目标，报请当地政府组织相关部门实施；建立定期排查中小学校周边交通安全隐患制度，对排查结果要建立档案，做到底数清、情况明、基础实、台账全；加大执法力度，狠抓中小学校周边道路交通秩序的管理，坚决纠正、严厉处罚严重交通违法行为。要进一步加大对超速、不按规定让行等交通违法行为的整治力度。要切实落实在地处交通复杂路段的中小学校上、下学时间，有民警或协管员在校园门口维护交通秩序的要求，努力减少发生中小学生交通事故的安全隐患；结合交通安全宣传“五进”工作，通过多种形式，进一步提高中小学生的交通安全意识；交警大队、中队要确定民警负责辖区中小学生交通安全宣传教育工作，责任民警每学期到校宣传次数不能少于2次。要及时向学校通报学生违反交通法规的情况；高度重视涉及学生交通事故的处理工作，接到涉及学生交通事故报警的，要立即派出交通警察赶赴现场，全力组织对受伤学生的抢救工作,并及时通知学校。2006年9月,教育部、公安部等部委又联合颁布了《中小学幼儿园安全管理办法》(以下简称《办法》)。《办法》中规定公安机关应当把学校周边地区作为重点治安巡逻区域,在治安情况复杂的学校周边地区增设治安岗亭和报警点,及时发现和消除各类安全隐患,处置扰乱学校秩序和侵害学生人身、财产安全的违法犯罪行为。公安、建设和交通部门应当依法在学校门前道路设置规范的交通警示标志,施划人行横线,根据需要设置交通信号灯、减速带、过街天桥等设施。在地处交通复杂路段的学校上学、放学时间段内,公安机关应当根据需要部署警力或者交通协管人员维护道路交通秩序。公安机关和交通部门应当依法加强对农村地区交通工具的监督管理,禁止没有资质的车船搭载学生。

本条规定,公安机关应当维护校园周边的治安和交通秩序,预防和制止侵害未成年人合法权益的违法犯罪行为。对于在学校周围打架斗殴、寻衅滋事、抢劫中小学生财物等违法犯罪行为,公安机关应及时予以制止,并做出处理。对在学校周围开设的录像放映点、音像制品出租点、互联网上网服务营业场所等进行重点检查,及时消除影响未成年人健康成长的精神垃圾。在城市,许多中小学校、幼儿园处在闹市区,人多车多,在上学、放学的时间段内,交警应注意疏导,保障学生的交通安全。巡警要加强巡逻,维护社会秩序,保障未成年人的人身安全。

第二款是关于不得扰乱教学秩序,不得侵占、破坏学校、幼儿园、托儿所的场地、房屋和设施的规定。

教育法第七十二条规定,结伙斗殴、寻衅滋事,扰乱学校及其他教育机构教育教学秩序的,依法承担民事责任。

扰乱教学秩序的行为大致有以下几种:(1)不听劝阻,在教学区高声喧哗和打闹的,在教学、科研时间(不包括体育课、早锻炼和课外活动时间)内在教学区进行球类和文娱活动的,在办公楼、教学楼无理取闹的;(2)扰乱校内公共场所秩序的;(3)寻衅滋事、造谣惑众、煽动闹事的。学校内部工作人员实施上述行为,一般是因为领导或者同事之间闹矛盾、纠纷或者因对工资、待遇等方面不满引起的。其他单位的人员实施上述行为,有的是因为个人私怨,有的是因单位与学校之间闹纠纷,有的是纯属无理取闹。所谓结伙斗殴,是指出于私仇宿怨、争霸一方或者其他动机而成帮结伙地进行殴斗。所谓寻衅滋事,是指在学校无事生非、肆意挑衅、起哄捣乱、破坏骚扰等。上述违法行为无论发生在校内还是周围,行为的后果都扰乱了学校的教学秩序。对于实施上述违法行为的个人,包括学校的工作人员、其他单位的人员,情节较轻、危害后果和影响不大的,由主管部门对责任人批评教育或者给予行政处分;情节较重,致使学校教育教学秩序遭到破坏的,或者造成其他危害后果的,由公安机关给予治安处罚;情节和后果严重,构成犯罪的,由司法机关追究刑事责任。

教育法第七十二条规定,破坏校舍、场地及其他财产的,依法承担民事责任。侵占场地、房屋及设施的行为主要表现为:(1)偷盗、抢夺或者哄抢、勒索学校的教学仪器或者其他设备;(2)占用学校的校舍、场地。破坏场地、房屋及设施的行为主要表现为:偷盗、抢夺或者哄抢、毁损学校校舍、场地、教学仪器及其他财产,使这些财产的价值或者使用价值部分或者全部丧失。

学校、幼儿园、托儿所的场地、房屋和设施是学校进行正常的教学教育活动必备的物质条件,关系到学校的教育质量及学生的身心健康,甚至关系到学校本身的存在。因此,不管是城市还是农村,不管是单位还是个人,不管是建公房还是建私房或是其他用途,都不得随意侵占和破坏学校、幼儿园、托儿所的场地、房屋和设施。对于强行霸占学校、幼儿园、托儿所的场地、房屋和设施以及借此闹事、影响学校教学秩序的单位及个人,学校应当及时向当地政府或主管部门反映,及时制止并依法追究行为人的法律责任。

对于情节较轻、危害后果和影响不大的，由主管部门对责任人批评教育或者给予行政处分；情节较重，致使学校教育教学秩序遭到破坏的，或者其他危害后果的，由公安机关给予治安处罚；情节和后果严重，构成犯罪的，由司法机关追究刑事责任。同时，责令退回侵占的校舍、场地或者其他财产或者赔偿损失。

第四十三条　县级以上人民政府及其民政部门应当根据需要设立救助场所，对流浪乞讨等生活无着未成年人实施救助，承担临时监护责任；公安部门或者其他有关部门应当护送流浪乞讨或者离家出走的未成年人到救助场所，由救助场所予以救助和妥善照顾，并及时通知其父母或者其他监护人领回。

对孤儿、无法查明其父母或者其他监护人的以及其他生活无着的未成年人，由民政部门设立的儿童福利机构收留抚养。

未成年人救助机构、儿童福利机构及其工作人员应当依法履行职责，不得虐待、歧视未成年人；不得在办理收留抚养工作中牟取利益。

【释义】　本条是关于政府及其民政部门对流浪乞讨等生活无着的未成年人实施救助，或者由民政部门设立的儿童福利机构收留抚养的有关规定，是对原法第二十九条的修改完善。原未成年人保护法第二十九条规定了救济措施，要求民政部门或者其他有关部门负责交送其父母或者其他监护人，并对暂时无法查明其父母或者其他监护人的，由民政部门设立的儿童福利机构收容抚养。随着形势的发展，出现了一些新情况、新问题，需要对原法中的相关规定进行修改完善。本条共分三款。

第一款是关于县级以上人民政府及其民政部门根据需要设立救助场所，对流浪乞讨等生活无着的未成年人实施救助的规定。

在正常情况下，未成年人由其父母或者其他监护人抚养，社会不承担抚养责任。但是，未成年人难保外出不走失，而且还有一些未成年人离家出走。由于这些情况的存在，社会上难免会出现流浪乞讨或离家出走的未成年人。在这种特殊情况下，未成年人脱离了父母或者其他监护人，生活无着，未成年人的安全和健康存在极大的威胁。流浪未成年人是社会弱势群体，他们生活在街头，衣食无着，处境艰难，合法权益难以得到充分保障，容易被犯罪分子利诱和利用，误入歧途，走上违法犯罪道路，影响国家的长治久安。我国高度重视流浪乞讨等生活无着未成年人的社会救助工作，《中国儿童发展纲要（2001—2010 年）》中规定，要加大儿童福利事业的投入，改善设施，为孤儿、残疾儿童、弃婴提供良好的成长条件；倡导儿童福利社会化，积极探索适合孤残儿童身心发育的供养方式；加强对流浪儿童救助保护中心的建设和管理；设立多种形式的流浪儿童收容教育机构，减少流浪儿童数量和反复性流浪；加强正规的残疾儿童康复机构建设，建立健全社区康复和卫生服务机构，对残疾儿童家长进行康复知识培训和指导。2003 年 5 月国务院颁布了《城市生活无着的流浪乞讨人员救助管理办法》（以下简称《办法》）。《办法》中规定县级以上人民政府应当根据需要设立流浪乞讨人员救助站，救助站对流浪乞讨人员的救助是一项临时性社会救助措施。县级以上人民政府民政部门负责流浪乞讨人员的救助工作，并对救助站进行指导、监督。公安、卫生、交通、铁道、城管等部门应当在各自的职责范围内做好相关工作。公安机关和其他有关行政机关的工作人员在执行职务时发现流浪乞讨人员的，应当告知其向救助站求助；对其中的残疾人、未成年人、老年人和行动不便的其他人员，还应当引导、护送到救助站。2004 年中共中央、国务院《关于进一步加强和改进未成年人思想道德建设的若干意见》中指出，民政部门及其所属的儿童福利机构和流浪儿童救助保护机构，要按照《中华人民共和国未成年人保护法》等有关法律法规的要求，做好孤残儿童合法权益的保护工作和流浪儿童的救助保护工作。

民法通则第十六条第四款规定，没有第一款、第二款规定的监护人的，由未成年人的父、母的所在单位或者未成年人住所地的居民委员会、村民委员会或者民政部门担任监护人。根据这一规定，民政部门可以对失去监护的未成年人承担监护责任。本法第四十三条规定“县级以上人民政府及其民政部门应当根据需要设立救助场所，对流浪乞讨等生活无着未成年人实施救助，承担临时监护责任”，将民政部门的临时监护职责法定化、具体化。

根据相关规章的规定，各有关职能部门的职能是：(1)民政部门是流浪未成年人工作的政府职能部门，负责制定流浪未成年人工作的发展规划；研究制定流浪未成年人工作的政策法规和工作规范；组织培训，指导各地开展流浪未成年人工作；加强对流浪未成年人救助保护机构的监督管理。(2)流浪未成年人救助保护机构的职能是为流浪未成年人提供全面的服务，采取多种措施保障受助未成年人的生活、教育、管理、返乡和安置；组织适合未成年人需要的活动，通过文化知识教育、职业技能培训等帮助未成年人获得谋生技能，为回归社会、独立生活做好准备；与教育、公安和司法行政等部门一道对有不良行为的流浪未成年人进行法制教育、行为矫治和心理辅导；对监护人无法履行职责的服刑人员子女也可以由流浪未成年人救助保护机构提供生活照料。(3)公安机关的职能是对执行职务时发现的流浪、乞讨未成年人，打击犯罪行动中解救的未成年人，以及有轻微违法行为但根据有关规定不予处罚且暂时无法查明其父母或其他监护责任人的未成年人等，应当及时将他们护送到流浪未成年人救助保护机构接受救助；公安机关要依法严厉打击诱骗、拐卖、残害流浪未成年人和组织、操纵、教唆未成年人特别是残疾未成年人流浪、乞讨等违法犯罪行为；协助流浪未成年人救助保护机构核实受助未成年人的真实身份；有条件的地方公安机关可在流浪未成年人救助保护机构内设立警务室，协助流浪未成年人救助保护机构进行管理。

第二款规定了对孤儿、无法查明其父母或者其他监护人的以及其他生活无着的未成年人，由民政部门设立的儿童福利机构收留抚养的内容。

据不完全统计，全国现有失去父母和事实上无人抚养的未成年人57.3万名，他们失去父母，无人抚养，处于生存、发展的困境，是社会福利事业和社会救助工作的重点对象。我国高度重视儿童福利机构的建设。据不完全统计，到2005年年底，全国共有专门的儿童福利机构224所。根据民政部等部委《关于加强孤儿救助工作的意见》，到2010年，基本达到每个地级市都拥有一所具有养护、医疗康复、教育能力的儿童福利机构；卫生部门对儿童福利机构设置的为所收养的孤儿服务的门诊部、诊所、卫生所（室）要给予指导和支持；教育部门对儿童福利机构和流浪未成年人救助保护机构开办的特教班应当给予指导和支持。对孤儿、无法查明其父母或者其他监护人的以及其他生活无着的未成年人由民政部门设立的儿童福利机构收留抚养，可以保证这些未成年人有一个健康成长的环境，保障这些未成年人健康茁壮成长。

第三款是关于未成年人救助机构、儿童福利机构及其工作人员应当依法履行职责，不得虐待、歧视未成年人，不得在办理收留抚养工作中牟取利益的规定。

孤儿、无法查明其父母或者其他监护人的以及其他生活无着的未成年人年龄尚小，身心发展还不成熟，容易受到来自各方面的侵害，在未成年人救助机构、儿童福利机构中应当得到关怀和照料。根据民政部等部委《关于加强孤儿救助工作的意见》的规定，流浪未成年人救助保护机构要为未流浪未成年人提供全面的服务，采取多种措施保障受助未成年人的生活、教育、管理、返乡和安置。组织适合未成年人需要的活动，通过文化知识教育、职业技能培训等帮助未成年人获得谋生技能，为回归社会、独立生活做好准备，并对流浪未成年人进行法制教育、行为矫治和心理辅导。因此，未成年人救助机构、儿童福利机构及其工作人员对这些未成年人有临时监护职责，应当全面关怀、爱护未成年人，照顾未成年人的日常生活、饮食起居，对未成年人进行生活管理和教育，促使未成年人健康成长。未成年人救助机构、儿童福利机构及其工作人员应当依法履行职责，不得虐待、歧视未成年人。同时，本法明确规定未成年人救助机构、儿童福利机构及其工作人员不得在办理收留抚养工作中牟取利益，侵犯未成年人的合法权益。

第四十四条　卫生部门和学校应当对未成年人进行卫生保健和营养指导，提供必要的卫生保健条件，做好疾病预防工作。

卫生部门应当做好对儿童的预防接种工作，国家免疫规划项目的预防接种实行免费；积极防治儿童常见病、多发病，加强对传染病防治工作的监督管理，加强对幼儿园、托儿所卫生保健的业务指导和监督检查。

【释义】　本条是关于卫生部门和学校对未成年人进行卫生保健和营养指导，做好疾病预防工作，做好对儿童的预防接种工作，积极防止儿童常见病、多发病等问题的规定。本条共分两款。

第一款是关于卫生部门和学校对未成年人进行卫生保健和营养指导，提供卫生保健条件，做好疾病预防工作的规定。

未成年人是祖国的花朵，是民族的未来，未成年人的健康成长关系到我们事业的长远发展，意义深远、重大。我国非常重视未成年人的卫生保健和营养指导工作，并采取了大量富有成效的措施，取得了显著效果。提供必要的卫生保健条件，是卫生部门和学校的共同责任。卫生保健条件包括医疗人员和医疗机构、医疗器械及药品三个方面。

首先，就医疗人员而言，原国家教委 1989 年颁布的《幼儿园管理条例》中规定，举办幼儿园应当有医师，医师应当具有医学院校毕业程度，医士和护士应当具有中等卫生学校毕业程度，或者取得卫生行政部门的资格认可。原国家教委 1990 年颁布的《学校卫生工作条例》规定，城市普通中小学、农村中心小学和普通中学设卫生室，按学生人数600∶1的比例配备专职卫生技术人员。中等专业学校、技工学校、农业中学、职业中学，可以根据需要，配备专职卫生技术人员。学生人数不足600人的学校，可以配备专职或者兼职保健教师，开展学校卫生工作。

其次，关于医疗机构或保健机构，原国家教委1990年颁布的《学校卫生工作条例》规定，经本地区卫生行政部门批准，可以成立区域性的中小学生卫生保健机构。区域性的中小学生卫生保健机构的主要任务是：（1）调查研究本地区中小学生体质健康状况；（2）开展中小学生常见疾病的预防与矫治；（3）开展中小学卫生技术人员的技术培训和业务指导。卫生部1986年颁布的《城乡儿童保健工作要求》规定，市级儿童保健机构，要配备开展儿童保健工作的必要设备，充分发挥业务指导的作用；儿童医院、妇产医院、妇幼保健院（所）、医学院校及其附属医院、综合医院儿科必须承担儿童保健任务，协助同级儿童保健机构解决疑难问题，培训人员，指导开展科研工作。上述各级医疗机构要建立儿童保健责任地段，坚持预防为主、防治结合，开展儿童保健系统管理工作；各级儿童保健机构开设儿童保健门诊，建立儿童保健责任地段或开展儿童保健试点，以点带面的指导基层医疗保健单位开展儿童保健工作。对于这些规定，卫生部门和学校都应当认真执行。

至于医疗器械和药品，有必要从本地的实际情况出发，对治疗本地的常见病、多发病的医疗器械和药品，要特别注意有所储备。2006年9月教育部、公安部、司法部等部委联合颁布的《中小学幼儿园安全管理办法》规定，学校应当按照国家有关规定配备具有从业资格的专职医务（保健）人员或者兼职卫生保健教师，购置必需的急救器材和药品，保障对学生常见病的治疗，并负责学校传染病疫情及其他突发公共卫生事件的报告。有条件的学校，应当设立卫生（保健）室。

随着生活水平的日益提高，人们的饮食结构发生了很大的变化。由于缺乏科学的营养指导，一些未成年人存在暴饮暴食等饮食不健康现象，大量摄入食物造成了“小胖墩”增加；一些未成年人不能平衡合理地摄入所需的营养，导致营养不良，成为“豆芽菜”。此外，未成年人中间还存在大量营养问题。我国政府高度重视未成年人的营养工作，《中国儿童发展纲要（2001—2010年）》规定，要提高儿童营养水平，增强儿童体质；倡导科学喂养和良好的饮食习惯，改善儿童营养；支持母乳喂养；在贫困地区和维生素A缺乏地区，做好儿童维生素A缺乏的干预工作；对中小学生提倡饮用畜奶，分步实施国家“学生饮用奶计划”，推行“国家大豆行动计划”；有计划、有步骤地普及学生营养餐，减少营养不良或营养过剩。因此，卫生部门和学校应当对未成年人进行营养指导。

第二款是关于卫生部门做好对儿童的预防接种工作，积极防治儿童常见病、多发病，加强对传染病防治工作的监督管理，加强对托儿所、幼儿园卫生保健的业务指导和监督检查的规定。

婴儿出生以后，随着一天天长大，原体内由母体传给的免疫力逐渐减弱或消失，因此，必须适时地给儿童进行预防接种，以增强儿童防病能力，维护儿童健康成长。儿童免疫预防接种，关系到下一代的健康成长，涉及千家万户。国家有关部门高度重视儿童预防接种的宣传，1986年全国计划免疫工作协调小组成立，并确定每年4月25日为全国“儿童预防接种宣传日”。我国目前的国家计划免疫是5苗防7病，即卡介苗、脊灰疫苗、百白破三联疫苗、麻疹疫苗和乙型肝炎疫苗，主要预防结核病、脊髓灰质炎、百日咳、白喉、破伤风、麻疹和乙型肝炎。

我国目前施行的免疫规划主要是对1周岁儿童进行卡介苗、脊灰糖丸、百白破混后制剂、麻疹疫苗和乙型肝炎疫苗的基础免疫及以后的加强免疫。按照规定的儿童免疫程序，孩子在1周岁以内必须依次打 8 次防疫针，口服 3 次糖丸疫苗，一岁半至 2 岁、4 岁、6 岁时仍需加强免疫。根据实际防病工作需要也可以将乙脑疫苗和流脑疫苗纳入免疫规划程序管理，定时、定点接种。

传染病防治法第十五条规定，国家对儿童实行预防接种证制度。医疗机构、疾病预防控制机构与儿童的监护人应当相互配合，保证儿童及时接受预防接种。所谓预防接种，是指为使机体在一定时间内产生对某种传染病的特殊抵抗力，用注射或者接种菌苗、疫苗、霉素、类霉素或者血清制剂或者将免疫制剂制成气雾使受接种者吸入所吸器官的方法，进行防疫的措施。例如，种牛痘预防天花，注射白喉类霉素预防白喉等。实施预防接种，是一种预防传染病的最有效的措施。根据这种制度，适龄儿童应当按照国家有关规定，接受预防接种；适龄儿童的家长或者其他监护人应当及时向医疗保健机构申请办理预防接种证，未按规定接种的儿童应当及时补种，以保证儿童接受预防接种不发生遗漏。

《疫苗流通和预防接种管理条例》规定，在儿童出生后 1 个月内，其监护人应当到儿童居住地承担预防接种工作的接种单位为其办理预防接种证。接种单位对儿童实施接种时，应当查验预防接种证，并做好记录。儿童离开原居住地期间，由现居住地承担预防接种工作的接种单位负责对其实施接种。预防接种证是儿童预防接种的记录凭证，每个儿童都应当按照国家规定建证并接受预防接种。儿童家长或者监护人应当及时向医疗保健机构申请办理预防接种证，托幼机构、学校在办理入托、入学手续时应当查验预防接种证，未按规定接种的儿童应当及时安排补种。儿童家长或监护人要妥善保管好接种证并按规定的免疫程序、时间到指定的接种点接受疫苗接种。如儿童未完成规定的预防接种，因故迁移、外出、寄居外地，可凭接种证在迁移后的新居或寄居所在地预防接种门诊（点）继续完成规定的疫苗接种。当儿童的基础免疫与加强免疫全部完成后，家长应保管好接种证，以备孩子入托、入学、入伍或将来出入境的查验。

传染病防治法第十五条规定，国家免疫规划项目的预防接种实行免费。《疫苗流通和预防接种管理条例》规定，接种单位接种第一类疫苗不得收取任何费用，并要求县级以上人民政府应当将与国家免疫规划有关的预防接种工作纳入本行政区域的国民经济和社会发展计划，对预防接种工作所需经费予以保障。

儿童的常见病、多发病一般有急性呼吸道感染、水痘、猩红热、风疹、流行性腮腺炎等疾病，由于儿童年龄尚小、抵抗力弱，这些疾病将严重损害未成年人的身体健康，严重的甚至会夺去儿童的生命。卫生部门应当采取有效措施，积极防治，切实保护儿童的身体健康。

根据有关规定，监督管理传染病防治和食品、职业、环境、放射、学校工作是卫生部门的职能之一，卫生部门应加强对传染病防治工作的监督管理。托儿所、幼儿园接收的都是学龄前儿童，他们普遍抵抗力弱，对他们的卫生保健要求很高，而很多地方限于条件，人员、设施等距离托儿所、幼儿园卫生保健工作的要求相差甚远，在托儿所、幼儿园的未成年人的安全和健康存在极大的危险。这就有必要加强卫生行政部门的业务指导和监督检查作用，要求卫生行政部门加强对托儿所、幼儿园卫生保健的业务指导和监督检查。

第四十五条　地方各级人民政府应当积极发展托幼事业，办好托儿所、幼儿园，支持社会组织和个人依法兴办哺乳室、托儿所、幼儿园。

各级人民政府和有关部门应当采取多种形式，培养和训练幼儿园、托儿所的保教人员，提高其职业道德素质和业务能力。

【释义】　本条是关于发展托幼事业，办好幼儿园、托儿所的规定。本条共分两款。

第一款是关于地方各级人民政府应当积极发展托幼事业，支持社会组织和个人兴办哺乳室、托儿所、幼儿园的规定。

一般来说,婴幼儿和学龄前儿童都要经过托儿所、幼儿园阶段。托儿所、幼儿园中的孩子比小学、中学中的未成年人年龄更小,更需要予以特别、优先保护。其中,哺乳室指在婴儿的母亲工作场所特设的为婴儿哺乳的场所。托儿所一般指对3周岁以下的儿童进行保育和教育的场所。幼儿园是对3周岁以上学龄前幼儿实施保育和教育的机构,是基础教育的有机组成部分,是学校教育制度的基础阶段。

首先,要有场地和设施。在这方面,地方各级人民政府负有首要责任。为此,城市的人民政府应当在制定城市规划时,就安排发展托幼事业的内容;城市和农村的人民政府都应当关注托幼事业,从财政上、物资上、人力上采取措施,保证其所管辖区域内的托幼事业适应当地未成年人保护的需要。社会力量是发展托幼事业的重要力量,未成年人保护法规定,支持社会组织和个人依法兴办哺乳室、托儿所、幼儿园。这有利于调动各种社会力量,解决发展托幼事业经费不足的问题,为托幼事业的发展开辟更广阔的空间,为保护未成年人创造更有利的条件。

其次,有关场地和设施必须符合国家规定的安全和卫生标准。1988年《幼儿园管理条例》中规定,举办幼儿园必须将幼儿园设置在安全区域内;严禁在污染区和危险区内设置幼儿园;幼儿园的援舍和设施必须符合国家的卫生标准和安全标准。1994年卫生部《托儿所幼儿园卫生保健管理办法》中规定,托儿所、幼儿园园舍、桌椅、教具、采光、照明、卫生设施、娱乐器具及运动器械等必须安全并适合儿童健康发育的需要,符合国家规定的卫生标准和安全标准要求,必须设立保健室、隔离室。

最后,发展托幼事业要求具有热爱托幼事业并且具有专门知识的保教人员。1988年《幼儿园管理条例》中规定,举办幼儿园应当具有符合下列条件的保育、幼儿教育、医务和其他工作人员:幼儿园园长、教师应当具有幼儿师范学校(包括职业学校幼儿教育专业)毕业程度,或者经教育行政部门考核合格;医师应当具有医学院校毕业程度,医士和护士应当具有中等卫生学校毕业程度,或者取得卫生行政部门的资格认可;保健员应当具有高中毕业程度,并受过幼儿保健培训;保育员应当具有初中毕业程度,并受过幼儿保育职业培训。慢性传染病、精神病患者,不得在幼儿园工作。1994 年卫生部《托儿所幼儿园卫生保健管理办法》中规定,托儿所、幼儿园的工作人员每年必须在当地妇幼保健机构或当地卫生行政部门指定的医疗卫生机构进行一次健康检查,并填写健康检查表。工作人员体检合格,由健康检查单位签发健康证明后,方能上岗工作。

保教人员素质的高低,关系到托儿所、幼儿园中的婴幼儿及学龄前儿童是否能够得到关爱、是否能够健康成长。如果保教人员素质低下,婴幼儿很有可能不能得到正常的关心爱护,有的保教人员甚至侮辱、虐待婴幼儿及学龄前儿童,造成了恶劣的影响。因此,未成年人保护法规定,各级人民政府和有关部门应当采取多种形式,培养和训练托儿所、幼儿园的保教人员,提高其职业道德素质和业务能力。实践中,这些形式多种多样,如考核、培训。无论其手段如何,其目的都是为了增强保教人员的职业道德素质和业务能力,从而为婴幼儿和学龄前儿童的健康成长创造良好环境。

第四十六条　国家依法保护未成年人的智力成果和荣誉权不受侵犯。

【释义】 本条是关于国家依法保护未成年人的智力成果和荣誉权不受侵犯的规定。

所谓智力成果,是指人是思维活动产生的、已在社会上以某种物质形式存在的一种信息。智力成果权,通常人们称之为知识产权,是指人们基于自己的智力活动创造的成果和经营管理活动中的标记、信誉而依法享有的权利。广义的知识产权包括著作权、邻接权、商标权、商号权、商业秘密权、产地标记权、专利权、集成电路设计权等各种权利。狭义的知识产权仅包括著作权(含邻接权)、专利权、商标权。一般认为知识产权是一种新型的民事权利,是一种有别于财产所有权的无形财产权。智力成果是一种没有形体的精神财富。商标权是商标在注册后使用人所享有的、排除他人使用该商标的独占性权利。著作权是指作者对其作品依法享有的专有权利,即作者及其他著作权人对文学、艺术、科学作品所享有的人身权利和财产权利的总称。所谓专利,是指经国家专利主管机关依照专利法规定的审批程序审批,被认为符合专利条件的发明创造。一般情况下,专利是指具有专利性的发明创造或者是一种具有独占权的公开技术。专利权是指公民、法人或者其他组织依法对其取得的发明创造在一定期限内享有的专有权利。商标是生产经营者在其商品或服务上所使用的,由文字、图形或其组成构成的,具有显著特征、便于识别商品或服务来源的标志。商标权是商标所有人依法对其商标所享有的专有使用权。智力成果是推动社会生产力进步的重要因素,特别是在知识创新的当代社会,智力成果在推进我国的社会主义现代化建设中所发挥的作用越来越巨大。法律对于知识产权的保护是多层次、多角度的,如果知识产权遭受侵害,受侵害人可以采取下列权利保护方法:(1)提请行政机关处理,即受害人通过行政程序,请求相关行政部门对其权利给予保护;(2)提请民间知识产权组织解决,这主要是在著作权领域,如通过著作权集体管理组织处理版权纠纷和争议;(3)提请诉讼保护,如通过民事诉讼和刑事诉讼,追究侵权人的刑事责任。

我国政府为未成年人充分发挥聪明才智提供了良好条件,各种博物馆、科技馆等为未成年人开阔视野奠定了良好基础。一些小发明家发挥聪明才智,小发明创造层出不穷。一些小作家、小画家用笔头抒发自己的感想,创作出各种文学艺术作品,为社会提供了大量精神财富,丰富了人们的精神文化领域生活。法律规定国家依法保护未成年人的智力成果不受侵犯,有利于鼓励广大未成年人更多更好地进行发明、创作,有利于激励未成年人健康成长。

荣誉权是公民或法人就国家机关或有关组织授予的荣誉称号或嘉奖获得的利益而不受他人非法剥夺的权利。荣誉权属于人身权,与人格尊严密不可分。荣誉权既不能转让,也不能被非法剥夺,是权利主体的一项专有权利。荣誉权并非每个公民或者法人都能实现,只有通过自己的活动,对社会做出重大贡献并受到国家机关或社会组织的表彰而被授予荣誉称号时才能取得荣誉权。一般而言,荣誉权可以通过下列方式取得:第一,因科学技术研究及技术进步而取得;第二,因公民尽职尽责而取得;第三,公民、法人因成绩显著而取得;第四,由于参加某种评价活动而取得。一些未成年人因为成绩显著而获得各种荣誉,如"十佳少先队员""三好学生""优秀学生干部",这些荣誉是对未成年人勤奋学习、追求上进的褒奖和肯定,是未成年人继续奋发向上的动力。国家依法保护未成年人的荣誉权不受侵犯,是希望广大未成年人珍惜已经取得的荣誉,再接再厉,奋发图强。

智力成果权、荣誉权都是公民民事权利的重要组成部分,他人如果非法侵犯,公民都可以向法院提起诉讼,侵权人都要承担法律责任。民法通则第一百二十条规定,禁止非法剥夺公民、法人的荣誉称号。公民或者法人的荣誉权受到侵害,有权要求停止侵害、恢复名誉、消除影响、赔礼道歉并要求赔偿损失。未成年人因为没有行为能力或者没有完全的行为能力,如果其智力成果权和荣誉权受到侵犯,依法可以由其父母或者其他监护人向法院提起诉讼,使侵权人承担相应的法律责任。通过对未成年人智力成果权和荣誉权的保护,可以激发未成年人奋发向上的积极性,为社会更多地贡献自己的聪明才智。

第四十七条　未成年人已经完成规定年限的义务教育不再升学的，政府有关部门和社会团体、企业事业组织应当根据实际情况，对他们进行职业教育，为他们创造劳动就业条件。

【释义】　本条是关于政府和社会应当为完成规定年限的义务教育不再升学的未成年人提供就业方面帮助的规定。

（一）本条规定的必要性及其法律依据

我国宪法第四十二条规定："中华人民共和国公民有劳动的权利和义务。国家通过各种途径，创造劳动就业条件，加强劳动保护，改善劳动条件，并在发展生产的基础上，提高劳动报酬和福利待遇。劳动是一切有劳动能力的公民的光荣职责。国有企业和城乡集体经济组织的劳动者都应当以国家主人翁的态度对待自己的劳动。国家提倡社会主义劳动竞赛，奖励劳动模范和先进工作者。国家提倡公民从事义务劳动。国家对就业前的公民进行必要的劳动就业训练。"根据本条规定，未成年公民作为未来的社会主义劳动者，在就业前有权获得必要的劳动就业训练；国家应当通过各种途径，对已经完成规定年限的义务教育不再升学的未成年人创造劳动就业条件。

经全国人大常委会批准，《儿童权利公约》1992 年 4 月 2 日对我国生效，其中第二十八条第一款规定："缔约国确认儿童有受教育的权利，为在机会均等的基础上逐步实现此项权利，缔约国尤应：(a)实现全面的免费义务小学教育；(b)鼓励发展不同形式的中学教育，包括普通和职业教育，使所有儿童均能享有和接受这种教育，并采取适当措施，诸如实行免费教育和对有需要的人提供津贴；(c)根据能力以一切适当方式使所有人均有受高等教育的机会；(d)使所有儿童均能得到教育和职业方面的资料和指导；(e)采取措施鼓励学生按时出勤和降低辍学率。"这一规定包含着将未成年人群体纳入全面教育体系的思想，鼓励发展不同形式的中学教育，包括普通教育和中等职业教育，要使所有儿童均能得到教育和职业方面的资料和指导。可见，已经完成规定年限的义务教育不再升学的未成年人享受政府的劳动就业服务，不仅是依据我国宪法和法律规定享有的权利，而且是依据国际公约享有的权利。

然而，我国当前中等职业教育发展相对缓慢，是整个教育体系中的薄弱环节。2004年，全国普通高中招生820万人，中等职业学校招生550万人，中等职业教育在高中阶段教育招生总数中的比例仅占40%，有些地方不足30%，甚至出现了普通高中教育和中等职业教育发展“一条腿长、一条腿短”的不协调现象。这是因为一些地方对发展中等职业教育没有引起足够重视，把发展高中阶段教育片面理解为发展普通高中，在经费投入、资源配置等方面忽视乃至削弱中等职业教育，这种情况是需要深刻反思的。

本法规定政府有关部门和社会团体、企事业组织应当根据实际情况，对已经完成规定年限的义务教育不再升学的未成年人进行职业教育，不仅有利于加强对未成年人的社会保护，同时还能够极大地促进中等职业教育的发展。具体地应当如何搞好对未成年人的职业教育呢？一是要观念更新，从健全和完善国家教育体系的高度，重视中等职业教育的发展；二是国家要从经费和各种资源的配置上做好保障，为中等职业教育的发展提供物质条件；三是要从我国实际出发，进一步完善相关立法，规范对中等职业技术学校的管理等。

（二）本条规定相关内容的解读

本条有两层内涵：首先是我国存在已经完成规定年限的义务教育不再升学的未成年人群体；其次是政府有关部门和社会团体、企事业组织应当根据实际情况，对这个群体的未成年人进行职业教育，为他们创造劳动就业条件。

义务教育法第二条规定，国家实行九年义务教育制度。同时，该法第十一条规定入学年龄，凡年满6周岁的儿童应当入学接受义务教育;条件不具备的地区的儿童,可以推迟到7周岁。劳动法第十五条规定:“禁止用人单位招用未满十六周岁的未成年人。文艺、体育和特种工艺单位招用未满十六周岁的未成年人,必须依照国家有关规定,履行审批手续,并保障其接受义务教育的权利。”这样未成年人从6周岁开始接受义务教育,大多数未成年人接受义务教育达到了规定年限(9年),但还不满16周岁,没有达到法定的就业年龄,还不能就业。其中,不少未成年人由于各种原因不再升学,就会成为社会闲散人员,进而成为犯罪案件的高发人群。对于这一部分未成年人,社会应当积极加以关心和爱护,政府有关部门和社会团体、企事业组织应当对他们进行切合实际的职业教育。未成年人的社会化包括多个方面的内容,学习职业技术和培养职业道德也是其中必不可少的一项。对有需要的未成年人加强职业教育具有重大意义:一方面,未成年人可以学到未来劳动就业所需要的知识和技术,形成良好的职业道德观念;另一方面,职业技术教育可以吸引未成年人把精力放在学习上,杜绝社会上的腐朽思想和不良风气对其进行毒害。

劳动法第六十六条规定:“国家通过各种途径,采取各种措施,发展职业培训事业,开发劳动者的职业技能,提高劳动者素质,增强劳动者的就业能力和工作能力。”第六十七条规定:“各级人民政府应当把发展职业培训纳入社会经济发展的规划,鼓励和支持有条件的企业、事业组织、社会团体和个人进行各种形式的职业培训。”1996年9月1日起施行的《中华人民共和国职业教育法》第五条规定了:“公民有依法接受职业教育的权利。”第六条规定:“各级人民政府应当将发展职业教育纳入国民经济和社会发展规划。行业组织和企业、事业组织应当依法履行实施职业教育的义务。”根据以上这些规定,社会上建立起了许多专门的职业教育培训机构。所谓“职业教育培训机构”,是指各级人民政府、企事业单位、社会团体及个人开办的旨在开发劳动者职业技能、提高劳动者素质、增强劳动者就业能力和工作能力的各类培训实体或者组织单位。其包括各类学校，如职业技术学校、技工学校、职工学校，也包括开办职业培训中心、专业技术培训班等。

据2006年12月19日《中国青年报》报道，对于经济发展到一定程度的大城市来说，中等职业教育面临的最大尴尬就是生源不足。一方面城市的发展需要大量接受过中等职业教育的劳动力；另一方面，本地生源倾向于选择高等教育，不愿意接受职业教育。大量外来务工人员却由于户籍制度的制约或者收费过高的影响，不能在中职学校就读。以致北京的中职学校从最多时的450多所减少到170多所，上海也从四五百所减少到130所左右。

未成年人保护法规定了政府有关部门和社会团体、企事业组织应当对这一部分未成年人进行职业教育的义务，同时也涉及中等职业教育的生源问题，这一部分已经完成规定年限的义务教育不再升学的未成年人正是应当接受中等职业教育的对象。但是，在具体执行这条规定的时候必须配合其他措施，鼓励和引导已经完成规定年限的义务教育不再升学的未成年人积极前来接受中等职业教育。其中政府增加财政投入、降低收费就是吸引生源的一个重要手段。各社会团体、企事业组织也应该积极参与举办职业教育，这样我国中等职业教育的发展一定会有质的提高。

第四十八条　居民委员会、村民委员会应当协助有关部门教育和挽救违法犯罪的未成年人，预防和制止侵害未成年人合法权益的违法犯罪行为。

【释义】　本条是关于居民委员会、村民委员会在保护未成年人工作中的义务方面的规定。

（一）本条规定的立法背景

根据最高人民法院有关部门提供的数据，从2000年以来，我国未成年人犯罪呈现出明显的上升趋势。从2000年到2004年，全国各级人民法院判决生效的未成年人犯罪人数平均每年上升14.18%。2005年1月至7月，未成年人犯罪率比去年同期上升了23.96%；其中在生效判决中判处5年以上有期徒刑的，比去年同期上升了19.94%。为了挽救已经违法犯罪的青少年，预防其他青少年违法犯罪，我们必须认真思考，利用社会的力量，齐抓共管，形成合力，切实做好预防青少年违法犯罪工作。

社区（包括城市社区和农村社区）是社会管理体制的基础，是青少年学习、生活、娱乐和就业的重要场所，是各类青少年群体聚集的地方，他们的不同需求表现在社区，他们的不同矛盾反映在社区，社区对青少年的成长有着深刻的影响。立足社区，可以把闲散青少年、流动青少年和问题家庭青少年等群体管理起来，扩大预防青少年违法犯罪工作的覆盖面；可以把学校教育、家庭教育和社会教育整合起来形成预防青少年违法犯罪工作的社会联合机制。在社区中开展维护青少年合法权益和预防青少年违法犯罪工作，是加强对青少年的教育、管理和服务的有力措施，是预防青少年违法犯罪的一项重要举措。同时，要努力发挥社区在青少年健康成长中的重要作用，以未成年人为重点，立足于教育、保护和预防，通过社区教育使青少年知法、懂法、守法、用法，明确自己的权利和义务，提高对是非的辨别能力，增强依法保护自己权益的意识和技能，提高青少年在正当权益受到侵害时运用正确方法寻求法律保护的能力。2006年10月颁布实施的《中共中央关于构建社会主义和谐社会若干重大问题的决定》提出，要“实施宽严相济的刑事司法政策，改革未成年人司法制度，积极推行社区矫正”。因此，这次修订未成年人保护法，对社区（居民委员会、村民委员会）保护未成年人的责任作出了规定。

（二）居民委员会、村民委员会的性质

我国宪法第一百一十一条规定：“城市和农村按居民居住地

区设立的居民委员会或者村民委员会是基层群众性自治组织。居民委员会、村民委员会的主任、副主任和委员由居民选举。居民委员会、村民委员会同基层政权的相互关系由法律规定。居民委员会、村民委员会设人民调解、治安保卫、公共卫生等委员会，办理本居住地区的公共事务和公益事业，调解民间纠纷，协助维护社会治安，并且向人民政府反映群众的意见、要求和提出建议。”目前，我国都已经有了专门的法律规定：《中华人民共和国城市居民委员会组织法》自 1990 年 1 月 1 日起开始施行；《中华人民共和国村民委员会组织法》自 1998 年 11 月 4 日起公布施行。依据城市居民委员会组织法第二条的规定，“居民委员会”是居民自我管理、自我教育、自我服务的基层群众性自治组织。城市居民委员会是基层群众性自治组织，是我国政权的基础，是党和政府联系居民群众的桥梁和纽带，是城市工作的落脚点。依据村民委员会组织法第二条的规定，“村民委员会”是村民自我管理、自我教育、自我服务的基层群众性自治组织，实行民主选举、民主决策、民主管理、民主监督。

由此可见，“居民委员会”和“村民委员会”不属于基层政权，既不是地方人民政府的行政机关，也不是地方人民政府的派出机关。它们是城市居民或农村村民进行自我管理、自我教育、自我服务的基层群众性自治组织，同时也是社区基层自治组织。它们协助地方基层人民政府及其有关派出机关开展工作，在工作上应当接受地方基层人民政府及其有关派出机关的指导，并取得其支持和帮助。因此，它们既是地方基层人民政府及其有关派出机关的得力助手，又是社区内广大居民或村民的知心朋友。

因此，地方基层人民政府及其有关派出机关应当坚持群众路线，在处理和居民委员会、村民委员会的关系的时候要做到：一是要信赖和依靠居民委员会、村民委员会来做好社区工作，相信群众能够自己解决问题；二是要全心全意为群众服务，积极响应居民委员会、村民委员会的要求，为其开展工作提供指导和帮助。

（三）居民委员会、村民委员会在未成年人保护工作中的作用

本条对居民委员会、村民委员会的职责性的规定，在城市居民委员会组织法和村民委员会组织法中也是有法律依据的。例如，村民委员会组织法第二条第二款规定："村民委员会办理本村的公共事务和公益事业，调解民间纠纷，协助维护社会治安，向人民政府反映村民的意见、要求和提出建议。"城市居民委员会组织法则在第三条规定了居民委员会的职责，包括：（1）宣传宪法、法律、法规和国家的政策，维护居民的合法权益，教育居民履行依法应尽的义务，爱护公共财产，开展多种形式的社会主义精神文明建设活动；（2）办理本居住地区居民的公共事务和公益事业；（3）调解民间纠纷；（4）协助维护社会治安；（5）协助人民政府或者它的派出机关做好与居民利益有关的公共卫生、计划生育、优抚救济、青少年教育等项工作；（6）向人民政府或者它的派出机关反映居民的意见、要求和提出建议。如此看来，"协助有关部门教育和挽救违法犯罪的未成年人，预防和制止侵害未成年人合法权益的违法犯罪行为"，正是居民委员会和村民委员会当仁不让的重要职责。

居民委员会、村民委员会在未成年人保护方面能够发挥重大作用，主要表现为：（1）在社区范围内，有组织地开展各种形式的社会主义精神文明建设活动，优化未成年人成长的环境，同时加强对社区范围内特殊行业的管理，限制各种不适宜未成年人的活动，取缔各种危害未成年人健康成长的活动；（2）在社区范围内，关心和解决未成年人的特殊问题，对遭受虐待、歧视或辍学、离家出走的未成年人及童工、童商、童婚等问题给予解决，制止任何组织或个人对未成年人非法盘剥和摧残；（3）了解和掌握社区内青少年的基本情况，协助维护社区内治安和预防发生犯罪案件；（4）调解社区内发生的各种民间纠纷，把各种有可能导致未成年人身心健

康受到损害的隐患消灭在萌芽状态;(5)在社区内开展社会治安综合治理工作,预防未成年人违法犯罪,在社区内加强治安联防巡逻,增强居民同违法犯罪作斗争的意识;(6)开展社会帮教工作,协助司法、行政机关教育和挽救失足青少年,发挥社区保护的积极作用;(7)向司法、行政机关反映未成年人的要求,积极维护未成年人的合法权益。

(四)居民委员会、村民委员会的相关法律职责

居民委员会、村民委员会是实施社会治安综合治理、预防未成年人犯罪和保护未成年人权益的重要力量。而且,根据我国目前法律和有关政策要求,在具体的保护未成年人的工作中,居民委员会、村民委员会还应当做好以下相关工作:

1. 居民委员会、村民委员会应当积极开展有针对性的预防未成年人犯罪的法制宣传活动。(依据预防未成年人犯罪法第十三条)居民委员会、村民委员会应当积极配合学校、家庭做好对未成年人进行法制教育的工作,增强未成年人的法制观念,使未成年人懂得违法和犯罪行为对个人、家庭、社会造成的危害,违法和犯罪行为应当承担的法律责任,树立遵纪守法和防范违法犯罪的意识。

2. 居民委员会、村民委员会应当掌握本辖区内暂住人口中未成年人的就学、就业情况。对于暂住人口中未成年人实施不良行为的,应当督促其父母或者其他监护人进行有效的教育、制止。(依据预防未成年人犯罪法第二十八条)随着改革、开放的深入进行,经济一体化进程加快,人民群众的生活日益改善,无论是城市还是农村,流动人口大量增加,给公安派出所、居民委员会、村民委员会等基层的管理带来很大困难。在这些暂住人口中的未成年人由于经济等各方面原因,有些是居无定所的;有些是到了入学年龄而不上学的;有些是由于家长或者监护人工作忙碌而疏于管理的。他们比常住人口中的未成年人更加容易受到社会上各种不良因素的侵袭,从而沾染不良的习惯、实施不良行为,因此尤其需要教育、

关心和保护。

3. 居民委员会、村民委员会,对因不满16周岁而不予刑事处罚、免予刑事处罚的未成年人,或者被判处非监禁刑罚、被判处刑罚宣告缓刑、被假释的未成年人,应当采取有效的帮教措施,协助司法机关做好对未成年人的教育、挽救工作。居民委员会、村民委员会可以聘请思想品德优秀、作风正派、热心未成年人教育工作的离退休人员或者其他人员协助做好对前款规定的未成年人的教育、挽救工作。(依据预防未成年人犯罪法第四十七条)

4. 依法在近亲属中指定未成人的监护人或者依法担当未成年人的监护人并履行监护职责。民法通则第十六条第三、四款规定:"对担任监护人有争议的,由未成年人的父、母的所在单位或者未成年人住所地的居民委员会、村民委员会在近亲属中指定。对指定不服提起诉讼的,由人民法院裁决。""没有第一款、第二款规定的监护人的,由未成年人的父、母的所在单位或者未成年人住所地的居民委员会、村民委员会或者民政部门担任监护人。"

第四十九条　未成年人的合法权益受到侵害的,被侵害人及其监护人或者其他组织和个人有权向有关部门投诉,有关部门应当依法及时处理。

【释义】 本条是关于未成年人的合法权益受到侵害时的救济方面的规定。

(一)对于受损害的权利及时给予公力救济的重要性

"无救济则无权利",又称做"救济先于权利"(Remedy Precedes Rights)或"没有救济的权利不是权利"(A right without remedy is not right)。在英美法国家,这是家喻户晓的法律格言,强调救济对于权利实现的重要作用。如果人们关注权利的实现,就必须关注权利的救济。可以说,权利自始就是与救济紧密相连的,没有救济,就没有权利。在现代国家,救济总是与司法紧密地联系在一起。公民的某一权利在受到侵犯之后,只有可以诉诸司法裁判机构并获得有效的司法救济,该权利的存在才能具有法律上的意义。这可以说已经成为人类社会经过长期的"试错"所获得的一个基本经验。

权利救济的方式主要有两种,即"私力救济"和"公力救济"。在人类的早期历史中,权利救济的方式主要是同态复仇式的"私力救济",即所谓"以命偿命,以目偿目,以牙还牙"。但是,"私力救济"是一种缺乏制度保障的冲突解决方式,存在一系列致命的缺陷,尤其是冲突解决的公正性得不到保证。随着社会的发展,"公力救济"取代"私力救济"——以法律程序取代私人武力的方式——解决冲突成为历史的必然。当然,说"公力救济"取代"私力救济"在很大程度上是指,人们在发生纠纷时可以获得公共权力尤其是司法权力的保护,并不是说"私力救济"在纠纷解决中不起任何作用,更不是要彻底否认"私力救济"在一定情形下、一定限度内的正当性。事实上,无论是在早期社会,还是在现代社会,"私力救济"都极为盛行。这既因为"公力救济"具有不可克服的滞后、被动等特征,难以及时有效制止违法和保障权利,也因为国家能力和资源的有限性,使得"公力救济"不可能包揽对所有纠纷的解决,尤其是那些对国家统治秩序没有造成明显威胁的纠纷,"公力救济"甚至根本就缺乏介入的兴趣。但是,在一个逐步走向法治的社会里,无论如何强调"公力救济"尤其是司法救济的重要性都是不过分的。这不仅是因为,相对于"私力救济"而言,司法救济由于具有中立、消极、公开等特性,能够使纠纷的解决在一种有序、安全及相对文明的氛围中展开,还因为,相对"私力救济"等其他权利救济和保障手段途径而言,司法救济通常具有终局性和权威性。司法救济所具有的这种内在优越性,使得司法救济相对于其他救济手段而言,具有更为明显地抑制违法行为、保障权利实现的功效。

美国宪法所确立的“权利法案”之所以具有重要的法律意义，不仅仅在于它们从普通的被告人权利被“提升”到了宪法权利的高度，而在于这些刑事被告人的公民权利都有相应的救济措施加以保障。因此，为建立一种基本的法治秩序，国家不仅应将公民的一系列基本权利确立在宪法和法律之中，也必须同时为各种各样的权利提供相应的救济手段，只有这样权利才能得以实现。因此，未成年人保护法进一步强调对未成年人的权利救济，为其受损害后及时获得救济提供了尽可能广泛的多种途径。

（二）未成年人权利受侵害后的公力救济

本条规定比较人性化，突出体现了及时救济未成年人受损害的权利的思想，在理解上应当注意包括以下三层含义：

首先，未成年人的合法权益受到侵害的，被侵害人及其监护人或者其他组织和公民都有权向有关部门投诉。这样的规定是与社会保护的理念相一致的，既然全社会都有责任保护未成年人，那么当未成年人的合法权益受到侵害时，除了被侵害人及其监护人当然有权向有关部门投诉之外，其他组织和公民也有权向有关部门投诉。有些地方大量中小学生做童工、童农、童商；不少家长歧视、虐待女孩，溺弃女婴；有些家长“父权至上”，为孩子定“娃娃亲”；有些父母把孩子当作自己“私有财产”，为了发财甚至出卖自己的亲生子女；有些家长自己行为不检点或在家酗酒、聚赌；有些家长私拆孩子信件等；还有些孩子因父母离婚后无人照管而流落街头。这些都会给未成年人的身心健康造成不良影响。鉴于此类损害未成年人权益的事件屡屡发生，必须以法律的形式明确规定，被侵害人及其监护人或者其他组织和个人都有权向有关部门投诉损害未成年人权益的行为，这样侵害未成年人的不法行为才能无所遁形，未成年人才能尽量避免受损害或者在损害发生后获得及时的救济。2005 年 6 月，黑龙江省哈尔滨市记者王魁峰报道了这样一件怪事：母亲把女儿囚禁在没电没煤气的家里，长达 8 年未迈出家门。本应作为未成年人监护人的母亲因为精神病反而侵害未成年人的权益，直到邻居打电话给记者，在有关部门协助下才将已经16岁的女孩给解救出来。看过电影《刮痧》的人或许都还记得，受中国传统文化影响的一位中国老人，以普通中国人都熟知的中医治疗方式——“刮痧”给孙子治病，却招来了当地的警察。结果孩子的父亲被以虐待孩子为由起诉到法庭。两相比较，我们国家也应该通过立法确立一种适度干预的理念，使得从政府官员、司法人员到普通民众的所有人都树立这样一种认识：未成年人的教育、权利保护、犯罪预防及处罚等一系列问题不再是一种“家庭内部事务”；作为监护人的父母不恰当地对待未成年人的，其他组织和公民也应当有权投诉，请求有关部门及时保护受侵害的未成年人。这类事务处理得好坏将直接体现出一个国家与社会法治的文明程度。

其次，对于本条规定中的“有关部门”的范围应作广义的理解，可以参考本法第八条的规定——“共产主义青年团、妇女联合会、工会、青年联合会、学生联合会、少年先锋队及其他有关的社会团体，协助各级人民政府做好未成年人保护工作，维护未成年人的合法权益”。除了包括人民政府的公安机关、民政部门、教育部门之外，共产主义青年团、妇女联合会、青年联合会、工会和其他未成年人保护组织应当也包括在内。未成年人是社会上的弱势群体，在其权益受侵害后急需得到社会上的帮助和有关部门的支持。上述部门和组织多多少少都承担着保护未成年人权益的责任，对于被侵害人及其监护人或者其他组织和公民的投诉应当接受，不能互相推诿，更不能将投诉拒之门外。被请求的上述部门和组织都应当接受投诉，而且根据情况需要采取救助措施的，应当先采取救助措施。

最后，有关部门应当及时处理投诉。涉及投诉，无论是要作出调解或者仲裁，还是要进行行政处理作出裁决，都应当及时、高效。

这样一种行政司法行为，必须是公平、正义、高效率的；而对于行政不作为是必须要承担责任的，这在“法律责任”一章中已有规定。英国有一句法律格言，“迟来的正义即非正义”（Justice delayer is justice denied），意思是说：即使司法裁判的结果是公正的，如果过迟作出裁判，或者过迟告知当事人，程序上的不公正将使裁判成为非正义的。这一格言突出强调了对司法程序正义的期待，而遵循这一处理投诉的时效性要求正是司法程序正义的重要体现。尤其对于未成年人而言，其正处在身心发展的关键阶段，心理承受能力比较脆弱，对于外界影响比较敏感，在其合法权益受到损害以后，如果不能够得到社会的及时救济，就会对其成长造成极为不利的影响，甚至会使其蒙上沉重的心理阴影。

第五章 司法保护

第五十条 公安机关、人民检察院、人民法院以及司法行政部门,应当依法履行职责,在司法活动中保护未成年人的合法权益。

【释义】 本条规定了对未成年人的司法保护。对未成年人的司法保护是指公安机关、人民检察院、人民法院以及司法行政部门,即广义的国家司法机关,通过依法履行职责,对未成年人所实施的一种专门保护活动。

公安机关是人民政府的重要组成部分,是国家的行政机关,同时它又担负着刑事案件的侦查任务,因而它又是国家的司法机关之一。公安机关是政府的一个职能部门,依法管理社会治安,行使国家的行政权,同时公安机关又依法侦查刑事案件,行使国家的司法权。公安机关的性质具有双重性,即既有行政性又有司法性。人民检察院是国家的法律监督机关,对于直接受理的刑事案件,进行侦查;对于公安机关侦查的案件,进行审查,决定是否逮捕、起诉或者免予起诉;对于公安机关的侦查活动是否合法,实行监督;对于刑事案件提起公诉,支持公诉;对于人民法院的审判活动是否合法,实行监督;对于刑事案件判决、裁定的执行和监狱、看守所、劳动改造机关的活动是否合法,实行监督。人民法院是国家的审判机关,法院的任务是审判刑事案件和民事案件,通过审判活动惩办犯罪分子,解决民事纠纷,保护社会主义的全民所有的财产、劳动群众集体所有的财产,保护公民私人所有的合法财产,保护公民的人身权利、民主权利和其他权利。司法行政机关是各级政府的组成部分,负责管理劳改、劳教工作;管理和领导司法干部的培训工作;管理和领导法律顾问处及律师工作;管理公证工作,进行法制宣传;管理和领导司法助理员工作等。司法机关高度重视未成年人司法保护工作,出台了大量的专门规定保护未成年人的合法权益。例如,最高人民检察院颁布实施了《人民检察院办理未成年人刑事案件的规定》;最高人民法院颁布了《最高人民法院关于审理未成年人刑事案件具体应用法律若干问题的解释》等。这些司法解释和有关规定有利于更加全面具体地保护未成年人的合法权益。在办理未成年人案件中,有对未成年人的特殊保护制度:未成年人案件依法不公开审理;设立未成年人的法定代理人制度;被告人是未成年人而没有委托辩护人的,人民法院应当依法指定承担法律援助义务的律师为其担任辩护人。

司法保护是国家、社会、学校、家庭和所有成年公民对未成年人实施共同保护中的一个重要组成部分。同其他主体实施的保护相比,其既有特定的适用范围和保护内容、手段,也对全面开展保护未成年人的工作具有重要的监督、保障和促进作用。司法保护在共同保护中的地位和作用,具体表现为以下几个方面:

1. 司法保护是对未成年人合法权益的重要保障

(1)司法机关依法制裁侵犯未成年人合法权益的违法犯罪行为

依法打击刑事犯罪活动是司法机关的重要职能,也是维护未成年人人身权、财产权和其他合法权益不受侵犯的有力手段。未成年人处于不成熟或由不成熟向成熟过渡的发育、发展阶段,同成年人相比,自我保护能力差,合法权益更容易受到侵犯和损害。因此,对未成年人合法权益的保护,除了家庭保护、学校保护和社会保护外,司法机关积极履行职责,依法制裁侵犯未成年人合法权益的违法犯罪行为,无疑具有十分重要的意义。通过法律制裁活动,一方面可以及时制止违法犯罪行为活动对未成年人合法权益实施的非法侵害;另一方面可以惩处和教育违法犯罪人,鼓励公民积极同违法犯罪行为做斗争，从而预防和减少侵害未成年人合法权益的各种违法犯罪活动的发生。

（2）人民法院依法审理各种涉及未成年人合法权益的民事案件

人民法院审理的涉及未成年人合法权益的民事案件，包括的范围很广，如关于未成年人抚养费的诉讼、父母离婚后涉及未成年人未成年子女利益的共同财产诉讼及法律规定的关于未成年人的继承、抚养归属和监护问题的诉讼。因此，人民法院及时开展的审判活动和依法作出的正确判决、裁定，对保护未成年人享有的合法权益、促进其健康成长，具有重要的意义。

对不履行监护职责或者侵害被监护人合法权益的父母或者其他监护人，经教育不改的，由人民法院行使撤销其监护人资格的权力。同时根据民法通则第十六条的规定，为未成年人另行确定监护人。

在涉及未成年人其他合法权益问题的处理上，人民法院的审判活动是一种广为适用的法律调整手段。我国对公民之间民事争议问题的处理方法，有当事人之间协商确定、人民调解委员会或有关部门进行调解以及人民法院依法审判等多种解决途径。其中，协商或调解不成以及达成调解协议后又反悔的，任何一方都可以向人民法院提起诉讼。人民法院在审理中，如发现涉及未成年人合法权益的，应根据法定的特殊原则和有关具体规定，从实际出发，对未成年人的合法权益依法予以保护。

（3）司法机关依法保障违法犯罪未成年人的合法权益

此外，在我国其他法律，如刑事诉讼法中，对未成年被告人的诉讼权利也有特殊的保护规定。因此，司法机关在办案和教育改造违法犯罪未成年人的过程中，注重对他们的人格尊严及其他合法权益的尊重和维护，是保障未成年人合法权益的重要方面。

（4）司法机关依法保护未成年人、未成年人的监护人、其他组

织和公民对诉讼权以及检举权、控告权的行使

未成年人还不善于运用法律武器维护自身的合法权益，同时尚不具备诉讼行为能力。司法机关依法保护未成年人、未成年人的监护人、其他组织和公民对诉讼权以及检举权、控告权的行使，是保障未成年人合法权益的一项重要内容，也是维护其实体权益的重要前提和条件。

民事诉讼法第五十七条规定："无诉讼行为能力人由他的监护人作为法定代理人代为诉讼。法定代理人之间相互推诿代理责任的，由人民法院指定其中一人代为诉讼。"根据这些规定，司法机关一方面要积极接受因侵害未成年人合法权益而提出的检举、控告以及有资格代为诉讼的主体提出的诉讼请求，并及时予以查处、处理；另一方面，对打击、报复检举人、控告人，触犯治安管理处罚法或构成犯罪的，依法追究行为人的法律责任。

2. 司法保护对于全面开展未成年人的保护工作具有重要的促进作用

司法保护，对于全面开展未成年人保护工作的促进作用主要表现在以下方面：

（1）净化社会环境，保障履行职责

运用司法手段，惩处违法犯罪行为，是全面开展未成年人保护工作的前提和基础，也是其他国家机关、社会组织、学校、家庭以及公民个人履行对未成年人保护职责的重要保障。未成年人的健康成长，需要良好的社会风气和环境。在违法犯罪活动猖獗的情况下，如不通过司法手段坚决予以打击、制裁，就不会实现社会治安的根本好转，也无法维护正常的社会秩序和未成年人的合法权益，从而使未成年人的一切保护工作也都无从谈起。对直接教唆、引诱未成年人违法犯罪或严重腐蚀未成年人的违法犯罪行为，如不予以严厉打击、不予以严厉的处罚，其就会成为毒害未成年人的祸根。

(2)通过司法监督,促进履行义务

法定义务主体在不履行特定义务或侵害未成年人合法权益时,司法机关通过予以法律制裁的手段,发挥重要的监督作用,从而有效地促进他们依法履行义务或职责。

(3)发挥司法职能,关心、爱护未成年人

司法机关处理未成年人案件时,涉及对未成年人合法权益的保护,涉及对违法犯罪的未成年人的教育、感化、挽救工作能否有效的开展和教育改造的质量问题。司法机关充分发挥其职能作用,可以为未成年人创造良好的社会环境,有利于其健康成长。

(4)发现问题,便于及时解决

司法机关在办案过程中,可以及时发现社会、学校、家庭以及其他主体在保护未成年人工作中存在的缺陷、漏洞和薄弱环节,并帮助其分析原因,找出规律,向有关单位提出司法建议或配合有关主体积极弥补缺陷、堵塞漏洞,有效地解决实际中存在的问题,从而使保护未成年人的工作切实开展起来。

第五十一条　未成年人的合法权益受到侵害,依法向人民法院提起诉讼的,人民法院应当依法及时审理,并适应未成年人生理、心理特点和健康成长的需要,保障未成年人的合法权益。

在司法活动中对需要法律援助或者司法救助的未成年人,法律援助机构或者人民法院应当给予帮助,依法为其提供法律援助或者司法救助。

【释义】　本条是关于法院审理侵害未成年人权益案件时的原则性规定以及对需要法律援助或司法救助的未成年人提供法律援助或司法救助的规定。本条共分两款。

第一款是关于法院审理侵害未成年人权益案件时的原则性规定。由于受到年龄、智力、社会经验等方面的局限,未成年人处于不成熟或由不成熟向成熟过渡的发育、发展阶段,同成年人相比,自我保护能力差,合法权益更容易受到侵犯和损害。一些人以未成年人为犯罪对象,如猥亵儿童、引诱未成年人聚众淫乱、引诱幼女卖淫、嫖宿幼女;一些人专门以未成年人为犯罪对象,传授犯罪方法,传播淫秽物品,引诱、教唆、欺骗或者强迫未成年人吸食、注射毒品,拐卖、绑架儿童,收买被拐卖、绑架的儿童,强迫、引诱不满14岁的幼女卖淫等;有一些人虐待、遗弃未成年人甚至构成犯罪;在一些社会治安不好的地方一些侵害未成年人人身权利的刑事案件屡有发生,虐待、溺弃儿童特别是女婴和病残儿童的现象死灰复燃,使用童工的现象在一些地方有所抬头。此外,针对未成年人还存在大量的民事权益被侵害的情况,如未成年人抚养费的诉讼,父母离婚后涉及未成年子女利益的共同财产诉讼及法律规定的关于未成年人的继承、抚养归属和监护问题的诉讼。因此,人民法院及时开展的审判活动和依法作出的正确判决、裁定,对保护未成年人享有的合法权益、促进其健康成长,具有重要的意义。针对上述情况,未成年人保护法规定了人民法院在审理侵害未成年人权益案件时的原则,即法院应当依法及时审理侵害未成年人权益的案件,并考虑未成年人生理、心理特点和健康成长的需要,保障未成年人的合法权益。法院在审理侵害未成年人权益案件中,要遵守审限,要想未成年人之所想,急未成年人之所急,公正审判。由于未成年人年龄尚小、社会经验不丰富、心理容易受到伤害等特点,法院在审判时应当采取适合于未成年人的措施、手段,切实保障未成年人的合法权益。该规定有利于及时公正地保护未成年人的合法权益,有利于未成年人的健康成长。

第二款规定了在司法活动中对需要法律援助或司法救助的未成年人,法律援助机构或者人民法院应当提供法律援助或者司法救助。法律援助是指对于经济困难的公民给予必要的法律服务的制度,包括法律咨询、代理、刑事辩护等无偿法律服务。对想诉讼而因经济困难无法获得必要的法律服务的公民实行法律援助制度，是国际上通行的做法。我国在刑事诉讼法、律师法等法律中对这一制度作出了规定，2003 年 9 月 1 日起施行的《法律援助条例》对法律援助更是作出了具体的规定。根据《法律援助条例》的规定，法律援助的范围包括：(1)依法请求国家赔偿的；(2)请求给予社会保险待遇或者最低生活保障待遇的；(3)请求发给抚恤金、救济金的；(4)请求给付赡养费、抚养费、扶养费的；(5)请求支付劳动报酬的；(6)主张因见义勇为行为产生的民事权益的。对于上述事项的申请，该条例规定：(1)请求国家赔偿的，向赔偿义务机关所在地的法律援助机构提出申请；(2)请求给予社会保险待遇、最低生活保障待遇或者请求发给抚恤金、救济金的，向提供社会保险待遇、最低生活保障待遇或者发给抚恤金、救济金的义务机关所在地的法律援助机构提出申请；(3)请求给付赡养费、抚养费、扶养费的，向给付赡养费、抚养费、扶养费的义务人住所地的法律援助机构提出申请；(4)请求支付劳动报酬的，向支付劳动报酬的义务人所在地的法律援助机构提出申请；(5)主张因见义勇为行为产生的民事权益的，向被请求人住所地的法律援助机构提出申请。

如果未成年人因经济困难而申请法律援助的，本人有身份证明的应当提供身份证明；本人没有身份证明的，代理申请人应当提交有代理权的证明。同时，还应当提交经济困难的证明，以及与所申请法律援助事项有关的案件材料。

申请法律援助应当采用书面形式，填写申请表；以书面形式提出申请确有困难的，可以口头申请，由法律援助机构工作人员或者代为转交申请的有关机构工作人员做书面记录。对于公民的申请，由法律援助机构负责受理、审查，指派或者安排人员为符合本条例规定的未成年人提供法律援助。律师应当依照律师法和法律援助条例的规定履行法律援助义务，为受援人提供符合标准的法律服务，依法维护受援人的合法权益，接受律师协会和司法行政部门的监督。

司法救助，是指人民法院对于当事人为维护自己的合法权益，向人民法院提起民事、行政诉讼，但经济确有困难的，实行诉讼费的缓交、减交、免交的制度。实行司法救助的目的是使经济确有困难的当事人能够依法行使诉讼权利，维护其合法权益。最高人民法院于2000年7月通过了《关于对经济确有困难的当事人提供司法救助的规定》，2005年4月又对该规定进行了修订。根据新修订的最高人民法院《关于对经济确有困难的当事人提供司法救助的规定》，可以向人民法院申请司法救助的当事人包括：(1)追索赡养费、抚养费、抚育费、抚恤金的；(2)孤寡老人、孤儿和农村"五保户"；(3)没有固定生活来源的残疾人、患有严重疾病的人；(4)国家规定的优抚、安置对象；(5)追索社会保险金、劳动报酬和经济补偿金的；(6)交通事故、医疗事故、工伤事故、产品质量事故或者其他人身伤害事故的受害人，请求赔偿的；(7)因见义勇为或为保护社会公共利益致使自己合法权益受到损害，本人或者近亲属请求赔偿或者经济补偿的；(8)进城务工人员追索劳动报酬或其他合法权益受到侵害而请求赔偿的；(9)正在享受城市居民最低生活保障、农村特困户救济或领取失业保险金，无其他收入的；(10)因自然灾害等不可抗力造成生活困难，正在接受社会救济，或者家庭生产经营难以为继的；(11)起诉行政机关违法要求农民履行义务的；(12)正在接受有关部门法律援助的；(13)当事人为社会福利机构、敬老院、优抚医院、精神病院、SOS儿童村、社会救助站、特殊教育机构等社会公共福利单位的；(14)其他情形确实需要司法救助的。

未成年人因经济困难需要申请司法救助的，如果符合上述司法救助的范围，可以在起诉或上诉时提交申请司法救助的书面申请和足以证明其确有经济困难的证明材料。

第五十二条　人民法院审理继承案件，应当依法保护未成年

人的继承权和受遗赠权。

人民法院审理离婚案件，涉及未成年人子女抚养问题的，可以听取有表达意愿能力的未成年子女的意见，根据保障子女权益的原则和双方具体情况依法处理。

【释义】 本条是关于人民法院应当依法保护未成年人的继承权和受遗赠权，在涉及未成年人抚养问题的离婚案件中保障子女权益的规定。本条共分两款。

第一款是人民法院在审理继承案件时应当依法保护未成年人继承权和受遗赠权的规定。

继承主要是对财产的继承，因此财产继承权与继承权大体上是两个相同的概念。我国宪法规定，国家依照法律规定保护公民的私有财产的继承权。继承法第一条规定，根据《中华人民共和国宪法》规定，为保护公民的私有财产的继承权，制定本法。民法通则第七十六条规定，公民依法享有财产继承权。所谓财产继承权是指继承人按照法律的规定取得死者生前财产的权利，财产继承权是公民个人合法财产所有权的必然延伸。我国现阶段，公民的私有财产主要是生活资料，包括房屋、车辆、收入、储蓄、家具、生活日用品、衣物、书籍、著作权和专利权中的财产权利等，另外还有一些为生产或生活所需要的劳动工具和生产工具，如拖拉机、加工机械、厂房。上述法律允许公民个人私有的财产都可以被继承，财产继承权中财产的范围包括上述公民私人的财产。

继承可以分为法定继承与遗嘱继承两类。所谓法定继承，是指根据法律直接规定的继承人的范围、继承人继承的先后顺序、继承人继承的遗产份额以及遗产的分配原则来继承被继承人遗产的一项法律制度。遗嘱继承是指继承开始后，继承人按照被继承人合法有效的遗嘱继承被继承人遗产的法律制度。根据继承人在法定继承中的地位不同，可以将法定继承分为本位继承、代位继承和转继承。本位继承是指继承人基于自己的继承地位、顺序和应继遗产份额而继承，如子女继承已故父母遗产。代位继承是指被继承人的子女先于被继承人死亡或者宣告死亡，由被继承人的子女的晚辈直系亲属代替其已故的父亲或母亲的继承地位、继承顺序而继承其父亲或母亲应当继承的遗产份额，如孙子女可以代替已故的父亲或者母亲继承祖父母或外祖父母的遗产。转继承是指继承人在被继承人死后不久也相继死亡，因而未能实际取得被继承人的遗产，而由继承人的继承人间接地继承被继承人的遗产。转继承的范围不限于被继承人子女的晚辈直系血亲。

公民在立遗嘱处分自己的财产时，既可以将遗产转移给自己的法定继承人，也可以给其他人。所谓遗赠就是公民以遗嘱方式将个人合法财产的一部分或全部赠送给法定继承人以外的公民或国家、社会组织，并于遗嘱人死亡时发生效力的法律行为。在这种情况下，遗嘱人称为遗赠人，遗嘱指定接受遗产的人称为受遗赠人。法律同样保护未成年人的受遗赠权。

对未成年人继承权和受遗赠权依法予以保护，是我国有关法律中的一项重要内容，也是保障未成年人具备必要的生活和物质条件，从而促进其健康成长的重要手段。我国婚姻法第二十四条第二款规定："父母和子女有相互继承遗产的权利。"继承法规定，配偶、子女、父母同为第一顺序法定继承人。因此，我国父母与子女之间的遗产继承权是一种相互的权利。父母死亡时，子女依法继承父母的遗产；子女先于父母死亡时，父母依法继承子女的遗产。作为法定继承顺序，只有在第一顺序继承人不存在的情况下，才能由第二顺序的继承人继承。这体现了养孝育幼的继承原则。由于未成年人不懂实现自己的权益，因此，在继承关系中，尤其应当保护未成年人的继承权。对未成年人继承权之保护体现在：(1)在法定继承中依法对未成年人的继承份额予以特殊照顾。因为未成年人没有独立的生活来源，不具有成年人一样的劳动能力，为了维持其生活和保障其健康成长，一般在分配遗产的份额时，都要予以适当照顾。根据 1984 年最高人民法院所做的司法解释,"同一顺序法定继承人之间分割遗产时,如果继承人情况基本相同,一般可以平均分配。但对未成年继承人,应当照顾"。适当照顾的标准,应以未成年人的实际需要和当地群众的一般生活水平来决定。(2)在遗嘱继承中,依法保护未成年人的继承权。被继承人生前以遗嘱方式处分财产的,应给未成年人保留必要的遗产份额。对于以遗嘱剥夺未成年法定继承人应当继承的遗产份额的,应当宣告遗嘱无效或者部分无效,保证未成年继承人相应的遗产继承份额。(3)依法保护胎儿的继承权。尚未出生的胎儿不具有民事主体资格,但是为了保证出生后的婴儿具有必要的抚养条件,各国立法中均对胎儿的继承权予以保护。我国继承法第二十八条规定:"遗产分割时,应当保留胎儿的继承份额。胎儿出生时是死体的,保留的份额按法定继承办理。"(4)以强制力确保成年人的合法继承权。对于侵犯未成年人继承权的行为,涉及未成年人继承权的纠纷案件,受诉法院应当在查清事实的基础上,正确适用法律,依法做出判决;在其他当事人不履行判决内容的情况下,人民法院可依申请依法强制执行,确保未成年人合法继承权的享有和实现。(5)父母离婚后,未成年子女仍然依法享有对父母双方的遗产继承权,且该继承权的实现受到法律的保障。

第二款是关于在涉及未成年人抚养问题的离婚案件中保障子女权益的规定。

离婚是夫妻关系的解体。离婚又可以分为协议离婚和诉讼离婚。协议离婚,又称双方自愿离婚,是指婚姻当事人双方自愿离异,并就离婚的后果问题达成一致协议,经有关部门认可而解除婚姻关系。诉讼离婚是指一方要求离婚,或双方对子女抚养或财产问题有争议,须经人民法院进行审理裁决的离婚制度。当事人在解除婚姻关系后,不但在人身关系和财产关系等方面引起了一系列的法律后果,而且在抚养未成年子女的方式上也发生了相应的变化。为此,我国婚姻法规定:“父母与子女之间的关系,不因父母离婚而解除。”“离婚后,父母对于子女仍有抚养和教育的权利和义务。”因此,父母抚养教育子女的权利和义务,不因夫妻离婚而免除。这种权利和义务,是他们离婚前权利和义务的继续。对那些在离婚后不和子女生活在一起的父方或母方来说,只是在行使权利和履行义务的方式上发生了变化。父母任何一方都不能借口夫妻离婚而推卸抚养教育子女的责任,因为这直接关系到未成年子女的切身利益。

父母离婚后未成年子女的抚养归属问题,常常是离婚双方当事人争执的焦点。争执的原因多种多样,如有的基于对子女的感情,不愿意让子女离开自己由对方抚养;有的怕孩子受继父、继母的虐待;有的怕抚养子女不利于再婚或者影响再婚后的夫妻感情,等等。人民法院在审理案件中,对离婚双方因抚养未成年子女发生争执、不能达成协议时,应当听取有表达意愿能力的未成年子女的意见,并依法进行正确处理。首先,我国婚姻法的规定。根据这一规定,人民法院作出相应的判决,是出于哺乳期内子女正常发育成长的需要,也有利于保证婴儿的健康。因此这一规定本身就是保障子女权益原则的直接体现。例如,最高人民法院 1993 年《关于人民法院审理离婚案件处理子女抚养问题的若干具体意见》规定,2 周岁以下的子女原则上由哺乳的母亲抚养。但是,在一些特殊情况下,法院也可以作出变通处理。如婴儿并非母亲哺乳,或者由于某种原因,母亲不宜于抚养哺乳期子女的,人民法院也可判决由父亲抚养。其次,对哺乳期后的未成年子女的抚养归属的确定,应由父母双方协议;协议不成的,由法院判决。人民法院应把“保障子女权益的原则”和“双方的具体情况”紧密地结合起来加以考虑,即要从父母双方的政治素质、思想品质、道德修养、家庭环境、工作性质、父母与子女的感情、实际经济能力等多方面,全面慎重地进行考虑,确定由父亲还是母亲抚养为宜。再次,对于已经具有一定判断和选择能力的未成年子女，人民法院应当尊重和照顾他们本人的意愿。在子女有识别能力的情况下，充分考虑子女的意见，有利于离婚后父母子女关系的融洽和该子女的身心健康发展，最大限度地减少离婚对子女的伤害。此外，在不妨碍未成年子女权益的前提下，人民法院对抚养归属的确定，也可适当考虑社会影响和父母双方的正当要求。最后，在离婚后的父母双方抚养条件发生变化或者未成年子女要求随另一方生活的时候，如父母双方协议不成，要求人民法院作出判决时，人民法院应当确定有无变更抚养归属的必要，作出符合子女利益的变更或不予变更的判决、裁定。

第五十三条　父母或者其他监护人不履行监护职责或者侵害被监护的未成年人的合法权益，经教育不改的，人民法院可以根据有关人员或者有关单位的申请，撤销其监护人的资格，依法另行指定监护人。被撤销监护资格的父母应当依法继续负担抚养费用。

【释义】　本条规定了父母或者其他监护人不履行监护职责或者侵害被监护的未成年人合法权益时撤销监护人资格的制度。

监护是指对无父母或父母不能照护的未成年人以及其他限制民事行为能力人、无民事行为能力人的人身和财产权益进行监督和保护的一项民事制度。因为无民事行为能力人和限制民事行为能力人虽有与他人平等的民事权利能力，但却不具备完全民事行为能力，不能独立地或不能完全独立地进行民事活动，因而其民事权利能力不能以自己的行为加以实现，对自己的合法权益不能予以保护。设立监护则可以由监护人代无民事行为能力人和限制民事行为能力人进行民事活动，并保护其合法权益。设立监护制度的目的在于由监护人对未成年人和无民事行为能力人、限制民事行为能力人的人身和财产进行保护和管理。除此之外，监护制度也有利于维护社会秩序的安定。因为无民事行为能力人和限制民事行为能力人对其行为后果缺乏相应的判断能力,如果实施不法行为给他人造成损害,也不能承担民事责任,设立监护就可以由监护人约束其行为,以免对他人造成损害。

民法通则第十八条规定,监护人应当履行监护职责,保护被监护人的人身、财产及其他合法权益,除为被监护人的利益外,不得处理被监护人的财产。监护人依法履行监护的权利,受法律保护。监护人不履行监护职责或者侵害被监护人的合法权益的,应当承担责任;给被监护人造成财产损失的,应当赔偿损失。人民法院可以根据有关人员或者有关单位的申请,撤销监护人的资格。

我国法律以列举方式确定了可以作为监护人的各种资格条件,不具备所列举的监护资格的人不得作为监护人。同时,民法通则第十六条列举了作为未成年人监护人的顺序。

首先是近亲属。父母是亲权人,他们之所以能够作为监护人是因为亲权的规定。未成年人的祖父母、外祖父母、兄弟姐妹,依据婚姻法规定,在一定条件下,他们都是对未成年人负有抚养义务的人,所以在未成年人的父母不能行使监护权时,他们可以成为监护人。

其次是近亲属以外的其他亲友。当未成年人的近亲属不能作为监护人时,近亲属以外的人可以充当监护人。但在未成年人的近亲属以外的亲友中选择其监护人时,应征得该被选对象的同意,即他们充当未成年人的监护人必须是出于自愿。除此之外,在未成年人的近亲属以外的亲友中选择监护人时,还必须经有关组织批准。这些组织是未成年人父母所在单位或未成年人住所地的居民委员会、村民委员会。这一规定的目的,是防止不适宜的人担任监护人而损害被监护人的利益。

最后是有关单位和组织。根据民法通则的规定,这里的有关单位和组织包括未成年人父母所在单位或未成年人住所地的居民委员会、村民委员会和民政部门。组织中必须选出自然人作为监护人的代表。关于监护人的人数,法律规定,一个被监护人可以有一个监护人,也可以有几个监护人。

根据民法通则和最高人民法院的相关司法解释,我国监护人的权利和责任主要有以下内容:

第一,代理被监护人实施民事法律行为。无民事行为能力人、限制民事行为能力人的监护人是他的法定代理人。监护人作为被监护人的法定代理人得以被监护人的名义进行民事活动,为被监护人取得和实施权利,设定和履行义务。

第二,保护被监护人的人身、财产及其他合法权利。监护人是被监护人的财产的合法管理人,他有权管理被监护人的财产,以其财产履行义务。另外,监护人要保护被监护人的人身、财产不受侵害,在被监护人的人身、财产和其他合法权益受到非法侵害时,监护人作为法定代理人有权代理被监护人请求法院给予保护,代为参加整个诉讼活动。

第三,教育和关心被监护人。监护人应当关心被监护人的身心健康,在生活上要关心爱护被监护人,不得对被监护人实施虐待。未成年人的监护人要对未成年人进行教育。

第四,约束被监护人的行为。监护人应当管教和约束被监护人,防止被监护人实施侵害国家财产、集体财产或他人人身、财产的不法行为。因监护人管教不严,没有尽到监护职责,而致使被监护人实施不法行为损害他人合法权益的,监护人应当承担民事责任。民法通则第一百三十三条规定:"无民事行为能力人、限制民事行为能力人造成他人损害的,由监护人承担民事责任。监护人尽了监护责任的,可以适当减轻他的民事责任。"

保护未成年人不仅仅是为了他们的健康成长,同时还关系到培养一代新人、保障社会安定的大问题。监护人依法履行监护的职责,受法律保护。监护人应当认真履行监护职责,如果不履行监护职责或者侵害被监护人的合法权益,则应依法承担责任。当父母或其他监护人不履行监护职责或侵害被监护未成年人的合法权益时，经教育不改的，人民法院可以根据有关人员或者有关单位的申请，撤销其监护人的资格，并另行指定监护人。监护人的撤销，是指从法律上消灭监护人承担监护职责的资格。撤销监护人产生的直接法律后果是监护人和被监护人之间消灭了权利义务关系。根据民法通则的规定，监护人不履行监护职责或者侵害被监护人合法权益的，人民法院可以根据有关人员或有关单位的申请，撤销他的监护人职责。也就是说，撤销监护人必须具备以下要件：第一，经有关人员或者有关单位申请；第二，监护人不履行监护职责或者侵害被监护人的合法权益；第三，须由人民法院撤销。同时法院应根据本法和民法通则第十六条的规定，为未成年人另行确定监护人。

如果未成年人的父母被法院依法撤销了监护资格，并非意味着其父母可以不再承担抚养费用。由于父母被撤销监护资格是因为不履行监护职责或者侵害被监护的未成年人的合法权益，本身不适宜再继续担任未成年人的监护人，但是父母与其子女有血缘关系，仍然应当依法继续负担未成年子女的抚养费用。根据《最高人民法院关于适用〈中华人民共和国婚姻法〉若干问题的解释（一）》的规定，婚姻法第二十一条所称“抚养费”，包括子女生活费、教育费、医疗费等费用。也就是说，被撤销监护资格的父母应当依法继续负担子女生活费、教育费、医疗费等抚养费用。这一规定对于加强父母的法律责任和义务感，保障未成年子女的合法权益，保障其健康成长有重要意义。

第五十四条　对违法犯罪的未成年人，实行教育、感化、挽救的方针，坚持教育为主、惩罚为辅的原则。

对违法犯罪的未成年人，应当依法从轻、减轻或者免除处罚。

【释义】　本条规定了对违法犯罪的未成年人追究法律责任

应当遵循的方针和原则以及对违法犯罪的未成年人处罚时的原则。本条分两款。

第一款是关于对违法犯罪的未成年人追究相应法律责任时所遵循的方针和原则规定。

未成年人违法犯罪是一个复杂、重要的社会问题。对违法犯罪的未成年人的处罚适当与否,不仅关系到犯罪的未成年人的前途,而且还会产生巨大的社会影响,其意义超出对犯罪的未成年人处罚的本身。对违法犯罪的未成年人适用刑罚是对其所犯罪行的惩罚,但更主要的是通过对其违法犯罪行为的追究,起到对其教育、感化和挽救的目的。

对违法犯罪的未成年人追究法律责任时实行教育、感化、挽救的方针,坚持教育为主、惩罚为辅的原则,是我国司法审判活动中一贯坚持的方针和原则,是新中国几十年司法实践经验的总结。实践证明这是适合我国国情,适宜于惩罚犯罪的未成年人的实际需要的。

对违法犯罪的未成年人实行教育、感化、挽救的方针,主要是从未成年人犯罪的生理、心理特点考虑。未成年人的生理发育还不成熟,还处在健康成长的阶段,不能够正确控制自己的情绪,容易产生过激行为,但由于其还处于没有发育成熟阶段,其所造成的危害与成年人犯罪相比存在程度上的不同。未成年人心理发育不成熟主要表现在认识能力较低和控制能力较差。认识能力是指行为主体对行为的性质、后果的判断能力,也是对主体进行处罚的基础。违法犯罪的未成年人大多心理尚未成熟,社会阅历低,受认识能力的限制,对其行为的社会意义不能有深刻的认识,缺乏正确的是非标准。对违法性缺乏正确认识的最明显证明就是犯罪的未成年人很少存在预谋,其犯罪动机往往也非常幼稚,甚至存在善良的可能。同时,由于年龄的限制,未成年人的控制能力也比较差,在社会上一些不良因素的影响下,很容易实施犯罪行为,或者被他人所指使和利用。但由于未成年人未成熟的生理、心理特点,其又容易接受教育,只要认真地进行教育、感化、挽救,就可以转变犯罪的未成年人的思想,真正做到挽救未成年人的目的。

强调对违法犯罪的未成年人的教育,其目的立足于教育违法犯罪的未成年人,而不是注重惩罚。对违法犯罪的未成年人的教育,首先,要结合犯罪的未成年人的思想实际,进行四项基本原则教育,以纠正错误、转变思想。其次,要做好对犯罪的未成年人的法制教育。这种教育应当贯穿于刑事诉讼活动的全过程,反复进行,以宪法、刑法、刑事诉讼法为主要教材,结合其本身进行教育,使其逐步树立法制观念,认识到法律的权威,联系自身的违法犯罪事实,认识其危害。最后,还要进行道德品质和人生观教育。通过道德品质教育,使其懂得道德与法律相辅相成,是调整社会关系的重要组成部分;使其学会做人的道理,树立正确的人生观、价值观、分清是非,告别昨天,争取重新做人。

感化,是指用社会主义法制和社会主义道德伦理去关怀、教育、感染违法犯罪的未成年人,使其认识到自己所犯的错误和罪行,认识到自己行为对社会造成的危害,促使其痛改前非、重新做人。在实践中,还要按照党的方针政策,关心和帮助他们解决实际中遇到的困难,使他们真正感觉到人民政府是真心真意地挽救他们。法律对其惩罚的目的在于教育。感化包括精神和物质两方面:精神方面,要尊重他们的人格,严禁体罚虐待,认真做好思想工作,起到医治心灵创伤的作用;物质方面,要关心他们的生活,做好卫生、医疗等方面的工作。总之,感化的核心是从感情入手,以情感人,由通情而达理,转化他们的思想。

挽救,就是在诉讼过程中,司法工作人员要有高度的责任感,相信违法犯罪的未成年人是可以挽救过来的,要依照法律的规定和党的方针政策,有针对性地进行各项挽救工作,其目的是最终使违法犯罪的未成年人树立重新做人的观念。在实践中,司法工作人员要深入违法犯罪的未成年人的实际生活，做好社会调查，认真走访犯罪的未成年人所在的家庭、学校、城市居民委员会或者农村村民委员会，向其家长、同学、邻居进行详细的了解，了解违法犯罪的未成年人平时的表现，如学习情况、与同学朋友的关系如何，并结合法律的有关规定，力争在根本上挽救失足的未成年人，使其真正做到相信法律、相信政府，认识到自己的错误，最终达到预防犯罪、减少犯罪的目的。

坚持教育为主、惩罚为辅的原则，是我党惩罚违法犯罪的未成年人所一贯坚持的原则，实践证明其也是行之有效、适合我国国情的。未成年人本身还处在成长发育的阶段，缺乏必要的知识和经验，容易受到各种不良影响的冲击。特别处在市场经济的社会中，未成年人容易被他人利用，走上犯罪的道路。在追究犯罪的未成年人的刑事责任的过程中，要认真贯彻坚持教育为主的原则，通过教育使未成年人认识犯罪的违法犯罪的危害性，这是指导未成年人重新做人、健康成长必不可少的途径。在坚持教育为主的同时，还必须辅以必要的惩罚手段，使未成年人懂得其犯罪行为的后果和应当承担的责任，懂得法律的严肃性，懂得一切危害社会的行为都要付出相应的代价。从这个意义上讲，惩罚是必不可少的一种教育手段。但对于犯罪的未成年人的惩罚，应当严格依照法律的有关规定，本着教育、感化、挽救的方针，对其进行适当的惩罚。惩罚的实质也是教育，只是一种特殊的教育形式。教育与惩罚，两者相辅相成，互为补充，缺一不可。

未成年人具有不同于成年人的生理和心理特点。首先，他们正值发育期，生理变化显著。其表现为身体发育快，智力增长快，精力充沛。其次，他们的心理发育正处于从幼稚向成熟过渡的阶段，表现出极强的模仿能力和好奇心，追求独立，好胜逞强，对事物反应敏捷。再次，未成年人思想不够成熟，尚不能很好地辨别是非，极易感情冲动，缺乏控制自己行为的能力，举动多带有极大的突发性和盲目性。他们容易遭受各种不良风气的侵蚀,走上违法犯罪的道路。同时,未成年人可塑性强,具备知错改错的能力,往往能够幡然悔悟、重新做人。因此法律规定对违法犯罪的未成年人,应当依法从轻、减轻或者免除处罚。这有利于违法犯罪的未成年人及时走出迷途,重新做人。

我国非常重视未成年人的矫治工作,法律对未成年人进行了宽大规定。我国刑法第十七条规定:“已满十六周岁的人犯罪,应当负刑事责任。已满十四周岁不满十六周岁的人,犯故意杀人、故意伤害致人重伤或者死亡、强奸、抢劫、贩卖毒品、放火、爆炸、投毒罪的,应当负刑事责任。”法律的上述规定表明,16 周岁是行为人承担刑事责任的正常最低年龄。不满 16 周岁的未成年人,只对故意杀人、故意伤害致人重伤或者死亡、强奸、抢劫、贩卖毒品、放火、爆炸、投毒罪承担刑事责任。不满 14 周岁的未成年人,实施任何危害社会的行为都不构成犯罪。14 周岁是未成年人对重大刑事犯罪承担责任的最低年龄。在不满 14 周岁以前的任何行为,无论是杀人放火还是抢劫强奸,都绝对不能作为犯罪处理。

针对未成年人犯罪,法律规定了从宽处罚的权利。刑法第十七条第三款规定:“已满十四周岁不满十八周岁的人犯罪,应当从轻或者减轻处罚。”从轻处罚是指在法定刑的幅度内选择较轻的刑种或者确定较短的刑期。减轻处罚是指在法定最低刑以下判处刑罚。在这里,法律采取了必减的方式,即是“应当”而不是“可以”,司法工作人员只能在从轻或减轻的方式上选择,而不能不选择。从轻、减轻处罚的结果是犯罪分子最后承担的刑事责任比正常情况下的处罚要轻。

另外,我国还规定了对未成年人不适用死刑。死刑是剥夺犯罪分子生命的刑罚,死刑是最严重的刑罚。我国刑法规定的死刑“只适用于罪行极其严重的犯罪分子”,但“犯罪的时候不满十八周岁的人,不适用死刑”。不满 18 周岁的未成年人,不论罪行多么严重,都绝对的不能判处死刑,更不能执行死刑。

除刑法的相关规定外,其他法律同样规定了对未成年人犯罪应当从轻、减轻或者免除处罚。例如,治安管理处罚法第十二条规定:“已满十四周岁不满十八周岁的人违反治安管理的,从轻或者减轻处罚;不满十四周岁的人违反治安管理的,不予处罚,但是应当责令其监护人严加管教。”第二十一条规定:“违反治安管理行为人有下列情形之一,依照本法应当给予行政拘留处罚的,不执行行政拘留处罚:(一)已满十四周岁不满十六周岁的;(二)已满十六周岁不满十八周岁,初次违反治安管理的……”这些规定有利于违法犯罪的未成年人尽快意识到自己的错误,有利于使未成年人认识到党和政府、人民对他的宽大处理,从而主动决心改正,正常步入社会,重新做人。

第五十五条　公安机关、人民检察院、人民法院办理未成年人犯罪案件和涉及未成年人权益保护案件,应当照顾未成年人身心发展特点,尊重他们的人格尊严,保障他们的合法权益,并根据需要设立专门机构或者指定专人办理。

【释义】　本条是关于司法机关在办理未成年人犯罪案件和涉及未成年人权益保护案件时应根据需要设立专门机构或者指定专人办理方面的规定。

(一)立法背景

当今世界上的大多数国家都十分重视少年司法制度,并把它作为国家司法制度的重要部分对待。完善和健全少年司法制度,加强对未成年人的司法保护,已经成为世界的潮流和时代的要求,成为衡量一个国家政治文明的重要标志。在经济发达国家,如美国、英国、德国、意大利早已成立少年法院。从我国司法实践的情况来看,设立专门机构或者指定专人办理涉及未成年人的案件也是可行的。目前,公安机关、人民检察院在侦查、预审和起诉活动中，一般采取专人负责的方法。有条件的地方，则成立了专门的办案小组，如少年预审小组、少年起诉小组。人民法院则自1988年起，全面开始了成立专门的少年法庭的实践。设立这种审判组织形式，主要是考虑到未成年人犯罪有其独特的规律，需要对生理、心理上还不太成熟的未成年人加以特殊的保护。

而且，我国已于20世纪90年代加入了《联合国少年司法最低限度标准规则》（即《北京规则》）。该规则第二十二条对少年司法工作人员的专业化和培训方面作出了规定："应利用专业教育、在职培训、进修课程以及其他各种适宜的授课方式，使所有处理少年案件的人员具备并保持必要的专业能力。""少年司法工作人员的组成应反映出触犯少年司法制度的少年的多样成分，应努力确保少年司法机构中有合理的妇女和少数民族工作人员。"由此可见，设立专门机构或者指定专人办理涉及未成年人的案件，是公约所要求的完善少年司法制度的重要内容，已经成为我们的一项国际义务。

目前我国提出要构建和谐社会、加强和谐司法建设，应当进一步坚持人性化司法，探索建立一套少年司法程序，从立法源头上加强对未成年人的司法保护。我国刑事诉讼法的修改正处在酝酿过程中，并已经正式列入2007年立法计划，刑事诉讼法很有可能要对未成年人案件的诉讼程序作出专章规定。因此，我国未成年人保护法在修改的时候，没有过多地涉及少年司法程序，但是保留并扩大了原法关于办理未成年人案件应当设立专门机构或者指定专人办理的规定。

（二）关于指定专人办理和设立专门机构的解读

指定专人或者设立专门机构办理未成年人案件，具有重大意义。从司法机关的角度讲，公安机关、人民检察院和人民法院设立专门机构或者指定专人办理办理未成年人犯罪案件，取得了很好的效果，对于集中和稳定办案力量，总结、探索未成年人犯罪规律，选择和确定最佳办案方式、方法，积极和有效地做好教育感化工作，具有重要意义。从未成年人的角度讲，要求司法机关在办理未成年人犯罪案件和涉及未成年人权益保护案件的时候，应当注意照顾未成年人身心发展特点，尊重他们的人格尊严，保障他们的合法权益，以法律的形式规定设立专门机构或者指定专人办理不仅很有必要，而且很富有人情味。

未成年人犯罪案件和涉及未成年人权益保护的案件，应当根据需要设立专门机构或者指定专人办理。那么，应当怎样理解“指定专人办理”呢？2001 年 4 月颁布实施的《最高人民法院关于审理未成年人刑事案件的若干规定》第八条中规定：“审判未成年人刑事案件合议庭的审判长，应当由熟悉未成年人特点、善于做未成年人思想教育工作的审判员担任，并且应当保持其工作的相对稳定性。审判未成年人刑事案件的人民陪审员，一般由熟悉未成年人特点，热心于教育、挽救失足未成年人工作，并经过必要培训的共青团、妇联、工会、学校的干部、教师或者离退休人员、未成年人保护组织的工作人员等担任。”2002 年 4 月颁布实施的《人民检察院办理未成年人刑事案件的规定》第六条规定：“人民检察院应当指定专人办理未成年人刑事案件。未成年人刑事案件一般由熟悉未成年人特点，善于做未成年人思想教育工作的女检察人员承办。”因此实践中指定的“专人”大多出自以上两条规定的范围，在指定的时候主要是考虑到其熟悉未成年人、爱护未成年人，能够较好地维护未成年人的合法权益。

所谓“设立专门机构”，是指设立专门的办案小组或者少年法庭等。这里所说的“少年法庭”，是指依法审理未成年人犯罪案件的合议庭或者实行独任审判的一种特殊的审判组织形式。1984 年 11 月上海市长宁区人民法院创建我国第一个少年法庭，后经过各地试点，1988 年最高人民法院在上海召开审理未成年人刑事案件经验交流会，向全国推广少年法庭工作经验，少年法庭迅速在各地铺开。1990 年最高人民法院在南京召开全国少年刑事审判工作会议，进一步推动了少年法庭工作的开展。截至 2004 年，少年法庭成立 20 周年之际，全国法院共建立了 2400 余个少年法庭，共有少年法庭法官 7200 余名，基本上实现了所有未成年人刑事案件由少年法庭审理。人民法院在未成年人司法保护方面的工作已经取得了明显成效。目前我国正酝酿在条件成熟的部分大中城市试点设立少年法院，以便进一步提高对未成年人的司法保护水平，完善我国的少年司法制度。

（三）关于少年法庭的情况简介

少年法庭自成立以来，逐渐成为人民法院办理未成年人犯罪案件的正式的“专门机构”，在维护未成年人权益方面发挥着重要作用。现将其法律依据和运作情况简介如下：

1. 少年法庭的设立

最高人民法院审判委员会于 2000 年 11 月 15 日第 1139 次会议通过了《最高人民法院关于审理未成年人刑事案件的若干规定》（以下简称《若干规定》）。《若干规定》第六条规定：“中级人民法院和基层人民法院可以建立未成年人刑事审判庭。条件尚不具备的地方，应当在刑事审判庭内设立未成年人刑事案件合议庭或者由专人负责办理未成年人刑事案件。高级人民法院可以在刑事审判庭内设立未成年人刑事案件合议庭。未成年人刑事审判庭和未成年人刑事案件合议庭统称少年法庭。最高人民法院和高级人民法院设立少年法庭指导小组，指导少年法庭的工作，总结和推广未成年人刑事审判工作的经验。少年法庭指导小组应当有专人或者设立办公室负责具体指导工作。”

2. 少年法庭受理案件的范围

《若干规定》第十条规定了少年法庭受理案件的范围：“（一）被告人在实施被指控的犯罪时不满十八周岁的案件；（二）被告人在实施被指控的犯罪时不满十八周岁，并被指控为首要分子或者主犯的共同犯罪案件。其他共同犯罪案件有未成年被告人的，或者其他涉及未成年人的刑事案件是否由少年法庭审理，由人民法院院长根据少年法庭工作的实际情况决定。”

3. 少年法庭对法官的要求

根据《中华人民共和国人民法院组织法》和《中华人民共和国刑事诉讼法》的规定，并考虑到审理对象为未成年人的特殊性，少年法庭由法官或者至少一名法官、二名陪审员组成，成员中至少要有一名女性。少年法庭法官不但要求具有很强的司法业务能力，而且要热心于青少年工作，具备心理学、犯罪学、教育学等方面的知识。为了适应这项工作的需要，很多地方法院举办了培训班，对少年法庭法官进行相关知识的培训。少年法庭陪审员在审理案件时与法官享有同等的权力，他们大都是教师或是其他长期从事青少年工作的人员，熟悉青少年的特点，有一定教育专长，少年法庭很重视发挥他们的作用。

4. 少年法庭应当遵循的原则

未成年人除享有法律赋予成年人的许多诉讼权利外，还享有一些比较特殊的诉讼权利。因此，办理未成年人案件应当遵循下列原则，以保障未成年人的这些诉讼权利得以实现。这些原则主要有：第一，法定代理人参加诉讼的原则。在开庭审理前或休庭时，经少年法庭许可，法定代理人可以与未成年被告人会面；审判中，法定代理人在法庭上享有申请回避、发问、辩护等诉讼权利；在未成年被告人最后陈述后，经审判长许可，法定代理人还可以发言；上诉期间，如果被告人尚未满 18 周岁，法定代理人享有独立的上诉权。第二，不公开审理的原则。根据我国刑事诉讼法的规定，对未成年人犯罪案件实行不公开审理。对于 14 周岁以上不满 16 周岁的未成年人犯罪案件，一律不公开审理；对于已满 16 周岁不满 18 周岁未成年人犯罪案件，一般也不公开审理。但宣告判决均应公开进行，并通知法定代理人到庭。为了保护未成年被告人的权益，避免因其罪行在社会上广泛扩散，造成不利于未成年人今后生活的社会影响，少年法庭在审理少年刑事案件时，不得公开和传播诉讼案卷材料；不得以任何方式公开被告人的影像。第三，全面调查原则。少年法庭在办理未成年人刑事案件时，除对案件事实、证据进行收集、审查外，还就导致被控犯罪行为的主观和客观原因，以及对未成年人特殊性格的形成产生过重要影响的人和事件等情况进行调查。第四，及时处理原则。少年法庭在保证办案质量和社会效果的前提下，很重视案件的及时处理，以保证无罪的未成年人和被判处非监禁刑罚的未成年犯能尽早重返社会，或者使判处监禁刑罚的未成年犯得到及时教育、矫正。第五，寓教于审、惩教结合的原则。这是我国少年刑事审判制度的核心，它充分体现了中国少年刑事审判制度的特色。少年法庭或者专门办案人员应当针对每个未成年被告人的特点，像医生对待病人、教师对待学生一样，认真细致地做好感化工作，把教育贯穿于诉讼活动的始终。

第五十六条[①] **公安机关、人民检察院讯问未成年犯罪嫌疑人，询问未成年证人、被害人，应当通知监护人到场。**

公安机关、人民检察院、人民法院办理未成年人遭受性侵害的刑事案件，应当保护被害人的名誉。

【释义】 本条是关于司法机关讯问未成年犯罪嫌疑人、询问未成年证人、询问未成年被害人和办理未成年人遭受性侵害的刑事案件方面对未成年人的保护性规定。

（一）关于应当通知监护人到场

据《法制日报》2006 年 11 月 4 日报道，巢湖市公安局居巢分

---

① 2012 年 10 月 26 日《全国人民代表大会常务委员会关于修改〈中华人民共和国未成年人保护法〉的决定》将本条第一款修改为："讯问、审判未成年犯罪嫌疑人、被告人，询问未成年证人、被害人，应当依照刑事诉讼法的规定通知其法定代理人或者其他人员到场。"

局在办理一起故意伤害致死案件中，错捕了4名少年，刑讯逼供、引供诱供使得他们被迫承认自己是杀人凶手，拘押百天后却抓到了真凶。这是一桩“罕见”的冤假错案，以至于安徽省公安厅通报全省称“4名无辜者在一起案件中同时被当作犯罪嫌疑人错误拘捕，在全国尚属首例”。很不幸的，4名无辜者中有3名都是未成年人，另外一名年纪最大的才刚满18周岁。我们不禁要问，一起并不复杂的案件何以办成冤案？如果没有百天后抓到真凶又会怎么样？发生这样的案件，是未成年人保护的悲剧。因此，在努力推进我国司法体制改革的同时，应当考虑在立法上加强对未成年人的司法保护。由于未成年人的身心不够成熟，应当规定在所涉及案件中未成年人享有某种程序上的特殊保护。例如，在安徽巢湖这起案件中，公安机关在讯问未成年犯罪嫌疑人的时候，如果有这么一种程序要求通知未成年犯罪嫌疑人的监护人到场，可以想象这起冤案是本可以避免的。

而且，可以要求监护人到场是未成年人享有的国际公约上的权利。《联合国少年司法最低限度标准规则》（又称《北京规则》）认为，监护人参加诉讼的权利应被视为是对少年一般的心理和感情上的援助。《北京规则》第七条规定：“在诉讼的各个阶段，应保证基本程序方面的保障措施，诸如假定无罪、将指控罪状通知本人的权利、保持沉默的权利、请律师辩护的权利、要求父亲或母亲或监护人在场的权利、与证人对质的权利和向上级机关上诉的权利。”这一规定强调了几个重要问题，包括“要求父亲或母亲或监护人在场的权利”。这些问题是进行公平合理审判的基本内容，并且在现有的一些人权文献中已得到了国际上的承认。而且，1992年4月2日对我国生效的《儿童权利公约》第四十条规定，被指称、指控或认为触犯刑法的儿童有权“要求独立公正的主管当局或司法机构在其得到法律或其他适当协助的情况下，通过依法公正审理迅速作出判决，并且须有其父母或法定监护人在场，除非认为这样做不符合儿童的最大利益,特别要考虑到其年龄或智力状况”。可见,要求监护人到场是未成年人享有的国际公约上的权利,也是我国应履行的国际义务。未成年人保护法的规定符合了国际公约的要求,也体现了我国加强对未成年人的司法保护的精神理念。

最高人民检察院 1999 年 1 月颁布实施了经过修订的《人民检察院刑事诉讼规则》。其中,第一百六十一条规定:“询问不满十八岁的证人,可以通知其法定代理人到场。”最高人民检察院 2002 年 4 月颁布实施的《人民检察院办理未成年人刑事案件的规定》在第十一条对于如何讯问未成年犯罪嫌疑人作出了详细的、比较人性化的规定。其中很重要的就是,规定了“讯问未成年犯罪嫌疑人,可以通知其法定代理人到场,告知其依法享有的诉讼权利和应当履行的义务”。而依据刑事诉讼法第八十二条的规定,“法定代理人”是指被代理人的父母、养父母、监护人和负有保护责任的机关、团体的代表。因此,民法和未成年人保护法所说的“监护人”就是刑事诉讼法意义上的“法定代理人”,或者说两者的范围是一致的。相比之下,新修订的未成年人保护法关于“公安机关、人民检察院讯问未成年犯罪嫌疑人,询问未成年证人、被害人,应当通知监护人到场”的规定,是一个绝大的进步。应当通知“法定代理人”或者“监护人”到场的规定,作为司法机关必须履行的程序性义务,对未成年人的保护就更有力度,对于完善我国少年司法制度也具有重要意义。

那么接下来的问题,就是要准确地理解“监护人”的概念,监护人到底是指哪些人呢?民法通则第十六条规定:“未成年人的父母是未成年人的监护人。未成年人的父母已经死亡或者没有监护能力的,由下列人员中有监护能力的人担任监护人:(一)祖父母、外祖父母;(二)兄、姐;(三)关系密切的其他亲属、朋友愿意承担监护责任,经未成年人的父、母的所在单位或者未成年人住所地的居民委员会、村民委员会同意的。对担任监护人有争议的，由未成年人的父、母的所在单位或者未成年人住所地的居民委员会、村民委员会在近亲属中指定。对指定不服提起诉讼的，由人民法院裁决。没有第一款、第二款规定的监护人的，由未成年人的父、母的所在单位或者未成年人住所地的居民委员会、村民委员会或者民政部门担任监护人。”

监护人需要履行哪些职责呢？民法通则第十八条规定：“监护人应当履行监护职责，保护被监护人的人身、财产及其他合法权益，除为被监护人的利益外，不得处理被监护人的财产。监护人依法履行监护的权利，受法律保护。监护人不履行监护职责或者侵害被监护人的合法权益的，应当承担责任；给被监护人造成财产损失的，应当赔偿损失。人民法院可以根据有关人员或者有关单位的申请，撤销监护人的资格。”

关于应当通知监护人到场，执法的时候应当注意以下两点：第一，未成年人有要求其监护人在场的权利，无论是未成年犯罪嫌疑人、未成年证人、未成年被害人都享有这一法定权利。公安机关、人民检察院、人民法院应当告知未成年人享有这一权利，并协助其实现，如及时通知未成年人的监护人到场。第二，讯问未成年犯罪嫌疑人或者询问未成年证人、被害人时，应当通知监护人到场。这是公安机关、人民检察院的一项程序性义务。司法机关应当依法办案，除非有某些特殊情况，未成年人不愿意监护人在场或者监护人在场不利于维护未成年人的最大利益的。没有通知监护人到场就可以视为司法机关的程序违法。

（二）关于保护性侵害案件中未成年被害人的名誉

所谓“未成年人遭受性侵害的刑事案件”，是指侵害未成年身心健康和性自由权利的刑事案件，包括刑法上规定的强奸罪、强制猥亵妇女罪和猥亵儿童罪等。所谓“名誉”，也就是俗称的名声。它是社会上对一个公民的起码评价，直接关系到这个人在社会上的地位和尊严，关系到其他人对该公民的信赖程度，也关系到公民从事的各种活动能否顺利进行。所以，法律规定公民对自己在社会生活中所获得的社会评价不受侵犯，这就是名誉权。

在性侵害案件中，性侵害的受害者不仅是身体上受到伤害，更重要的是心理上受到了伤害。对于未成年人而言，性侵害有着更为深远的负面影响。大量研究表明，遭受性侵害的未成年人在成年后再次遭遇性侵害的几率明显增加，发生心理问题和精神障碍的风险也明显高于没有这种经历的人，比例一般是在50%以上。因此，有必要对未成年人遭受性侵害的刑事案件在立法上给予特别关注。

该款强调，我们要更多地关注遭受性侵害后未成年人的心理感受和生理影响，关注性侵害案件给被害人带来的隐形伤害。因此我们需要特别设计专门的办案程序，以免导致侦查及办案过程给未成年人带来新的隐形伤害。一定要在办理未成年人遭受性侵害的案件中体现出对未成年人的关怀和爱护，体现出人性化的执法理念，确保遭受性侵害的未成年人得到最好的照顾。根据这样的理念，未成年人保护法规定了“公安机关、人民检察院、人民法院办理未成年人遭受性侵害的刑事案件，应当保护被害人的名誉”。

在办理未成年人遭受性侵害案件中，应当如何更好地保护性侵害案件中的未成年被害人呢？香港警方办理此类案件确立了“以保护未成年人为本，多专业多机构共同合作”的基本模式，很值得我们学习。具体地讲，香港政府本着“以儿童的健康和福利为本”的理念，成立了办理此类案件的专门机构并培训了大批专业人员，设计了专门的办案程序，如采取“一站式调查取证”避免给未成年人造成“二次伤害”，并且与一些社会机构联合长期关注未成年人的身心健康。

第五十七条　对羁押、服刑的未成年人，应当与成年人分别关押。

羁押、服刑的未成年人没有完成义务教育的，应当对其进行义务教育。

解除羁押、服刑期满的未成年人的复学、升学、就业不受歧视。

【释义】　本条是关于未成年人羁押、服刑期间应当与成年人分别关押和继续完成义务教育，以及解除羁押、服刑期满的未成年人在复学、升学、就业等方面不受歧视的保护性规定。

所谓“羁押”，不是一种独立的强制措施，而是拘留和逮捕的附带性后果，是指被管制对象在法院裁判前人身自由受限制的一种状态。拘留，包括行政拘留和刑事拘留。行政拘留，又称治安拘留，是指公安机关对违反治安管理的人依法在短期内限制其人身自由的一种治安行政处罚。刑事拘留，是指公安机关、人民检察院对于现行犯或者重大嫌疑分子，在遇有法定的紧急情况下依法采取的临时剥夺其人身自由的一种强制措施。逮捕，是对有证据证明有犯罪事实，可能判处徒刑以上刑罚的犯罪嫌疑人、被告人，采取取保候审、监视居住等方法，尚不足以防止发生社会危险，而依法剥夺其人身自由的一种强制措施。所谓“服刑”，是指罪犯在法院裁判以后执行所判刑罚的一种人身自由受限制的状态。

该条主要内容如下：

1. 对羁押、服刑的未成年人，应当与成年人分别关押

实行分别关押制度，是我国司法实践中正在实行、并且行之有效的监狱管理制度。然而，现实中仍然存在在各类看守所、监狱里面，由于未能及时将未成年人与成年人分别关押，导致未成年人遭受损害或者未成年人进一步被教唆毒化的现象，必须引以为戒。为了预防未成年人在犯罪道路上越走越远，保护未成年人的纯洁性并教育和挽救失足未成年人，有必要在立法中规定实行分别关押制度。所谓分别关押，是指将被拘留、逮捕和执行刑罚的未成年人与成年人分别予以关押。例如，将被拘留、逮捕的未成年人与成年人分室关押，将执行刑罚的未成年人犯与成年人犯分别在不同

的看守所或者监狱关押，或者在同一改造场所将其分别编队，在监督管理上实行区别对待等。除了未成年人保护法之外，还有很多法律法规对这一制度作出了明确规定。1990 年颁布实施的《中华人民共和国看守所条例》规定，对于羁押的少年人犯应当与成年人犯分押分管；暂不具备条件的，也应当尽量避免把他们与屡教不改的惯犯、累犯和恶习很深的人犯关押在一起，以防止把关押场所变成未成年人被毒化教唆之地。1994 年颁布实施的《中华人民共和国监狱法》在第三十九条规定："监狱对成年男犯、女犯和未成年犯实行分开关押和管理，对未成年犯和女犯的改造，应当照顾其生理、心理特点。监狱根据罪犯的犯罪类型、刑罚种类、刑期、改造表现等情况，对罪犯实行分别关押，采取不同方式管理。"

一般来说，实行分别关押的制度能够防止罪犯恶习的"交叉感染"，同时针对同类罪犯的行为特点进行有针对性的教育，从而体现国家的教育改造政策，促使罪犯向好的方面转化。这一做法在实践中证明是卓有成效的。对未成年人而言，要预防未成年人重新犯罪不仅体现在审判过程中，而且在执行拘留、逮捕，以及在刑罚执行过程中也要注意采取相关的措施和方法。在对未成年人实行依法剥夺人身自由的强制措施或者刑罚的执行中，采取与成年人分管、分押是司法机关多年来一贯要求和坚持的做法。这样做的目的，一是有利于有针对性地对未成年人进行教育改造；二是有利于防止将未成年人与成年人关押在一起，可能使其受到一些成年犯、累犯、惯犯犯罪思想的影响、犯罪行为的教唆、犯罪技能的传授，造成所谓的"一专进去，多能出来"的严重后果；三是有利于针对未成年人的生理、心理的发育特点，在生活能力方面进行管理，同时也能防止成年人对他们的不法侵害，有利于保障未成年人的合法权益。

而且，《联合国少年司法最低限度标准规则》（《北京规则》）认为，不应低估在审前拘留期间"犯罪污染"对少年的危害性，"审前拘留应仅作为万不得已的手段使用,而且时间尽可能短”;并提出要根据少年的身心特点,对审前拘留的某些人实行单独看管。于是,《北京规则》第十三条第四款规定:“审前拘留的少年应与成年人分开看管,应拘留在一个单独的监所或拘留在成年人监所的单独部分。”因此,这次修订未成年人保护法将原有的规定保留了下来。

2. 羁押、服刑的未成年人没有完成义务教育的,应当对其进行义务教育

处于羁押、服刑期间的未成年人是弱势群体,在现实生活中,他们的受教育权利往往容易被忽略或者得不到公平的对待。因此,未成年人保护法特别提出要保障这一部分未成年人的受教育权,规定了“羁押、服刑的未成年人没有完成义务教育的,应当对其进行义务教育”。之所以要作出这样的规定,主要基于如下原因:

首先,依照法律的规定接受教育尤其是接受义务教育是未成年人的一项基本权利。我国宪法第四十六条规定:中华人民共和国公民有受教育的权利和义务。义务教育法第四条规定:“凡具有中华人民共和国国籍的适龄儿童、少年,不分性别、民族、种族、家庭财产状况、宗教信仰等,依法享有平等接受义务教育的权利,并履行接受义务教育的义务。”第五条规定:“各级人民政府及其有关部门应当履行本法规定的各项职责,保障适龄儿童、少年接受义务教育的权利。”

其次,依照预防未成年人犯罪法第三十九条和第四十六条的规定,在被执行刑罚期间,对没有完成义务教育的未成年犯,执行机关应当保证对其继续进行义务教育。执行机关既是改造未成年犯的部门,也是教育其重新做人、学习文化技术的学校。执行机关对羁押、服刑的未成年人,要考虑到未成年人的年龄和生理特点,既要重新改造他们的犯罪思想,又要照顾他们正处在长身体、长知识的时期。所采取的一切措施都要适合他们的年龄特点,有利于

他们的身心发育和成长，使其能够接受并完成义务教育是其中一个重要方面。

3. 解除羁押、服刑期满的未成年人的复学、升学、就业不受歧视

我国宪法第三十三条规定了，任何公民平等地享有宪法和法律规定的权利，同时必须履行宪法和法律规定的义务。预防未成年人犯罪法第三十六条明确规定，工读学校毕业的未成年人在升学、就业等方面，同普通学校毕业的学生享有同等的权利，任何单位和个人不得歧视。预防未成年人犯罪法第三十九条明确规定，解除收容教养、劳动教养的未成年人，在复学、升学、就业等方面与其他未成年人享有同等权利，任何单位和个人不得歧视。因此，解除羁押、服刑期满的未成年人，在接受教育和劳动就业等方面应当与其他未成年人享有宪法和法律赋予的同等的权利。现实生活中，这一部分未成年人往往容易受到不同形式的歧视。这种状况一方面不利于鼓励未成年犯改过自新、回归社会；另一方面也增加了社会不稳定的因素，增加了社会管理的成本。因此，为了促进未成年犯罪人积极接受教育改造、早日回归社会，应当宽容对待他们，法律上要明确规定上述未成年人在复学、升学、就业等方面与其他未成年人享有同等的权利，任何单位和个人不得歧视。

本款所指“歧视”，是指在复学、升学、就业等方面不公平地看待未成年犯罪人，具体表现在：在心理上排斥、嫌弃、厌恶；在应当并且能够为其安排复学、升学、就业等时，却借故推托、不予安排或拖延安排；在相同的个体条件下，优先录用、录取、接受其他人，甚至优先安排条件较差的其他人；即使勉强接受予以安排的，也给其以不公平的待遇，等等。根据这一规定，对于上述未成年人要求复学的，有关部门和学校应当为他们办理复学手续，依法接纳其复学，不得将其拒之校外。对于符合升学条件的上述未成年人，应当允许其升学，不得为其设置障碍。家庭、学校、社会对上述未成年人都不应另眼看待和歧视他们。尤其是未成年人所在的学校，教

职员工对他们应当一视同仁。同时,还要教育其他学生与其搞好团结,互相帮助,不要孤立他们,让其平等参与到学习和其他活动中来。上述未成年人需要就业的,社会、基层组织和有关部门应当给予他们平等的竞争机会。应当认识到他们的违法行为和犯罪行为毕竟是在未成年时期所为,相信他们是会转变好的,要耐心地帮助他们,使他们成为国家的栋梁之材。正所谓"浪子回头金不换",一定要关怀和爱护羁押或者服刑的未成年人,帮助他们较好地完成教育改造并尽快回归社会,绝不能歧视或者厌弃他们。树立这样一种社会宽容的心态是构建和谐社会的重要标志。

第五十八条　对未成年人犯罪案件,新闻报道、影视节目、公开出版物、网络等不得披露该未成年人的姓名、住所、照片、图像以及可能推断出该未成年人的资料。

【释义】 本条是关于媒体报道未成年人犯罪案件方面的限制性规定。

形形色色的犯罪案件历来是法制报道中不可或缺的重要内容,但对于未成年人犯罪案件究竟应当如何报道呢?未成年人保护法第五十八条规定:"对未成年人犯罪案件,新闻报道、影视节目、公开出版物、网络等不得披露该未成年人的姓名、住所、照片、图像以及可能推断出该未成年人的资料。"

本条是对原未成年人保护法第四十二条第二款的修改。原法第四十二条第二款规定:"对未成年人犯罪案件,在判决前,新闻报道、影视节目、公开出版物不得披露该未成年人的姓名、住所、照片及可能推断出该未成年人的资料。"这次修改主要有两点变化:一是受限制媒体的范围扩大,与网络发展和信息社会相适应的,网络媒体也受到限制;二是受限制内容的范围扩大,不仅是对判决前报道的限制,而且是对未成年人犯罪案件整个过程中所做报道的限制。这样的规定对于未成年人的保护就更加广阔、更有力度,更能适应现代信息社会的发展,更符合对未成年人加强保护的世界潮流。

之所以要作出这样的规定,主要是从保护未成年人的角度出发,考虑到未成年人的思想还很不稳定,心理承受能力比成年人弱,其情绪容易受到外界的影响,如果将其姓名、住所、照片等情况,通过新闻报道、影视节目、公开出版物、网络等方式公开化,被他人所知悉,可能造成其精神上相当大的压力,不利于其接受教育改造和重新做人,相反地,容易产生逆反心理和滋生报复社会的思想。为了维护未成年人的名誉、尊重他们的人格,保护他们的自尊心,有利于他们今后的正常成长,很有必要做出有关新闻报道、影视节目、公开出版物、网络等不得披露该未成年人的姓名、住所、照片、图像以及可以推断出该未成年人的资料的规定。之所以作出这样的规定,从法理上讲,主要基于以下三个依据:

1. 关于未成年人犯罪案件不公开审理的原则

我国刑事诉讼法第一百五十二条第二款规定:"十四岁以上不满十六岁未成年人犯罪的案件,一律不公开审理。十六岁以上不满十八岁未成年人犯罪的案件,一般也不公开审理。"根据相关的司法解释,如果是必须公开审理的案件,应当经过法院院长或者审判庭庭长的批准,并且限制旁听人的范围和旁听人数;少年被告人的成年亲属和教师等人到庭有利于审判工作和教育、感化少年被告人的,经过审判庭长批准,可以准许或者邀请到庭,但不得向外界传播案件审理情况。这也是国际上大多数国家审理未成年人犯罪案件所共同遵循的原则。另外,由于未成年被告人涉世不深,法庭公开审理容易使其胆怯不知所措,从而影响其当庭供述的真实性,采取不公开审理的审判方式,不仅有利于对未成年被告人的心理保护,也有利于未成年人刑事案件合议庭审判工作的顺利进行。从长远来看,遵循不公开审理的原则,对犯罪的未成年人的教育改造和回归社会具有重要的意义。

2. 关于保护未成年人的隐私权

未成年人保护法第三十九条规定了任何组织和个人不得披露未成年人的个人隐私。

1991 年 12 月 29 日全国人大常委会批准通过了《儿童权利公约》。自 1992 年 4 月 2 日起，由联合国大会 1989 年 11 月 20 日通过的《儿童权利公约》开始对我国生效。公约第十二条规定："儿童的隐私、家庭、住宅或通信不受任意或非法干涉，其荣誉和名誉不受非法攻击。""儿童有权享受法律保护，以免受这类干涉或攻击。"

1985 年 11 月 29 日《联合国少年司法最低限度标准规则》(又称《北京规则》)由联合国第 96 次全体会议通过。针对已经触犯法律的少年，《北京规则》要求："应充分注意采取积极措施，这些措施涉及充分调动所有可能的资源，包括家庭、志愿人员及其他社区团体以及学校和其他社区机构，以便促进少年的幸福，减少根据法律进行干预的必要，并在他们触犯法律时对他们加以有效、公平及合乎人道的处理。"《北京规则》第八条规定了要保护未成年人的隐私权。犯罪学方面的研究表明，青少年特别容易背上污名烙印，将少年贴标签看成是"少年犯"或"罪犯"会造成各种不同的有害影响。《北京规则》第八条第一款规定："应在各个阶段尊重少年犯享有隐私的权利，以避免由于不适当的宣传或加以点名而对其造成伤害。"而且，《北京规则》强调了保护未成年人隐私权的一个重要方面，就是要保护少年犯不受由于传播工具公布有关案件的情况(如被指控或定罪的少年犯的姓名)而造成有害影响。《北京规则》在第八条第二款明确规定："原则上不应公布可能会导致使人认出某一少年犯的资料。"

3. 新闻报道等言论自由权的界限

我国宪法第三十五条规定："中华人民共和国公民有言论、出版、集会、结社、游行、示威的自由。"新闻媒体等享有言论自由权，是受我国宪法保护的。同时,宪法为这种言论自由权的行使划定了界限。宪法第三十八条规定:“中华人民共和国公民的人格尊严不受侵犯。禁止用任何方法对公民进行侮辱、诽谤和诬告陷害。”第五十一条规定:“中华人民共和国公民在行使自由和权利的时候,不得损害国家的、社会的、集体的利益和其他公民的合法的自由和权利。”因此,记者、编辑在行使言论自由权利的时候,一定要牢记尊重和保障人权,不得侮辱、诽谤他人,也不得损害国家的、社会的、集体的利益和其他公民的合法的自由和权利。要以法律法规和国家政策为准则,不得侵害公民和法人的名誉权,不得损害公民的人格权、隐私权、肖像权、荣誉权,不得侵害别人的知识产权,不得泄露国家机密。还要注意遵循未成年人保护法的相关限制性规定,报道未成年人犯罪案件的时候不得披露该未成年人的姓名、住所、照片、图像以及可以推断出该未成年人的资料。

对未成年人犯罪的案件,有关新闻报道、影视节目、公开出版物、网络等不得披露该未成年人的姓名、住所、照片、图像及可以推断出该未成年人的资料。在理解和执行这条规定的时候,应当注意,这里所说的“不得披露”的资料,不是指对犯罪案件本身不得披露,而是指对犯罪的未成年人本人的姓名、住所、照片、图像等个人情况不得披露。

在原1992年未成年人保护法出台以后,我国各地方掀起了保护未成年人立法的高潮。例如,1994年6月施行的《安徽省未成年人保护条例》就是这样背景下制定的。该条例第三十三条规定:“对判决前的未成年人犯罪案件和裁决前的违法案件,司法机关、执法机关及新闻报道、影视节目、公开出版物不得披露其姓名、住所、照片以及可能推断出该未成年人的资料。”“对判决后的未成年人犯罪案件和裁决后的违法案件,新闻报道、影视节目、公开出版物在披露案件时应当充分照顾未成年人的心理特点,非经未成年人保护委员会同意,不得披露其姓名、住所、照片以及可能推断出该未成年人的资料。”类似地方立法中的一些规定虽然很详细、具体，但是与这次修改以后的新规定相比，保护的力度不够强，应当及时作出修改。

第五十九条　对未成年人严重不良行为的矫治与犯罪行为的预防，依照预防未成年人犯罪法的规定执行。

【释义】　本条是关于未成年人保护法和预防未成年人犯罪法相衔接方面的规定。

（一）如何处理好两部法的衔接问题

如何处理好未成年人保护法和预防未成年人犯罪法的衔接关系，是这次未成年人保护法修订过程中备受关注的重大问题。一种观点认为，两部未成年人法律各有侧重，应当将其截然分开，尽量避免重复。还有一种观点认为，这次修订应当本着一切从实际出发的精神，凡是涉及未成年人权益的比较突出的问题都应当做出规定，力求能够有针对性地解决一些实际问题。在未成年人保护法审议、修改的过程中，我们逐渐倾向于赞同第二种观点，主要基于以下几点考虑：

第一，制定原未成年人保护法的一大初衷，就是遏制未成年人犯罪率逐年上升的趋势，很多内容是与预防未成年人犯罪法的调整范围有交叉的。现在如果要截然分开，反而需要删掉原法中的许多现在还行之有效的内容，这种做法并不适宜。

第二，未成年人保护法的调整范围本来就是比较广泛的，着眼于预防未成年人犯罪也可以说是对未成年人的一种保护，在这次修订未成年人保护法的时候肯定也要涉及预防未成年人犯罪的内容。

第三，应当充分珍惜并利用好立法资源，在这次修订过程中尽可能解决一些实际问题。像沉迷网络等社会热点问题，如果这部法不及时做出规定，等到下次修改预防未成年人犯罪法的时候再做规定,问题可能就更加严重了。

因此,未成年人保护法第五十九条规定:“对未成年人严重不良行为的矫治与犯罪行为的预防,依照预防未成年人犯罪法的规定执行。”该规定有两层含义:一是说两部法是相辅相成的,预防未成年人犯罪法中已经作出明确规定,“司法保护”一章中没有作出重复规定的,应当依照预防未成年人犯罪法执行;二是说两部法的角度还是有所不同,各有侧重。未成年人保护法侧重全面保护未成年人各项权益,而预防未成年人犯罪法侧重对部分未成年人严重不良行为的矫治与犯罪行为的预防。

(二)立法背景和必要性

最高人民法院有关部门提供的数据显示,从2000年以来,我国未成年人犯罪呈现了明显的上升趋势。从2000年到2004年,全国各级人民法院判决生效的未成年人犯罪人数平均每年上升14.18%。2005年1月至7月,未成年人犯罪率比去年同期上升了23.96%。其中在生效判决中判处5年以上有期徒刑的,比去年同期上升了19.94%。从犯罪人数上看,排在前10位的分别是抢劫、盗窃、故意伤害、强奸、寻衅滋事、聚众斗殴、故意杀人、走私贩卖运输毒品、诈骗、敲诈勒索。我们面临着两个方面的问题:一是要保护作为弱势群体的未成年人的合法权益;一是要遏制日趋严重的未成年人犯罪问题。

未成年人保护法对于治理网吧等社会热点问题作出了规定,主要是防微杜渐、从小处抓起,预防未成年人产生不良行为或者严重不良行为。有关部门、社会组织和未成年人的监护人等应当遵循以预防为主的原则,加强对未成年人的全面保护,绝不能不管不问、放任未成年人的不良行为恶性发展。这也符合预防未成年人犯罪法的精神理念。一旦未成年人出现严重不良行为,就要参照预防未成年人犯罪法予以矫治。否则,一旦未成年人出现更加严重的犯罪行为,如前文所说的抢劫、故意伤害、强奸,还要依照刑法予以刑事处罚。

因此,加强对未成年人权益的保护,同时还得加强对未成年人犯罪的预防与矫治工作。这是一个问题的两个方面,必须“两手抓,两手都要硬”。为了进一步明确两部法的衔接关系,使其能够相辅相成、相得益彰,未成年人保护法明确规定:“对未成年人严重不良行为的矫治与犯罪行为的预防,依照预防未成年人犯罪法的规定执行”。

(三)预防未成年人犯罪法的相关规定

所谓“犯罪行为的预防”,参照预防未成年人犯罪法第二条的规定,是指要立足于教育和保护,从小抓起,对未成年人的不良行为及时进行预防和矫治,预防未成年人走上犯罪道路。那么如何预防未成年人犯罪呢?按照预防未成年人犯罪法的要求,预防未成年人犯罪应当在各级人民政府组织领导下实行综合治理。对未成年人加强预防犯罪的教育,增强未成年人的法制观念,增强未成年人对犯罪的自我防范意识。同时还要对未成年人的不良行为或者严重不良行为及时予以矫治,教育和挽救犯罪的未成年人避免其走上重新犯罪的道路。

所谓“严重不良行为”是指什么?预防未成年人犯罪法第三十四条规定:“本法所称‘严重不良行为’,是指下列严重危害社会,尚不够刑事处罚的违法行为:(一)纠集他人结伙滋事,扰乱治安;(二)携带管制刀具,屡教不改;(三)多次拦截殴打他人或者强行索要他人财物;(四)传播淫秽的读物或者音像制品等;(五)进行淫乱或者色情、卖淫活动;(六)多次偷窃;(七)参与赌博,屡教不改;(八)吸食、注射毒品;(九)其他严重危害社会的行为。”所谓“尚不够刑事处罚”主要包含两方面的内容:一是由于未成年人年龄较小,尚不够刑事责任年龄而无法定罪处罚的情况,如多次偷窃、强行索要他人财物;二是有的虽然已经达到刑事责任年龄,但其行为的危害性尚不到刑事处罚的程度或者不属于刑事处罚的范围，如偷窃、赌博、进行淫乱或者色情、卖淫活动。根据这一条规定，这九种行为均是"严重危害社会，尚不够刑事处罚的违法行为"。根据本条规定，这九种严重不良行为的具体含义分别是指：(1)"纠集他人结伙滋事，扰乱治安"。这是针对结伙滋事的组织者而言的，主要是指纠集三人以上结成团伙在公共场所故意起哄、强要硬夺、无理取闹，扰乱了一方治安的情况。对于一般参加者，或者受胁迫、威胁参加的，不视为本条规定的应当采取本章规定的措施进行矫治的严重不良行为。(2)"携带管制刀具，屡教不改"。这里所称的"管制刀具"是指公安机关明文规定进行管制、禁止随身携带的刀具，如匕首、三棱刀、弹簧刀以及其他相类似的单刃、双刃、三棱尖刀。未成年人携带管制刀具出入学校、公共场所，带来了潜在的不安定因素，对于几经教育劝阻仍然携带的，应当视为"严重不良行为"。这里规定的"屡教不改"，是指经两次以上教育仍然拒绝改正的。(3)"多次拦截殴打他人或者强行索要他人财物"。对于这两种行为，如果未成年人已经年满 16 周岁，并且殴打他人造成了他人伤害的后果，或者使用暴力、胁迫等方法索要财物，应当追究其刑事责任，分别按照伤害罪和抢劫罪论处。这里规定的行为主要是指行为人尚未达到刑事责任年龄或者情节较轻的情况。"多次"是指 3 次以上，"他人"既包括未成年人，也包括成年人。"强行索要"是指采取威胁、恐吓、暴力等手段索取、强拿硬要。(4)"传播淫秽的读物或者音像制品等"。这里所称的"传播"是指通过播放、出租、出借、承运、邮寄等方式致使淫秽的读物或者音像制品等物品流传的行为。这里所称的"淫秽的读物或者音像制品"是指具体描绘性行为或者露骨宣扬色情的淫秽性的书籍、刊物、杂志以及影片、录像带、录音带、图片等物品。(5)"进行淫乱或者色情、卖淫活动"。这里所指的淫乱或者色情、卖淫活动均为主动行为，并不包括被强迫的情况。其主要是指追求腐化堕落的生活方式、从事淫乱活动或者提供有偿色情服务等。(6)"多次偷窃”。这主要是针对未满16周岁未成年人而言的。根据刑法的规定,对于“偷窃公款财物,数额较大或者多次盗窃的”,构成盗窃罪,如果已满16周岁的未成年人“多次偷窃”就应当按刑法规定追究刑事责任。这里规定的“多次”是指3次以上,既包括由于偷窃行为被抓获后再次偷窃的,也包括由于偷窃被抓获后发现其之前已多次偷窃的。(7)“参与赌博、屡教不改”。这里所说的“参与赌博”是指直接参与赌博的场合之中,以金钱或者其他具有价值的物品赌输赢。这里主要是指主动作为的行为,并不包括被强迫参加赌博的情况。本项规定的“屡教不改”是指经过3次以上的教育仍不改正的情况。(8)“吸食、注射毒品”。根据刑法的规定,“毒品”是指鸦片、海洛因、甲基苯丙胺(冰毒)、吗啡、大麻、可卡因以及国家规定管制的其他能够使人形成瘾癖的麻醉药品和精神药品。吸食和注射毒品会严重危害未成年人的身体健康,因此,禁毒历来为政府所关注。对于吸食、注射毒品成瘾的未成年人,由公安机关强制戒毒。(9)“其他严重危害社会的行为”。这是一个概括性规定,主要是指前八项没有包括,而又严重危害社会的行为。

对于这九种严重不良行为,预防未成年人犯罪法规定任何组织和个人都有权及时予以制止;除了刑事处罚外,预防未成年人犯罪法还规定了责令其父母或者其他监护人严加管教、由公安机关予以训诫或者治安处罚、送专门学校、收容教养等矫治措施。预防未成年人犯罪法分别规定了矫治严重不良行为的几种情况:(1)管教。第三十五条规定:“对未成年人实施本法规定的严重不良行为的,应当及时予以制止。对有本法规定严重不良行为的未成年人,其父母或者其他监护人和学校应当相互配合,采取措施严加管教,也可以送工读学校进行矫治和接受教育。对未成年人送工读学校进行矫治和接受教育,应当由其父母或者其他监护人,或者原所在学校提出申请,经教育行政部门批准。”(2)专门学校,即预防未成年人犯罪法规定的工读学校。第三十六条第一款规定：“工读学校对就读的未成年人应当严格管理和教育。工读学校除按照义务教育法的要求，在课程设置上与普通学校相同外，应当加强法制教育的内容，针对未成年人严重不良行为产生的原因以及有严重不良行为的未成年人的心理特点，开展矫治工作。”（3）训诫或者治安处罚。第三十七条规定：“未成年人有本法规定严重不良行为，构成违反治安管理行为的，由公安机关依法予以治安处罚。因不满十四周岁或者情节特别轻微免予处罚的，可以予以训诫。”（4）收容教养。第三十八条规定：“未成年人因不满十六周岁不予刑事处罚的，责令他的父母或者其他监护人严加管教；在必要的时候，也可以由政府依法收容教养。”

第六章 法律责任

第六十条 违反本法规定，侵害未成年人的合法权益，其他法律、法规已规定行政处罚的，从其规定；造成人身财产损失或者其他损害的，依法追究民事责任；构成犯罪的，依法追究刑事责任。

【释义】 本条是关于违反本法的行为所应当承担的行政、民事和刑事三种法律责任的一个综合性的规定。

对于违反本法规定的违法行为，本法并不是全部都规定了具体的法律责任，而是与其他法律相衔接，其他法律、法规规定了法律责任的，就依其规定。这样处理条文显得比较简捷，而且也避免了不必要的重复。作为保障未成年人各方面合法权益的一个综合性的法律，其不可避免地存在与其他相关的法律、法规的关系问题，如义务教育法、民法通则、预防未成年人犯罪法、产品质量法、治安管理处罚法、刑法、刑事诉讼法以及《互联网上网服务营业场所管理条例》《娱乐场所管理条例》等行政法规。如何处理与这些法律、法规的关系是本法面临的一个重要问题。我们在立法中考虑，一方面要注意与这些相关法律的衔接，一些必要的重复性的规定在相关的各方面的权益保障方面一定要有，否则难以保障本法体系的完整性；另一方面，在法律责任一章中，设计了本条这样一个综合性的法律责任的规定，这样避免了一些不必要的重复，也保证了与其他法律的衔接。

本条规定了以下内容：

1\. 违反本法规定，侵害未成年人的合法权益，其他法律、法规已规定行政处罚的，从其规定。

这里涉及的是行政责任中的行政处罚的法律责任。

行政责任包括行政处罚和行政处分，本条主要规定的是行政处罚。行政处罚是国家法律制度的重要组成部分，是行政机关依法进行行政管理、保障法律贯彻实施的重要手段，是行政责任中的一种形式。第八届全国人民代表大会第四次会议审议通过了《中华人民共和国行政处罚法》。这部法律从行政处罚的设定、实施机关、处罚程序等方面对行政处罚进行了规范，从而完善了我国的法律责任制度，对于保障和监督行政机关有效实施行政管理，维护公共利益和社会秩序，保护公民、法人或者其他组织的合法权益具有十分重要的意义。根据行政处罚法的规定，公民、法人或者其他组织违反行政管理秩序的行为，应当给予行政处罚的，依照行政处罚法由法律、法规或者规章规定，并由行政机关依照行政处罚法规定的程序实施。行政处罚的种类有：警告；罚款；没收违法所得、没收非法财物；责令停产停业；暂扣或者吊销许可证、暂扣或者吊销执照；行政拘留。

警告在学理上称申诫罚，有告诫的意思，就是当公民、法人或者其他组织有违反行政管理秩序的行为时，行政机关可以责令其立即改正违法行为，告诫其应当遵守法律、法规的有关规定，不能违法。警告是六种处罚中相对比较轻的一种处罚，所以行政处罚法对其设定权的规定比较宽松：法律、法规、规章都可以设定警告的处罚，并且行政机关适用简易程序即可当场做出处罚决定，不必经过调查、收集证据等一般程序。

吊销执业证书，在学理上称作行为罚，是行政机关剥夺违法行为人已获得的从事某种活动的资格的处罚形式。由于吊销执业证书剥夺了当事人的执业权利，因而是比较严厉的处罚种类。根据行政处罚法的规定，吊销执业证书必须适用一般程序做出处罚决定，在处罚决定作出之前，当事人还享有要求行政机关举行听证的权利。

没收违法所得，是指由行政机关实施的将违法当事人的违法收入收归国有的处罚方式,如海关没收当事人走私所得的钱财就是没收违法所得。罚款是对违反法律、法规,不履行法定义务的当事人的一种经济上的处罚,是指行政机关强制违法者承担一定的金钱给付义务的处罚方式。罚款与没收违法所得的区别是:罚款是对当事人合法财产的剥夺;没收违法所得则是对当事人非法占有的财产的剥夺。罚款与刑罚中罚金的区别是:罚金是刑罚中附加刑的一种,主要适用于牟取非法利益的罪犯;罚款作为行政处罚的一种形式,其适用远远超出非法牟取利益的范围,对许多并无牟利目的的违法者也同样适用罚款。

行政拘留,在学理上称为人身罚,是公安机关对违反治安管理的当事人,在短期内限制其人身自由的处罚形式。行政拘留是行政处罚中最严厉的处罚种类,根据治安管理处罚法的规定,只有县级以上公安机关才具有行政拘留的决定权。行政拘留一般适用于严重违反治安管理的行为人,只有在使用警告和罚款的处罚手段不足以惩治违法者时才适用行政拘留的处罚。对于已满 14 周岁不满 16 周岁的,或者已满 16 周岁不满 18 周岁、初次违反治安管理的未成年人,70 周岁以上的老人,怀孕或正在哺乳自己不满 1 周岁婴儿的妇女,不能适用行政拘留。行政拘留的期限一般为 1 日以上、15 日以下,合并执行的,最长不超过 20 日。

2. 造成人身财产损失或者其他损害的,依法承担民事责任。

这里涉及的是违反本法的民事责任。

民事责任是根据民法的规定,公民或法人在违反自己的民事义务或侵犯他人的民事权利时所应承担的法律后果。构成民事责任的条件包括:(1)损害事实;(2)违法行为;(3)因果关系;(4)主观过错。承担民事责任的形式,在财产关系方面,表现为恢复被违法行为所破坏的财产权利;在人身方面,除恢复人身权利外,还必须赔偿因此而受到的财产损失。我国民法通则所规定承担民事责任的方式有:(1)停止侵害;(2)排除妨害;(3)消除危害;(4)返还财产;(5)恢复原状;(6)修理、重作、更换;(7)赔偿损失;(8)支付违约金;(9)消除影响、恢复名誉;(10)赔礼道歉。

侵权的民事责任是一种重要的民事责任,其是指行为人由于过错侵害他人的财产、人身,依法应承担的民事赔偿责任。侵权民事责任主要是一种财产责任,它以财产赔偿的方式制裁致害人,从而补偿受害人所受到的损失。侵权民事责任的构成要件有:

第一,侵权损害事实。所谓损害,是指由一定的行为或事件给人身或财产造成的不良后果和不良状态,包括一切受法律保护的权利和利益所遭受的不良后果(如财产减损、利润丧失、健康恶化、名誉玷污)和不良状态(如财物被侵占、经营受妨碍、环境被污染、行动受限制)。侵权民事责任以损害事实的存在为要件,没有损害事实的,不承担民事责任。

第二,必须有民事违法行为的存在。加害行为必须是违法的,合法行为不负赔偿责任。违法的加害行为有两种:一种是违法的作为,如殴打他人、污辱诽谤他人,这种积极的违法行为造成他人损害要负赔偿责任是没有无疑义的。另一种是违法的不作为。凡不作为的赔偿责任,必须是法律明文规定当事人有作为的义务,他不尽这种义务,即不作为,因而造成他人损害的,才负赔偿责任。应当指出的是,合法的行为有时也会造成他人损害,但可以不承担赔偿责任,如紧急避险、正当防卫行为,但这些行为不能超过必要的限度,否则也要承担一定的赔偿责任。

第三,侵权行为与损害结果之间有因果关系。正是由于行为人的侵权行为造成受害人的损害。如该损害事实并非该违法行为所造成,则该行为人不能负赔偿责任。

第四,行为人主观上有过错。过错是构成违法行为承担民事责任的基本条件。也就是说,违法行为人对自己的行为在主观上有过错时才承担责任;否则,即使有了损害事实和违法行为,行为人也不承担赔偿责任。所谓主观过错,就是故意和过失。行为人能预见自己行为的后果,但希望这样的结果发生或放任这种结果的发生,称之为故意;行为人对行为的结果应当预见而没有预见到,或者虽然预见到,但又轻信能够避免,称之为过失。故意是行为人的恶意,对社会的危害性也大;而过失违法行为相对社会的危害性要小一些。

致害人对其侵权行为所造成的损害,须承担全部赔偿的责任,即赔偿受害人的所有实际损失,这叫全部赔偿原则。适用全部赔偿原则,尤其应当注意以下三个问题:

第一,不能把刑法上的量刑标准搬到民事责任上来。在刑法上,犯罪行为的性质、社会危害程度、罪过形式和程度以及犯罪分子的个人情况等,都是量刑的重要依据。然而,在民法上损害赔偿范围,完全是根据损害的大小来确定的。违法行为的过错程度、违法行为人的个人情况等,通常对于确定侵权行为人应负赔偿责任范围的大小并无实际意义。因此,若认为故意造成损害或对错误认识不好,就应该全部赔偿甚至多赔偿,反之,就可以少赔偿或不赔偿,这都是错误的。

第二,不能把实际损失只理解为直接损失。全部赔偿,是指赔偿受害人全部的实际损失。民法上所说的实际损失包括直接损失和间接损失两个方面。因此,在确定赔偿范围时,直接损失和间接损失,都不应忽视,特别是间接损失;否则,就不可能使受害人的实际损失得到全部赔偿。

第三,适用全部赔偿原则时,还要从实际情况出发,既要公平合理,又要实事求是,切实可行。侵权损害赔偿的数额,包括当事人的医疗费、生活补助费、误工工资等;造成当事人死亡的,还应承担死者的丧葬费、遗属抚恤金等。

3. 违反本法规定,构成犯罪的,依法追究刑事责任。

对违反未成年人保护法各项规定的行为,除了依法要承担相应的行政责任和民事责任外,对那些已经构成犯罪的行为,还要依据我国刑法的规定追究其刑事责任。关于刑事责任,原未成年人保护法已经作出了规定,修订后的未成年人保护法进一步重申了这一规定,但是没有像原法第五十二条那样对几类犯罪行为做分别列举。这主要是考虑到违反未成年人保护法的行为种类很多,如果采取列举式的规定,难免会列举不全,可能会挂一漏万,影响对犯罪行为的追究,也不能适应将来刑法修订的需要。新的未成年人保护法对刑事责任的规定,采用了概括式的规定,这样从立法技术上比较简捷,内容上也能概括全面,从各方面考虑都是适当的。

刑事责任,又称刑罚,是依据国家刑事法律规定,对实施犯罪行为的行为人所给予的处罚。行政处罚和刑罚的本质区别在于行政处罚是对实施尚未构成犯罪的轻微违法行为的当事人所给予的处罚;而刑罚是对实施犯罪行为的当事人所给予的处罚。所谓犯罪,是指一切危害国家主权、领土完整和安全,分裂国家、颠覆人民民主专政的政权和推翻社会主义制度,破坏社会秩序和经济秩序,侵犯国有资产或者劳动群众集体所有的财产,侵犯公民私人所有的财产,侵犯公民的人身权利、民主权利和其他权利,以及其他危害社会,依照法律应当受刑罚处罚的行为。依照我国刑法的规定,刑罚包括主刑和附加刑两种。主刑有管制、拘役、有期徒刑、无期徒刑和死刑;附加刑有罚金、剥夺政治权利和没收财产。此外,对于犯罪的外国人,可以独立适用或者附加适用驱逐出境。

对违反本法规定的犯罪行为,除了下面十一条中提到的故意伤害、侮辱、虐待、遗弃、非法拘禁、渎职、打击报复等罪名外,这里还应当提到涉及对未成年人人身权益进行侵害的几种罪行,包括拐卖罪、拐骗罪和强奸罪、奸淫幼女罪等。未成年人保护法明确规定:“禁止拐卖、绑架、虐待未成年人,禁止对未成年人实施性侵害。”对违反这一规定的,要依法追究其相应的刑事责任。

(1)拐卖罪

拐卖儿童是指以出卖为目的,有拐骗、绑架、收买、贩卖、接送、中转儿童的行为之一的行为。对此行为，要依刑法的下列规定追究刑事责任：

刑法第二百四十条规定："拐卖妇女、儿童的，处五年以上十年以下有期徒刑，并处罚金；有下列情形之一的，处十年以上有期徒刑或者无期徒刑，并处罚金或者没收财产；情节特别严重的，处死刑，并处没收财产：（一）拐卖妇女、儿童集团的首要分子；（二）拐卖妇女、儿童三人以上的；（三）奸淫被拐卖的妇女的；（四）诱骗、强迫被拐卖的妇女卖淫或者将被拐卖的妇女卖给他人迫使其卖淫的；（五）以出卖为目的，使用暴力、胁迫或者麻醉方法绑架妇女、儿童的；（六）以出卖为目的，偷盗婴幼儿的；（七）造成被拐卖的妇女、儿童或者其亲属重伤、死亡或者其他严重后果的；（八）将妇女、儿童卖往境外的。"

刑法第二百四十一条规定："收买被拐卖的妇女、儿童的，处三年以下有期徒刑、拘役或者管制。收买被拐卖的妇女，强行与其发生性关系的，依照本法第二百三十六条的规定定罪处罚。收买被拐卖的妇女、儿童，非法剥夺、限制其人身自由或者有伤害、侮辱等犯罪行为的，依照本法的有关规定定罪处罚。收买被拐卖的妇女、儿童，并有第二款、第三款规定的犯罪行为的，依照数罪并罚的规定处罚。收买被拐卖的妇女、儿童又出卖的，依照本法第二百四十条的规定定罪处罚。收买被拐卖的妇女、儿童，按照被买妇女的意愿，不阻碍其返回原居住地的，对被买儿童没有虐待行为，不阻碍对其进行解救的，可以不追究刑事责任。"

刑法第二百四十二条规定："以暴力、威胁方法阻碍国家机关工作人员解救被收买的妇女、儿童的，依照本法第二百七十七条的规定定罪处罚。聚众阻碍国家机关工作人员解救被收买的妇女、儿童的首要分子，处五年以下有期徒刑或者拘役；其他参与者使用暴力、威胁方法的，依照前款的规定处罚。"

(2)拐骗罪

刑法第二百六十二条规定:“拐骗不满十四周岁的未成年人,脱离家庭或者监护人的,处五年以下有期徒刑或者拘役。”

(3)强奸罪

刑法第二百三十六条规定:“以暴力、胁迫或者其他手段强奸妇女的,处三年以上十年以下有期徒刑。奸淫不满十四周岁的幼女的,以强奸论,从重处罚。强奸妇女、奸淫幼女,有下列情形之一的,处十年以上有期徒刑、无期徒刑或者死刑:(一)强奸妇女、奸淫幼女情节恶劣的;(二)强奸妇女、奸淫幼女多人的;(三)在公共场所当众强奸妇女的;(四)二人以上轮奸的;(五)致使被害人重伤、死亡或者造成其他严重后果的。”

(4)猥亵罪

刑法第二百三十七条规定:“以暴力、胁迫或者其他方法强制猥亵妇女或者侮辱妇女的,处五年以下有期徒刑或者拘役。聚众或者在公共场所当众犯前款罪的,处五年以上有期徒刑。猥亵儿童的,依照前两款的规定从重处罚。”

这里要特别强调的是,国家对未成年人实行特殊保护,在追究刑事责任方面,主要体现在:一是教唆未成年人犯罪的,应当从重处罚;二是如果未成年人本身犯罪的,要依法从轻、减轻刑事处罚。刑法第十七条规定:“已满十六周岁的人犯罪,应当负刑事责任。已满十四周岁不满十六周岁的人,犯故意杀人、故意伤害致人重伤或者死亡、强奸、抢劫、贩卖毒品、放火、爆炸、投毒罪的,应当负刑事责任。已满十四周岁不满十八周岁的人犯罪,应当从轻或者减轻处罚。因不满十六周岁不予刑事处罚的,责令他的家长或者监护人加以管教;在必要的时候,也可以由政府收容教养。”

第六十一条　国家机关及其工作人员不依法履行保护未成年人合法权益的责任,或者侵害未成年人合法权益,或者对提出申

诉、控告、检举的人进行打击报复的，由其所在单位或者上级机关责令改正，对直接负责的主管人员和其他直接责任人员依法给予行政处分。

【释义】 本条是关于国家机关及其工作人员违反本法的法律责任的规定。

考虑到国家机关、国家工作人员在保障未成年人合法权益方面承担的重要职责，有必要对其违反本法规定的行为（作为和不作为）所应承担的法律责任作出更加明确的规定。这些规定针对的责任主体是国家工作人员。根据刑法第九十三条的规定，国家工作人员是指国家机关从事公务的人员。国有公司、企业、事业单位、人民团体中从事公务的人员和国家机关、国有公司、企业、事业单位委派到非国有公司、企业、事业单位、社会团体从事公务的人员，以及其他依照法律从事公务的人员，以国家工作人员论。

本条所指的国家机关及其工作人员，既包括专门从事未成年人保护工作的机关及其工作人员，也包括其他对未成年人保护工作负有法定职责的机关及其人员，如教育部门、劳动部门、卫生部门、公安部门、民政部门、司法部门、人民法院、人民检察院等机关及其工作人员。此外，共青团、妇联、工会等人民团体的工作人员也属于这里所指的“国家工作人员”。

未成年人保护法明确规定：中央和地方各级国家机关应当在各自的职责范围内做好未成年人保护工作；共产主义青年团、妇女联合会、工会、青年联合会、学生联合会、少年先锋队及其他有关的社会团体，协助各级人民政府做好未成年人保护工作，维护未成年人的合法权益。这些规定明确了各级国家机关及有关的人民团体、社会团体在做好未成年人保护工作方面的职责，如果没有履行好这一职责，就要依法承担相应的法律责任。

（一）国家机关及其工作人员侵犯未成年人权益的违法行为

国家机关及其工作人员侵犯未成年人权益的违法行为包括：

1. 对侵害未成年人权益的申诉、控告、检举，推诿、拖延、压制不予查处，或者对提出申诉、控告、检举的人进行打击报复的。

2. 国家机关及其工作人员未依法履行职责，对侵害未成年人权益的行为未及时制止，造成严重后果的。国家机关及其工作人员依法承担维护未成年人权益的职责，对侵害未成年人权益的行为应当及时制止。否则，就是渎职的违法行为。

3. 侵害未成年人合法权益的。未成年人保护法第三条规定："未成年人享有生存权、发展权、受保护权、参与权等权利，国家根据未成年人身心发展特点给予特殊、优先保护，保障未成年人的合法权益不受侵犯。""未成年人享有受教育权，国家、社会、学校和家庭尊重和保障未成年人的受教育权。""未成年人不分性别、民族、种族、家庭财产状况、宗教信仰等，依法平等地享有权利。"对于国家机关及其工作人员侵犯未成年人合法权益的，要依法追究法律责任。

对于上述违法行为，要由行为人所在单位、主管部门或者上级机关责令改正，直接负责的主管人员和其他直接责任人员属于国家工作人员的，由其所在单位或者上级机关依法给予行政处分；情节严重构成犯罪的，要依法追究行为人的刑事责任。

（二）关于行政处分的法律责任

行政处分是行政机关内部，上级对有隶属关系的下级违反纪律的行为或者是对尚未构成犯罪的轻微违法行为所给予的纪律制裁。在公务员法颁布之前，其法律依据主要有三个：第一个是 1957 年国务院颁布的《关于行政机关工作人员的奖惩暂行条例》，该条例对奖惩的目的、条件、种类及其适用程序，都作了比较详细的规定；同时规定，事业单位也参照执行。第二个是 1988 年国务院颁布的《国家行政机关工作人员贪污贿赂行政处分暂行规定》。该规定着重对贪污贿赂行为的行政处分作了比较全面和具体的规定，实际上是对 1957 年奖惩暂行条例部分内容的修改和补充。第三个是《国家公务员暂行条例》。由于三十多年来各种情况的发展变化,1957年的奖惩暂行条例已不适应当前工作的需要。1993年8月14日,国务院颁布了《国家公务员暂行条例》,该条例对行政处分的种类和适用作了规定。2005年4月全国人大常委会通过了公务员法,对行政处分的适用情节、种类及程序作出了更加明确的规定,是对公务员实施行政处分的主要法律依据。

根据公务员法的规定,行政处分的种类有六种,从经到重依次为警告、记过、记大过、降级、撤职、开除。

1. 警告,有提醒注意、不致再犯的意思,属于申诫处分。它可以是口头的,也可以是书面的,由处分机关选择适用。警告一般适用于轻微的行政违法行为,是行政处分中最轻的一种。根据公务员法的规定,公务员受警告处分期间,可以晋升工资档次,但不得晋升职务和级别。

2. 记过、记大过。这是两种程度有所区别的行政处分。一般来说,记过、记大过适用于公务员的行为违反了法律、法规的规定,给国家和人民造成了一定的损失,给予警告处分过轻、给予降级处分过重的情况。

3. 降级。作为一种行政处分,降级的含义是降低公务员的职务级别。根据公务员法的规定,公务员的职务分为领导职务和非领导职务:领导职务包括国家级正职、国家级副职、省部级正职、省部级副职、省级副职、厅(局)级正职、厅(局)级副职、县处级正职、县处级副职、乡科级正职、乡科级副职;非领导职务包括巡视员、副巡视员、调研员、副调研员、主任科员、副主任科员、科员、办事员。给予降职的行政处分就是由原来的职务级别往下降,如由局级降为处级、由处级降为科级;同时,对公务员工资中的级别工资也要予以相应地降低。公务员实行职级工资制,工资主要由职务工资、级别工资、基础工资和工龄工资构成。降级也要降低工资中的级别工资。受降级处分期间,不得晋升职务和级别,也不得晋升工资档次。

4. 撤职。公务员的行政违法行为给国家和人民利益造成重大损失,不适合继续担任原职务的,可以给予撤职处分。受撤职处分的,同时降低级别和职务工资。受撤职处分期间,不得晋升工资和级别,并不能晋升工资档次。

5. 开除。开除是指受处分人不适合继续在国家机关工作,国家机关取消其公务员资格令其离开的处分形式。开除是最严厉的一种处分,适用于公务员犯有违法行为,给国家和人民造成了极其严重的损失,丧失了公务员的资格的情况。开除的行政处分不能解除。根据公务员法的规定,公务员受开除以外的行政处分,在受处分期间有悔改表现,并且没有再发生违纪行为的,处分期满后由原处分决定机关解除行政处分。但是,解除降级、撤职处分不视为恢复原级别、原职务。解除行政处分后,晋升职务、级别和工资档次不再受行政处分的影响。行政处分决定和解除行政处分的决定应当以书面形式通知本人。

此外,对于国家工作人员违反本法的违法行为,如果情节严重,构成犯罪的,要依法追究当事人的刑事责任。这里主要涉及报复陷害罪和渎职罪等罪名。这里要说明的是,本条虽然没有规定有关刑事责任的内容,但在本章的第一条,即第六十条明确规定了违反本法的行为构成犯罪的,依法追究刑事责任。这是一条综合性的刑事责任条款,概括了所有违反本法的刑事责任,包括国家工作人员违反本法的刑事责任。其具体是:

1. 报复陷害罪:国家机关工作人员滥用职权、假公济私,对提出申诉、控告、检举的人进行报复陷害的,依据刑法第二百五十四条的规定,要对行为人处2年以下有期徒刑或者拘役;情节严重的,处2年以上7年以下有期徒刑。

2. 渎职罪:国家机关工作人员滥用职权或者玩忽职守,不履行或者不正确地履行职责,不履行或者不正确地履行维护未成年人合法权益的职责，致使未成年人权益受到严重损害的，要依据刑法第三百九十条第一款的规定，对行为人处3年以下有期徒刑或者拘役；情节特别严重的，处3年以上7年以下有期徒刑。

第六十二条 父母或者其他监护人不依法履行监护职责，或者侵害未成年人合法权益的，由其所在单位或者居民委员会、村民委员会予以劝诫、制止；构成违反治安管理行为的，由公安机关依法给予行政处罚。

【释义】 本条是关于父母或者其他监护人违反本法的法律责任的规定。

（一）父母或者其他监护人的违法行为

父母或者其他监护人对未成年人在家庭保护方面承担了十分重要的责任和义务。父母是孩子的第一任老师，父母的行为对孩子有着言传身教的作用，如果父母不能以良好的品行影响孩子，不能以正确的方法教育孩子，不能给孩子提供良好的家庭环境，不尊重孩子的受教育权，会对孩子的健康成长造成不利影响。所以修订后的未成年人保护法在正面规定父母或者其他监护人的法定义务的同时，又在法律责任一章中专门规定了相应的法律责任，以督促父母或者其他监护人履行好自己的责任和义务。

根据未成年人保护法的规定，父母或者其他监护人应当依法履行对未成年人的监护职责和抚养义务；不得虐待、遗弃未成年人；不得歧视女性未成年人或者有残疾的未成年人；禁止溺婴、弃婴和其他残害婴儿的行为；禁止对未成年人实施家庭暴力。父母或者其他监护人应当尊重未成年人的受教育权，必须使适龄未成年人依法入学接受并完成义务教育，不得使接受义务教育的未成年人辍学。父母或者其他监护人不依法履行监护职责，或者侵害未成年人合法权益的，要依法承担相应的法律责任。这里所涉及的违法行为，既包括不作为的违法行为，也包括作为的违法行为。

第一,不作为的违法行为,是指父母或者其他监护人不履行法定的监护职责的行为。民法通则第十六条第一款规定,未成年人的父母是未成年人的监护人。同时民法通则第十八条第一款明确规定了监护人的基本职责是“保护被监护人的人身、财产及其他合法权益,除为监护人的利益外,不得处理被监护人的财产”。根据这一规定,父母对未成年子女的监护职责主要是人身保护和财产保护。人身保护主要包括:照顾未成年子女的生活,保护其身体健康;保护未成年子女的人身安全不受侵害,为其提供适合其成长的健康环境等。对未成年子女的财产保护主要是指为未成年子女的利益管理和保护其财产权益,除为未成年子女的利益外,不得处理属于该未成年子女的财产。父母对未成年子女的监护权还包括代理未成年子女进行民事活动。根据民法通则的规定,未成年人是不具有完全行为能力的人,未成年人只可以独立进行与其年龄、智力相适应的民事活动,其他活动应当由其父母进行代理,或者经父母同意后进行。当未成年子女的权益受到侵害时,作为法定监护人的父母有权以代理人身份提起诉讼,维护未成年子女的合法权益。如果父母或者其他监护人不履行法定的监护职责,就要依法承担相应的法律责任。

第二,主动作为的违法行为,是指父母或者其他监护人侵害未成年人人身权、财产权和其他合法权益的违法行为,如对未成年人实施家庭暴力,进行虐待、遗弃、非法拘禁或者进行性侵害。对父母或者其他监护人实施侵害未成年人合法权益的违法行为,要依法追究相应的法律责任,包括行政处罚和刑事责任。

(二)父母或者其他监护人违反本法的法律责任

对于父母或者其他监护人不依法履行监护职责,或者侵害未成年人合法权益的,要由其所在单位或者居民委员、村民委员会予以劝诫、制止;构成违反治安管理行为的,由公安机关依法予以行政处罚。其中,由其所在单位或者居民委员、村民委员会予以劝诫、制止，并不是一种法律责任，而是一种对违法行为及时予以制止、对受害的未成年人及时予以救助的措施，不属于行政责任、民事责任，更不是一种刑事责任。

1. 父母或者其他监护人不依法履行监护职责，或者侵害未成年人合法权益的违法行为，只有构成违反治安行为的，才能由公安机关予以行政处罚；如果没有构成违反治安管理行为的，是不能予以处罚的，只能由其所在单位或者居民委员、村民委员会予以劝诫、制止。

2. 父母或者其他监护人不依法履行监护职责，或者侵害未成年人合法权益，构成违反治安管理行为的，要由公安机关依法予以行政处罚。这里包括：

(1)对未成年人进行虐待，实施家庭暴力。家庭暴力是对公民人身权利和基本尊严的侵犯，它严重损害受害者的身心健康，破坏家庭和睦，影响社会安定。妇女和儿童作为社会和家庭中的弱势群体，成为了家庭暴力行为的主要受害者。我国在 2001 年修改婚姻法时，增加了针对家庭暴力问题的专门条款。以此为基础，各地方陆续出台了一些地方性法规，对预防和制止家庭暴力问题做出专门性的规定。这些规定，对预防和制止家庭暴力行为起到了积极作用。此次新的未成年人保护法又明确规定“禁止对未成年人实施家庭暴力”。

治安管理处罚法中没有出现“家庭暴力”的表述，但其规定的一些侵犯公民人身权利的行为中同样包含了家庭暴力的内容，具体包括：虐待家庭成员，被虐待人要求处理的，由公安机关处 5 日以下拘留或者警告。

(2)遗弃未成年人的。未成年人没有独立生活能力，如果父母或者其他监护人不履行抚养义务，遗弃未成年子女，要由公安机关依据治安管理处罚法第四十五条的规定，处 5 日以下拘留或者警告。

此外，对于父母或者其他监护人不依法履行监护职责，或者侵害未成年人合法权益的违法行为，除了依法予以行政处罚外，如果情节严重构成犯罪的，还要依法追究行为人的刑事责任。

涉及罪名具体有：

1. 虐待罪：虐待罪是指对未成年人实施家庭暴力，情节严重，构成犯罪的行为。根据刑法第二百六十条的规定，虐待家庭成员的，情节恶劣的，处 2 年以下有期徒刑、拘役或者管制，致使被害人重伤、死亡的，处 2 年以上 7 年以下有期徒刑。所谓“致人重伤”，是指依照刑法第九十五条的规定，是指有下列情形之一的伤害：①使人肢体残废或者毁人容貌的；②使人丧失听觉、视觉或者其他器官机能的；③其他对于人身健康有重大伤害的。“其他对于人身健康有重大伤害的”，主要是指能够引起威胁生命的并发症，以及其他严重影响人体健康的损伤，主要包括颅脑损伤、颈部损伤、胸部损伤、腹部损伤、骨盆部损伤以及烧伤、烫伤、冻伤、电击伤、物理、化学或者生物等致伤因素引起的损伤。

对于犯虐待罪，如果没有造成被害人重伤、死亡的严重后果，是遵循不告不理的原则，即告诉才处理。这是因为对这类犯罪行为的刑事追究往往涉及被害人的利益，所以法律允许被害人权衡利弊，做出是否提起刑事诉讼的决定。如果被害人受强制或者威吓而无法告诉的，人民检察院和被害人的近亲属也可以告诉。但对于造成被害人重伤、死亡的严重后果的虐待行为，则要由司法机关主动依法对行为人追究刑事责任，不受被害人是否告诉的限制。

2. 遗弃罪：遗弃罪是指对于年老、年幼、患病或者其他没有独立生活能力的人，负有抚养义务而拒绝抚养，情节恶劣的行为。如果父母或者其他监护人对于未成年人实施遗弃行为，情节严重构成犯罪的，要处 5 年以下有期徒刑或者拘役。

3. 非法拘禁罪：非法拘禁罪是指非法拘禁他人或者以其他方

法剥夺他人人身自由的犯罪行为。刑法第二百三十八条规定："非法拘禁他人或者以其他方法剥夺他人人身自由的,处三年以下有期徒刑、拘役、管制或者剥夺政治权利。具有殴打、侮辱情节的,从重处罚。犯前款罪,致人重伤的,处三年以上十年以下有期徒刑;致人死亡的,处十年以上有期徒刑。使用暴力致人伤残、死亡的,依照本法第二百三十四条、第二百三十二条的规定定罪处罚。""国家机关工作人员利用职权犯前两款罪的,依照前两款的规定从重处罚。"如果父母或者其他监护人对未成年子女实施非法拘禁,构成犯罪的,要依据非法拘禁罪追究刑事责任。

除了上述行为外,对于父母或者其他监护人侵犯未成年人合法权益的其他行为构成犯罪的,也要依法追究刑事责任。

第六十三条　学校、幼儿园、托儿所侵害未成年人合法权益的,由教育行政部门或者其他有关部门责令改正;情节严重的,对直接负责的主管人员和其他直接责任人员依法给予处分。

学校、幼儿园、托儿所教职员工对未成年人实施体罚、变相体罚或者其他侮辱人格行为的,由其所在单位或者上级机关责令改正;情节严重的,依法给予处分。

【释义】　本条是关于学校、托幼机构及其教职员工违反本法的行为所应承担的法律责任的规定。

学校、幼儿园、托儿所的教职员工,是人类灵魂的工程师,负担着培养祖国下一代的神圣职责。应当说,我国的教师队伍总体是好的,他们忠实地履行着自己的职责,任劳任怨,为祖国的教育事业无私地奉献着自己的青春和汗水。但是我们也应当看到,当前社会上确有极少数教师不能够做到为人师表,不仅对教学工作不认真,而且打骂体罚学生,甚至有个别无良教师强奸、猥亵女学生,严重侵害了未成年学生的合法权益,造成极坏的社会影响,亵渎了人民教师的光荣称号。因此,对学校、幼儿园、托儿所及其教职员工侵犯未成年人合法权益的违法行为必须要依法追究其法律责任。

（一）学校、幼儿园、托儿所及其教职员工的违法行为

其包括下列内容：

1. 学校、幼儿园、托儿所的违法行为

学校、幼儿园、托儿所是教育、保育未成年人的专门机构，是教书育人的场所，承担着保障未成年人合法权益的职责。未成年人保护法在第三章“学校保护”中专门规定了学校、幼儿园、托儿所对未成年人保护的职责，如教育未成年人、关心爱护未成年人，保障他们的安全。一旦学校、幼儿园、托儿所违反这些规定，侵犯了未成年人的合法权益，要对直接负责的主管人员和其他直接责任人员，依法追究法律责任。例如，明知校舍或者教育教学设施有危险而不采取措施，造成未成年人伤亡的；或者拒绝接收具有接受普通教育能力的残疾适龄儿童、少年随班就读的；义务教育学校分设重点班和非重点班的，违法开除学生的；学校违反国家规定向学生收取费用的，以及学校以向学生推销或者变相推销商品、服务等方式谋取利益的，等等。

2. 学校、幼儿园、托儿所教职员工的违法行为

学校、幼儿园、托儿所的教职员工是人类灵魂的工程师，承担着教书育人的神圣职责。他们应当为人师表，关心爱护学生，尊重未成年人的人格尊严，不得对未成年人实施体罚、变相体罚或者其他侮辱人格尊严的行为，否则要依法承担相应的法律责任。

上述违法行为所涉及的法律责任，包括了行政责任、民事责任和刑事责任三种。

（二）有关行政责任

学校、幼儿园、托儿所侵害未成年人合法权益的，由教育行政部门或者其他有关部门责令改正；情节严重的，依法对直接负责的主管人员和其他直接责任人员给予处分。学校、幼儿园、托儿所教

职员工对未成年人实施体罚、变相体罚或者其他侮辱人格行为的，由其所在单位或者上级机关责令改正；情节较重的，依法给予处分。这就明确了学校、幼儿园、托儿所及其教职员侵犯未成年人合法权益的行政责任。

这里要指出的是：第一，责令改正并不是一种行政处罚，因为1996年10月1日起施行的行政处罚法在关于行政处罚的种类的规定中，只规定了警告、罚款、没收违法所得、没收非法财物、责令停产停业、暂扣或者吊销许可证、暂扣或者吊销执照、行政拘留这六种行政处罚的种类，并没有将“责令改正”也列入行政处罚的种类当中。在制定行政处罚法的过程当中，关于“责令改正”是有如下考虑的：我国现行的法律、法规中，在行政处罚的手段上都有责令改正违法行为或者责令限期消除违法行为的规定。考虑到对任何一种违法行为均应当予以改正，责令改正不应当是一种处罚，而是实施每一种行政处罚的一个前置条件、一个必经过程，即实施每一种行政处罚之前，都应当首先责令当事人改正违法行为，消除违法行为后果，然后才是实施行政处罚。因为实施行政处罚的目的绝不是为罚而罚，而是为了维护公共利益和社会秩序，保护公民、法人或者其他组织的合法权益，纠正违法行为，教育公民、法人自觉守法。为此，行政处罚法第二十三条明确规定：“行政机关实施行政处罚，应当责令当事人改正或者限期改正违法行为。”

第二，这里的“处分”，既包含行政处分，也包含其他纪律处分。被处分的对象，如属于国家公职人员，则为行政处分；如果不属于国家公职人员，则为其他纪律处分。

第三，关于“教育行政部门或者其他有关部门”中的“其他有关部门”。目前托儿所、幼儿园绝大部分是由教育部门主管的，但也有一小部分托儿所、幼儿园是由其他一些部门举办并主管的，如一些街道办事处举办的托儿所、幼儿园由街道办事处主管。因此，这里的“其他有关部门”是指除教育部门之外的，其他主管自己所举办的托幼机构的部门。

第四，一些学校教师在对学生进行管理的过程中，有时出于“恨铁不成钢”的想法，对学生采取了不适当的管教措施，如打骂学生。对此尽管教师的出发点是好的，是为学生好，为他们负责，但是由于其客观上实施了打骂学生的违法行为，也要依法追究其法律责任，只是在执法时，要考虑其主观上没有恶意，予以适当减轻或者从轻处理。

（三）有关民事责任

学校、幼儿园、托儿所及其教职员工侵害未成年人合法权益，给未成年人造成财产损失或者其他损害的，依法承担民事赔偿责任。

（四）有关刑事责任

学校、幼儿园、托儿所及其教职员工侵害未成年人合法权益的，如以殴打、非法拘禁方式对学生实施体罚，以及以各种方式侮辱学生，造成严重后果，构成犯罪的，对此要依法追究刑事责任。涉及罪名主要有：

1. 故意伤害罪。刑法第二百三十四条规定：“故意伤害他人身体的，处三年以下有期徒刑、拘役或者管制。犯前款罪，致人重伤的，处三年以上十年以下有期徒刑；致人死亡或者以特别残忍手段致人重伤造成严重残疾的，处十年以上有期徒刑、无期徒刑或者死刑。本法另有规定的，依照规定”。致人重伤，是指依照刑法第九十五条的规定，是指有下列情形之一的伤害：“（一）使人肢体残废或者毁人容貌的；（二）使人丧失听觉、视觉或者其他器官机能的；（三）其他对于人身健康有重大伤害的”。“其他对于人身健康有重大伤害的”，主要是指能够引起威胁生命的并发症，以及其他严重影响人体健康的损伤，主要包括颅脑损伤、颈部损伤、胸部损伤、腹部损伤、骨盆部损伤以及烧伤、烫伤、冻伤、电击伤、物理、化学或者生物等致伤因素引起的损伤。

2. 非法拘禁罪。第二百三十八条规定:“非法拘禁他人或者以其他方法剥夺他人人身自由的,处三年以下有期徒刑、拘役、管制或者剥夺政治权利。具有殴打、侮辱情节的,从重处罚。犯前款罪,致人重伤的,处三年以上十年以下有期徒刑;致人死亡的,处十年以上有期徒刑。使用暴力致人伤残、死亡的,依照本法第二百三十四条、第二百三十二条的规定定罪处罚。”“国家机关工作人员利用职权犯前两款罪的,依照前两款的规定从重处罚。”

3. 侮辱罪。刑法第二百四十六条规定:“以暴力或者其他方法公然侮辱他人或者捏造事实诽谤他人,情节严重的,处三年以下有期徒刑、拘役、管制或者剥夺政治权利。前款罪,告诉的才处理。但是严重危害社会秩序和国家利益的除外。”所谓“情节严重”,是指侮辱、诽谤他人手段恶劣、后果严重或者影响很坏等情况,一般是指以暴力的方式对他人进行污辱、诽谤。但这里的暴力,其目的不是为损害他人的身体健康,如果在实施侮辱的过程中造成他人死亡或者伤害后果的,即构成杀人罪或者故意伤害罪,不构成污辱、诽谤罪。这里应当指出的是,对于侮辱罪,只有被污辱人亲自向人民法院控告的,人民法院才能受理;被侮辱人不控告的,司法机关不能主动受理,追究侮辱人的刑事责任。但也有例外:一是根据刑法第九十八条的规定,如果被害人受强制或者威吓而无法告诉的,人民检察院和被害人的近亲属也可以告诉;二是依照刑法第二百四十六条第二款的规定,严重危害社会秩序和国家利益的除外。这里所说的“严重危害社会秩序和国家利益”,主要是指侮辱行为造成被害人精神失常或者自杀的,可由人民检察院提起公诉。

除了上述三类犯罪行为外,对于学校、幼儿园、托儿所教职员工侵害未成年人合法权益的其他违法行为,构成犯罪的,也要依法追究刑事责任。

第六十四条　制作或者向未成年人出售、出租或者以其他方

式传播淫秽、暴力、凶杀、恐怖、赌博等图书、报刊、音像制品、电子出版物以及网络信息等的，由主管部门责令改正，依法给予行政处罚。

【释义】 本条是关于制作或者向未成年人传播非法出版物所应承担的法律责任的规定。

图书、报刊、音像制品是孩子们的精神食粮，要保护未成年人健康成长，就必须为他们提供好的、健康的精神食粮，这不仅是文化、出版部门的重要职责，也是整个社会公众的义务。为了加强对未成年人的社会保护，原未成年人保护法已经规定了向未成年人出售、出租或者以其他方式传播非法出版物的法律责任。在此基础上，新的未成年人保护法又根据当前社会经济的发展，增加规定了电子出版物、网络信息等内容，扩大了出版物的范围，从而更好地适应了实践中的执法需要，进一步强化了对这类违法行为的法律责任。

关心和保护未成年人健康成长，不仅是教育部门和学校的职责，而且是全社会的责任和义务，要形成全社会关心未成年人健康成长的舆论和风气，创造良好的社会教育环境，保护未成年人健康成长。新闻出版、广播影视、文化、教育、科技等部门，要为广大未成年人提供更多更好的精神食粮，鼓励作家、艺术家、科学家和文艺单位为未成年人创作教育性强、格调高尚、有益于他们健康成长的作品。同时，要对文化市场加强管理，严禁任何组织、个人制作或者向未成年人出售、出租或者以其他方式传播淫秽、暴力、凶杀、恐怖、赌博等图书、报刊、音像制品、电子出版物以及网络信息等，并对违法者追究相应的法律责任。

（一）有关行政处罚的法律责任

本条主要涉及以下行政责任：

1. 预防未成年人犯罪法规定："出版含有诱发未成年人违法犯罪以及渲染暴力、色情、赌博、恐怖活动等危害未成年人身心健康内容的出版物的，由出版行政部门没收出版物和违法所得，并处违法所得三倍以上十倍以下罚款；情节严重的，没收出版物和违法所得，并责令停业整顿或者吊销许可证。对直接负责的主管人员和其他直接责任人员处以罚款。制作、复制宣扬淫秽内容的未成年人出版物，或者向未成年人出售、出租、传播宣扬淫秽内容的出版物的，依法予以治安处罚；构成犯罪的，依法追究刑事责任。"

2. 治安管理处罚法第六十八条规定："制作、运输、复制、出售、出租淫秽的书刊、图片、影片、音像制品等淫秽物品或者利用计算机信息网络、电话以及其他通讯工具传播淫秽信息的，处十日以上十五日以下拘留，可以并处三千元以下罚款；情节较轻的，处五日以下拘留或者五百元以下罚款。"所谓淫秽物品，是指具体描绘性行为或者露骨宣扬色情的淫秽性的书刊、影片、录像带、录音带、图片及其他淫秽物品。但有关人体生理、医学知识的科学著作不是淫秽物品，包含有色情内容的有艺术价值的文学、艺术作品也不视为淫秽物品。

上述规定，主要涉及没收违法所得和罚款两个种类的行政处罚。没收违法所得和罚款在学理上称作财产罚，所谓财产罚是指使被处罚的当事人的财产权利和利益受到损害的行政处罚，主要是对当事人的财产权予以剥夺，并不影响违法者的人身自由和进行其他活动的权利。财产罚的形式主要表现为没收其不合法占有的财物和金钱，或使其缴纳一定数额的金钱，即没收违法所得、没收非法财物和罚款。财产罚主要适用于以下三种情况：(1)有经济收入的公民或有固定资产的法人或者组织所实施的违法行为；(2)在从事以营利为目的的经营活动中所实施的违法行为；(3)行为人实施违法行为所造成的危害后果，可以通过剥夺其财产予以补偿，对这种违法行为可适用财产罚。财产罚必须以制裁违法行为为目的依法适用，不能滥用和乱用，否则必然会产生种种弊端。

罚款这种处罚种类由于既不影响被处罚人的人身自由及其合法的活动，又能起到对违法行为的惩戒作用，因此成为行政处罚中应用最广泛的一种，在治安管理处罚、工商行政管理处罚、环境保护管理处罚、财产金融管理处罚等许多方面都有罚款的规定。为了更好地规范罚款这一处罚种类，有效地制止乱罚款、滥罚款，行政处罚法从设定权、处罚主体、决定程序、执行程序等方面对罚款进行了规定，特别是规定了罚收分离制度，即做出罚款决定的行政机关应当与收缴罚款的机构分离，除了当场收缴的罚款外，做出行政处罚决定的行政机关及其执法人员不得自行收缴罚款。当事人应当自收到行政处罚决定书之日起 15 日内，到指定的银行缴纳罚款。罚收分离制度的确立，杜绝了行政机关以罚款搞创收的不正之风，确保罚款能及时、全额上缴国库，促进了行政机关的廉政建设，保护了当事人的合法权益，是行政处罚中的一大举措。

还要说明的一点是，这里规定的行政处罚的执法主体包括：一是新闻出版部门，其负责对出版含有诱发未成年人违法犯罪以及渲染暴力、色情、赌博、恐怖活动等危害未成年人身心健康内容的出版物的违法行为进行处罚；二是公安部门，其负责对制作、复制宣扬淫秽内容的未成年人出版物，或者向未成年人出售、出租、传播宣扬淫秽内容的出版物的违法行为进行处罚。

（二）有关刑事责任

我国刑法对制作、贩卖、传播淫秽物品罪作出了明确规定：

1. 第三百六十三条规定："以牟利为目的，制作、复制、出版、贩卖、传播淫秽物品的，处三年以下有期徒刑、拘役或者管制，并处罚金；情节严重的，处三年以上十年以下有期徒刑，并处罚金；情节特别严重的，处十年以上有期徒刑或者无期徒刑，并处罚金或者没收财产。为他人提供书号，出版淫秽书刊的，处三年以下有期徒刑、拘役或者管制，并处或者单处罚金；明知他人用于出版淫秽书刊而提供书号的，依照前款的规定处罚。"

2. 第三百六十四条规定："传播淫秽的书刊、影片、音像、图片或者其他淫秽物品，情节严重的，处二年以下有期徒刑、拘役或者管制。组织播放淫秽的电影、录像等音像制品的，处三年以下有期徒刑、拘役或者管制，并处罚金；情节严重的，处三年以上十年以下有期徒刑，并处罚金。制作、复制淫秽的电影、录像等音像制品组织播放的，依照第二款的规定从重处罚。向不满十八周岁的未成年人传播淫秽物品的，从重处罚。"

对于制作或者向未成年人出售、出租或者以其他方式传播淫秽、暴力、凶杀、恐怖、赌博等图书、报刊、音像制品、电子出版物以及网络信息等的违法行为，构成犯罪的，要依据刑法上述两条的规定追究刑事责任。

第六十五条　生产、销售用于未成年人的食品、药品、玩具、用具和游乐设施不符合国家标准或者行业标准，或者没有在显著位置标明注意事项的，由主管部门责令改正，依法给予行政处罚。

【释义】　本条是关于生产、销售用于未成年人产品的法律责任的规定。

未成年人由于年龄小，没有自我保护能力或者自我保护能力不足，因而用于未成年人的食品、药品、玩具、用具和游乐设施必须确保安全，符合国家标准或者行业标准，不得有害于未成年人的安全和健康。这也是社会保护中的一个重要内容。当前市场上的一些儿童产品在产品质量方面出现了一些问题。例如，果冻的体积过小，给儿童吸食造成潜在的危害；还有一些儿童玩具上的附着物缝制不牢固，造成孩子误吞等。这些问题的存在需要从法律制度上予以回应，予以解决。为此，本法明确规定：生产、销售用于未成年人的食品、药品、玩具、用具和游乐设施等，应当符合国家标准或者行业标准，不得有害于未成年人的安全和健康；需要标明注意事项的，应当在显著位置标明。作为企业单位，应当自觉履行保护未成年人的社会责任，因为未成年人保护法明确规定，保护未成年人是国家机关、武装力量、政党、社会团体、企业事业组织、城乡基层群众性自治组织、未成年人的监护人和其他成年公民的共同责任。作为企业单位应当遵守上述规定，否则就要依法承担相应的法律责任，包括行政责任、民事责任和刑事责任。

（一）有关行政责任

生产、销售用于未成年人的食品、药品、玩具、用具和游乐设施不符合国家标准或者行业标准，或者没有在显著位置标明注意事项的，由主管部门责令改正，依据产品质量法给予行政处罚。产品质量法明确规定，生产、销售不符合保障人体健康和人身、财产安全的国家标准、行业标准的产品的，责令停止生产、销售，没收违法生产、销售的产品，并处违法生产、销售产品（包括已售出和未售出的产品）货值金额等值以上三倍以下的罚款；有违法所得的，并处没收违法所得；情节严重的，吊销营业执照。

这里要说明三点：一是这里的主管部门，是指产品质量监督部门或者工商行政管理部门，两者根据国务院规定的职权范围分工进行执法。二是对生产、销售产品货值金额的计算，是以违法生产、销售产品的标价计算；没有标价的，按照同类产品的市场价格计算。三是对执法部门依法没收的产品，要依照国家有关规定进行销毁或者采取其他方式处理。

（二）有关民事责任

生产、销售用于未成年人的食品、药品、玩具、用具和游乐设施不符合国家标准或者行业标准，或者没有在显著位置标明注意事项，给使用者或者其他人造成人身伤害的，受害人可以依据产品质量法要求损害赔偿。

产品质量法对因产品存在缺陷而造成受害人人身伤害的，明确规定了损害赔偿责任及权利救济渠道。

1. 产品存在缺陷的含义。这是指产品存在危及人身、他人财产安全的不合理的危险；产品有保障人体健康，人身、财产安全的国家标准、行业标准的，是指不符合该标准。

2. 损害赔偿责任。由于销售者的过错使产品存在缺陷，造成人身、他人财产损害的，销售者应当承担赔偿责任；销售者不能指明缺陷产品的生产者也不能指明缺陷产品的供货者的，销售者应当承担赔偿责任。

因产品存在缺陷造成受害人人身伤害的，侵害人应当赔偿医疗费、因误工减少的收入、残废者生活补助费等费用；造成受害人死亡的，并应当支付丧葬费、抚恤费、死者生前抚养的人必要的生活费等费用。

因产品存在缺陷造成受害人财产损失的，侵害人应当恢复原状或者折价赔偿；受害人因此遭受其他重大损失的，侵害人应当赔偿损失。

3. 权利救济。因产品存在缺陷造成人身、他人财产损害的，受害人可以向产品的生产者要求赔偿，也可以向产品的销售者要求赔偿。属于产品的生产者的责任，产品的销售者赔偿的，产品的销售者有权向产品的生产者追偿；属于产品的销售者的责任，产品的生产者赔偿的，产品的生产者有权向产品的销售者追偿。

因产品质量发生民事纠纷时，当事人可以通过协商或者调解解决。当事人不愿通过协商、调解解决或者协商、调解不成的，可以根据当事人各方的协议向仲裁机构申请仲裁；当事人各方没有达成仲裁协议的，可以向人民法院起诉。这里明确了受害人可以用请求调解、申请仲裁、提起诉讼三种方式维护自己的合法权益。

(1)依法调解。调解制度是指经过第三者的排解疏导、说服教育，促使发生纠纷的双方当事人依法自愿达成协议、解决纠纷的一种活动。具体做法是当事人自愿选择彼此信得过的第三人斡旋，通过相互谅解、让步，达成一致，解决纠纷。调解必须在当事人自愿的基础上进行，这种自愿贯穿于调解的全过程，任何情况下不能强迫当事人接受调解。调解成功后，当事人如果事后反悔，仍然可以申请仲裁或者起诉。

因产品质量问题给当事人造成人身伤害的，可以申请保护消费者权益的社会组织进行调解，或者工商行政管理部门及产品质量监督部门进行调解。其中前者的调解称为民间调解，后者的调解称为行政调解，这些都是诉讼外调解。

（2）申请仲裁。仲裁法对民商纠纷的仲裁制度作出了明确的规定，包括：

①申请程序。要求双方当事人在事先或事后达成仲裁协议，然后才能据此向仲裁机构提出仲裁申请。

②仲裁机构设置。仲裁法规定的仲裁机构，主要在直辖市、省会城市及根据需要在其他设区的市设立，不按行政区划层层设立。

③裁决的效力。仲裁法规定一般经济纠纷的仲裁实行一裁终局制度，即仲裁裁决作出后，当事人就同一纠纷再申请仲裁或者向人民法院起诉的，仲裁委员会或者人民法院不予受理。

（3）依法向人民法院提起诉讼。因产品质量发生民事纠纷时，当事人可以通过协商或者调解解决。当事人不愿通过协商、调解解决或者协商、调解不成的，也没有达成仲裁协议的，可以向人民法院起诉。因产品存在缺陷造成损害要求赔偿的诉讼时效期间为 2 年，自当事人知道或者应当知道其权益受到损害时起计算。因产品存在缺陷造成损害要求赔偿的请求权，在造成损害的缺陷产品交付最初用户、消费者满 10 年丧失；但是，尚未超过明示的安全使用期的除外。

应当指出的是，这里规定的三个程序即请求调解、申请仲裁、提起诉讼，既相互关联又相互独立。其中调解程序是当事人自愿选择的，不是必经程序，当事人可以不经调解，直接仲裁、诉讼；仲裁也是一个自愿选择的程序，当事人可以在调解程序后，或者不经调解，直接选择仲裁；也可以不经仲裁，直接到法院诉讼。就是说，当事人可以走先调解、再仲裁、最后诉讼的程序，也可以选择其中的一项或者两项程序进行，这全凭当事人的自愿。法律做这样的规定，主要目的是方便当事人，给当事人在维权的道路上以较大的自主选择权，以充分保障她们的合法权益；同时，国家也可以有效地利用多种解决纠纷的资源，以最大限度地保障当事人行使诉权，高效率地解决纠纷，维护当事人的权利和法律关系的稳定。

（三）有关刑事责任

生产、销售不符合国家标准或者行业标准的用于未成年人的食品、药品、玩具、用具和游乐设施，或者没有在显著位置标明注意事项，构成犯罪的，要依法追究刑事责任。

我国刑法分则第三章“破坏社会主义市场经济秩序罪”中第一节明确规定了“生产、销售伪劣商品罪”，对于生产、销售不符合国家标准或者行业标准的用于未成年人的食品、药品、玩具、用具和游乐设施，构成犯罪的，要依照这一节的规定追究刑事责任：

1. 第一百四十条规定：“生产者、销售者在产品中掺杂、掺假，以假充真，以次充好或者以不合格产品冒充合格产品，销售金额五万元以上不满二十万元的，处二年以下有期徒刑或者拘役，并处或者单处销售金额百分之五十以上二倍以下罚金；销售金额二十万元以上不满五十万元的，处二年以上七年以下有期徒刑，并处销售金额百分之五十以上二倍以下罚金；销售金额五十万元以上不满二百万元的，处七年以上有期徒刑，并处销售金额百分之五十以上二倍以下罚金；销售金额二百万元以上的，处十五年有期徒刑或者无期徒刑，并处销售金额百分之五十以上二倍以下罚金或者没收财产。”

2. 第一百四十一条规定：“生产、销售假药，足以严重危害人体健康的，处三年以下有期徒刑或者拘役，并处或者单处销售金额百分之五十以上二倍以下罚金；对人体健康造成严重危害的，处三年以上十年以下有期徒刑，并处销售金额百分之五十以上二倍以下罚金;致人死亡或者对人体健康造成特别严重危害的,处十年以上有期徒刑、无期徒刑或者死刑,并处销售金额百分之五十以上二倍以下罚金或者没收财产。这里所称的'假药',是指依照《中华人民共和国药品管理法》的规定属于假药和按假药处理的药品、非药品。"

3. 第一百四十二条规定:"生产、销售劣药,对人体健康造成严重危害的,处三年以上十年以下有期徒刑,并处销售金额百分之五十以上二倍以下罚金;后果特别严重的,处十年以上有期徒刑或者无期徒刑,并处销售金额百分之五十以上二倍以下罚金或者没收财产。这里所称的'劣药',是指依照《中华人民共和国药品管理法》的规定属于劣药的药品。"

4. 第一百四十三条规定:"生产、销售不符合卫生标准的食品,足以造成严重食物中毒事故或者其他严重食源性疾患的,处三年以下有期徒刑或者拘役,并处或者单处销售金额百分之五十以上二倍以下罚金;对人体健康造成严重危害的,处三年以上七年以下有期徒刑,并处销售金额百分之五十以上二倍以下罚金;后果特别严重的,处七年以上有期徒刑或者无期徒刑,并处销售金额百分之五十以上二倍以下罚金或者没收财产。"

5. 第一百四十四条规定:"在生产、销售的食品中掺入有毒、有害的非食品原料的,或者销售明知掺有有毒、有害的非食品原料的食品的,处五年以下有期徒刑或者拘役,并处或者单处销售金额百分之五十以上二倍以下罚金;造成严重食物中毒事故或者其他严重食源性疾患,对人体健康造成严重危害的,处五年以上十年以下有期徒刑,并处销售金额百分之五十以上二倍以下罚金;致人死亡或者对人体健康造成特别严重危害的,依照本法第一百四十一条的规定处罚。"

6. 第一百四十五条规定:"生产不符合保障人体健康的国家标准、行业标准的医疗器械、医用卫生材料,或者销售明知是不符合保障人体健康的国家标准、行业标准的医疗器械、医用卫生材料，足以严重危害人体健康的，处三年以下有期徒刑或者拘役，并处销售金额百分之五十以上二倍以下罚金；对人体健康造成严重危害的，处三年以上十年以下有期徒刑，并处销售金额百分之五十以上二倍以下罚金；后果特别严重的，处十年以上有期徒刑或者无期徒刑，并处销售金额百分之五十以上二倍以下罚金或者没收财产。”

7. 第一百四十六条规定：“生产不符合保障人身、财产安全的国家标准、行业标准的电器、压力容器、易燃易爆产品或者其他不符合保障人身、财产安全的国家标准、行业标准的产品，或者销售明知是以上不符合保障人身、财产安全的国家标准、行业标准的产品，造成严重后果的，处五年以下有期徒刑，并处销售金额百分之五十以上二倍以下罚金；后果特别严重的，处五年以上有期徒刑，并处销售金额百分之五十以上二倍以下罚金。”

8. 第一百四十八条规定：“生产不符合卫生标准的化妆品，或者销售明知是不符合卫生标准的化妆品，造成严重后果的，处三年以下有期徒刑或者拘役，并处或者单处销售金额百分之五十以上二倍以下罚金。”

这里要说明三点：一是生产、销售不符合国家标准或者行业标准的用于未成年人的食品、药品、玩具、用具和游乐设施，不构成上述各条规定的犯罪，但是销售金额在五万元以上的，依照刑法第一百四十条的规定定罪处罚；二是生产、销售不符合国家标准或者行业标准的用于未成年人的食品、药品、玩具、用具和游乐设施，构成刑法“生产、销售伪劣商品罪”一节各该条规定的犯罪，同时又构成该节第一百四十条规定之罪的，依照处罚较重的规定定罪处罚；三是单位犯上述各罪的，对单位判处罚金，并对其直接负责的主管人员和其他直接责任人员，依照各该条的规定处罚。

第六十六条　在中小学校园周边设置营业性歌舞娱乐场所、互联网上网服务营业场所等不适宜未成年人活动的场所的，由主管部门予以关闭，依法给予行政处罚。

营业性歌舞娱乐场所、互联网上网服务营业场所等不适宜未成年人活动的场所允许未成年人进入，或者没有在显著位置设置未成年人禁入标志的，由主管部门责令改正，依法给予行政处罚。

【释义】　本条是关于非法设置营业性歌舞娱乐场所、互联网上网服务营业场所及营业性歌舞娱乐场所、互联网上网服务营业场所违法接纳未成年人进入或者没有在显著位置设置未成年人禁入标志的行为所应承担的法律责任的规定。

营业性歌舞娱乐场所、互联网上网服务营业场所是不适宜未成年人活动的场所。为了确保未成年人的健康成长，为其创造良好的社会教育环境，我国于1999年颁布了预防未成年人犯罪法，明确规定了营业性歌舞娱乐场所不得允许未成年人进入，并应当设置明显的未成年人禁入标志，同时也明确规定了违法者的法律责任。此外，国务院分别于2002年和2006年颁布了《互联网上网服务营业场所管理条例》和《娱乐场所管理条例》，明确规定互联网上网服务营业场所和营业性歌舞娱乐场所不得接纳未成年人进入，并且要在营业场所入口处的显著位置悬挂未成年人禁入标志。此次，修订后的未成年人保护法再一次对上述问题作了明确规定。作此修订主要是考虑到目前一些青少年上网成瘾，长时间沉迷于网络游戏，身心健康受到很大影响，已经成为一个严重的社会问题，广大家长和教育工作者对此反应强烈，未成年人保护法从加强对未成年人的社会保护的角度应当对此问题作明确的规定。

对营业性歌舞娱乐场所、互联网上网服务营业场所等不适宜未成年人活动的场所允许未成年人进入，或者没有在显著位置设置未成年人禁入标志的违法行为，要依法追究相应的法律责任。

本条主要规定以下责任：

1. 违法设置营业性歌舞娱乐场所、互联网上网服务营业场的法律责任

未成年人保护法第三十六条第一款规定:“中小学校园周边不得设置营业性歌舞娱乐场所、互联网上网服务营业场所等不适宜未成年人活动的场所。”营业性舞娱乐场所和互联网上网服务营业场所都是不适宜未成年人进入的场所,为了确保中、小学校周围的良好社会环境,保护未成年人的身心健康,未成年人保护法做了上述规定。对于这一问题,国务院的《娱乐场所管理条例》和《互联网上网服务营业场所管理条例》也作了同样的规定:《娱乐场所管理条例》第七条规定:“娱乐场所不得设在下列地点:(一)居民楼、博物馆、图书馆和被核定为文物保护单位的建筑物内;(二)居民住宅区和学校、医院、机关周围;(三)车站、机场等人群密集的场所;(四)建筑物地下一层以下;(五)与危险化学品仓库毗连的区域。”《互联网上网服务营业场所管理条例》第九条规定:“中学、小学校园周围200米范围内和居民住宅楼(院)内不得设立互联网上网服务营业场所。”

对于违反上述规定,擅自设立营业性歌舞娱乐场所和互联网上网服务营业场所的,要由工商、文化、公安等主管部门予以关闭,并依法予以行政处罚。这里的依法予以行政处罚,是指按照现有的有关专门的针对营业性歌舞娱乐场所和互联网上网服务营业场所进行管理的法律、法规的规定进行处罚。例如,《互联网上网服务营业场所管理条例》第二十七条规定:“违反本条例的规定,擅自设立互联网上网服务营业场所,或者擅自从事互联网上网服务经营活动的,由工商行政管理部门或者由工商行政管理部门会同公安机关依法予以取缔,查封其从事违法经营活动的场所,扣押从事违法经营活动的专用工具、设备;触犯刑律的,依照刑法关于非法经营罪的规定,依法追究刑事责任;尚不够刑事处罚的,由工商行政管理部门没收违法所得及其从事违法经营活动的专用工具、

设备;违法经营额1万元以上的,并处违法经营额5倍以上10倍以下的罚款;违法经营额不足1万元的,并处1万元以上5万元以下的罚款。"《娱乐场所管理条例》第四十条规定:"违反本条例规定,擅自从事娱乐场所经营活动的,由工商行政管理部门、文化主管部门依法予以取缔;公安部门在查处治安、刑事案件时,发现擅自从事娱乐场所经营活动的,应当依法予以取缔。"这里要说的是,上述两个法规中所规定的"予以取缔",在本法中表述为"予以关闭",目的是对这一执法手段的法律表述予以规范。

2. 营业性歌舞娱乐场所允许未成年人进入,或者没有在显著位置设置未成年人禁入标志的法律责任

所谓营业性歌舞娱乐场所,是指以营利为目的,并向公众开放、供消费者自娱自乐的歌舞场所。对于营业性歌舞娱乐场所允许未成年人进入,或者没有在显著位置设置未成年人禁入标志的,要依据预防未成年人犯罪法和《娱乐场所管理条例》的有关规定追究法律责任:

(1)预防未成年人犯罪法规定:"营业性歌舞厅以及其他未成年人不适宜进入的场所、营业性电子游戏场所,违反本法第三十三条的规定,不设置明显的未成年人禁止进入标志,或者允许未成年人进入的,由文化行政部门责令改正、给予警告、责令停业整顿、没收违法所得,处以罚款,并对直接负责的主管人员和其他直接责任人员处以罚款;情节严重的,由工商行政管理部门吊销营业执照。"

(2)《娱乐场所管理条例》规定:营业性歌舞娱乐场所允许未成年人进入的,"由县级人民政府文化主管部门没收违法所得和非法财物,并处违法所得1倍以上3倍以下的罚款;没有违法所得或者违法所得不足1万元的,并处1万元以上3万元以下的罚款;情节严重的,责令停业整顿1个月至6个月。"

这里要说明两点:其一,由于预防未成年人犯罪法对营业性歌

舞娱乐场所允许未成年人进入,或者没有在显著位置设置未成年人禁入标志的违法行为只规定了警告、罚款、责令停业整顿、没收违法所得、吊销营业执照的行政处罚种类,但没有规定具体的处罚幅度,而国务院的《娱乐场所管理条例》则明确规定了具体的处罚幅度:违法所得1倍以上3倍以下的罚款;没有违法所得或者违法所得不足1万元的,并处1万元以上3万元以下的罚款;责令停业整顿的具体期限,为1个月至6个月。因而实际执法的过程中,涉及罚款和责令停业整顿的行政处罚,要依据《娱乐场所管理条例》的规定来执行。

其二,对营业性歌舞娱乐场所允许未成年人进入,或者没有在显著位置设置未成年人禁入标志的违法行为追究法律责任的执法主体包括两个部门:一个是文化主管部门,其负责给予警告、责令停业整顿、没收违法所得,处以罚款的行政处罚;另一个是工商行政管理部门,由于其是企业营业执照的颁发部门,本着谁颁发谁吊销的原则,要由工商行政管理部门负责执行吊销营业执照的行政处罚。这里应当指出的是,各个执法主体依据职责分工进行执法时,要注意相互配合,避免两个方面的倾向:一是互相争执法权,不是依法按职责分工进行执法,而是你处罚完了我又处罚,造成一件违法行为被多家执法主体处罚多次,违反过罚相当的原则,造成滥执法,侵害行政相对人的合法权益;二是互相推诿,踢皮球,大家都不作为,都绕着走,造成执法出现"软",甚至无人执法的问题,使违法的行为得不到有效纠正,影响未成年人保护工作的正常实施,影响法律的严肃性和权威性。

3. 互联网上网服务营业场所等不适宜未成年人进入的场所允许未成年人进入,或者没有在显著位置设置未成年人禁入标志的法律责任

在立法过程中,关于这一问题存在两种不同意见:一种意见认为,鉴于目前一些网吧非法接纳未成年人进入的问题比较严重,导

致未成年人沉迷网络、荒废学业、身心健康受到严重损害，为了从根本上解决这一问题，建议对互联网上网服务营业场所违法接纳未成年人进入的行为规定比国务院的《互联网上网服务营业场所管理条例》更加严厉的处罚，或者考虑取消营业性网吧；另一种意见认为，解决未成年人沉迷网络的问题需要综合治理，除了要禁止未成年人进入网吧外，还需要从源头上加强治理，如对游戏软件的开发进行控制，规定国家鼓励研究开发有利于未成年人健康成长的网络产品，推广阻止未成年人沉迷网络的新技术。对网吧接纳未成年人进入的行为只一味加重处罚，不能解决所有问题。经过研究，我们还是基本上采纳了后一种意见。

所谓互联网上网服务营业场所，是指通过计算机等装置向公众提供互联网上网服务的网吧、电脑休闲室等营业性场所。对于互联网上网服务营业场所允许未成年人进入，或者没有在显著位置设置未成年人禁入标志的，要依据国务院颁布的《互联网上网服务营业场所管理条例》的规定，追究相应的法律责任：

《互联网上网服务营业场所管理条例》第三十条规定："互联网上网服务营业场所经营单位违反本条例的规定，有下列行为之一的，由文化行政部门给予警告，可以并处15000元以下的罚款；情节严重的，责令停业整顿，直至吊销《网络文化经营许可证》：(一)在规定的营业时间以外营业的；(二)接纳未成年人进入营业场所的；(三)经营非网络游戏的；(四)擅自停止实施经营管理技术措施的；(五)未悬挂《网络文化经营许可证》或者未成年人禁入标志的。"这就明确了互联网上网服务营业场所允许未成年人进入，或者没有在显著位置设置未成年人禁入标志的，要由文化行政部门给予警告，可以并处15000元以下的罚款；情节严重的，责令停业整顿，直至吊销网络文化经营许可证。

第六十七条　向未成年人出售烟酒，或者没有在显著位置设

置不向未成年人出售烟酒标志的，由主管部门责令改正，依法给予行政处罚。

【释义】 本条是关于向未成年人出售烟酒，或者没有在显著位置设置不向未成年人出售烟酒标志的违法行为的法律责任。

吸烟、酗酒不仅有害于未成年人的身体健康，而且会对他们的心理健康产生不良影响，甚至诱发违法犯罪。因此，为了预防和制止未成年人出现吸烟、酗酒的不良行为，未成年人保护法一方面在“家庭保护”中规定：“父母或者其他监护人应当关注未成年人的生理、心理状况和行为习惯，以健康的思想、良好的品行和适当的方法教育和影响未成年人，引导未成年人进行有益身心健康的活动，预防和制止未成年人吸烟、酗酒、流浪、沉迷网络以及赌博、吸毒、卖淫等行为。”另一方面从社会保护的角度规定禁止向未成年人出售烟酒，经营者应当在显著位置设置不向未成年人出售烟酒的标志。对于违反这一规定的，经营者要依法承担相应的法律责任。

关于不得向未成年人出售烟酒的问题，预防未成年人犯罪法已经做出了明确规定。但该法只规定了禁止这一行为，却没有规定违法者的法律责任。商务部作为酒类经营的主管部门，于2005年颁布了部门规章《酒类流通管理办法》。该办法第十九条规定：“酒类经营者不得向未成年人销售酒类商品，并应当在经营场所显著位置予以明示。”同时，在第三十条规定：“违反本办法第十九条规定的，由商务主管部门或会同有关部门予以警告，责令改正；情节严重的，处两千元以下罚款。”

向未成年人出售酒类商品的，或者没有在显著位置设置不向未成年人出售酒类标志的，由商务主管部门或会同有关部门予以警告，责令改正；情节严重的，处两千元以下罚款。这里的“有关部门”主要是指工商行政管理部门。

向未成年人出售香烟，或者没有在显著位置设置不向未成年人出售香烟标志的，要由烟草经营的主管部门——烟草专卖部门责令改正，依法给予行政处罚。这里要说明一点：由于向未成年人出售香烟的行为目前尚没有具体的处罚规定，可以由烟草专卖部门或者各地方人大根据未成年人保护法的规定制定配套的法规、规章，对经营者向未成年人出售香烟以及未设置不向未成年人出售香烟标志的行为，规定具体的行政处罚，以便于未成年人保护法的贯彻执行。

这里还要谈一下罚款的行政处罚。行政处罚法规定："罚款、没收违法所得或者没收非法财物拍卖的款项，必须全部上缴国库，任何行政机关或者个人不得以任何形式截留、私分或者变相私分；财政部门不得以任何形式向作出处罚决定的行政机关返还罚款、没收的违法所得或者没收的非法财物的拍卖款项。"自 20 世纪 80 年代实行财政体制改革以来，一些地方为了解决行政机关经费不足的问题，采取了行政机关在执行法律、法规规定的职责时，将罚没收入与财政分成的制度。这一制度的实行，虽然解决了执法机关行政经费不足的矛盾，却由此产生了一个很严重的负面效应，那就是行政机关罚款、没收违法所得越多，自己收入越多，罚没款成了执法机关创收的手段，滥罚款、罚款被截留、私分或者变相私分的问题则由此产生。针对这一问题，国家在 80 年代中期确定了罚没收入与执法机关行政经费"收支两条线"政策，即罚没收入全部由执法机关上缴财政，执法机关所需经费由财政部门另行拨给。这一制度从理论上说是可行的，但在实际执行中却又产生了另外一个问题，那就是行政机关虽然把罚没收入上缴了财政，但财政部门却以种种形式向行政机关返还罚款或者返还拍卖款项，而且行政机关上缴的罚没款越多，财政部门返还给它的也越多。这样一来，行政机关照样可以以罚没款来创收，"收支两条线"形同虚设。究其原因，就在于罚没收入是由执法机关上缴财政，因而上缴罚没收入的多少成了罚款机关与财政部门讨价还价的筹码，而财政部门也愿意以返还的形式来刺激行政机关多上缴罚没收入。财政部门与执法机关利益一致了，这种行为其他机关是难以发现和制止的。所以为了抑制财政部门将执法部门上缴的罚没款变相返还的问题，行政处罚法规定，财政部门不得以任何形式向作出罚款决定的行政机关返还罚款或者返还拍卖款项。“财政部门违反本法第五十三条的规定向行政机关返还罚款或者返还拍卖款项的，由上级行政机关或者有关部门责令改正，对直接负责的主管人员和其他直接责任人员依法给予行政处分。”“行政机关将罚款、没收的违法所得或者财物截留、私分或者变相私分的，由财政部门或者有关部门追缴，对直接负责的主管人员和其他直接责任人员依法给予行政处分；情节严重构成犯罪的，依法追究刑事责任。”这些规定从法律制度上解决了滥罚款的问题，确保执法机关将罚没款全部上缴国库。

第六十八条　非法招用未满十六周岁的未成年人，或者招用已满十六周岁的未成年人从事过重、有毒、有害等危害未成年人身心健康的劳动或者危险作业的，由劳动保障部门责令改正，处以罚款；情节严重的，由工商行政管理部门吊销营业执照。

【释义】　本条是关于非法招用童工以及违反对未成年工特殊劳动保护规定的违法行为的法律责任的规定。

禁止使用童工和对未成年工实行特殊劳动保护是我们国家一直以来执行的政策，也是国际上通行的做法。我国的劳动法、义务教育法等法律都对这一问题作出了明确规定。例如，劳动法规定：“禁止用人单位招用未满十六周岁的未成年人。文艺、体育和特种工艺单位招用未满十六周岁的未成年人，必须依照国家有关规定，履行审批手续，并保障其接受义务教育的权利。”此次新修订的未成年人保护法又进一步重申了这一规定，以保护未成年人的身心健康和接受义务教育的权利。对违反上述规定的，必须要依法严惩，追究行为人的法律责任。原未成年人保护法第四十九条明确规定了非法使用童工的法律责任，但是对违反未成年工特殊劳动保护的违法行为却没有规定相应的法律责任。为此，修订后的未成年人保护法在原法的基础上又做了进一步的补充完善，以更好地保护未成年人合法权益，同时也与劳动法等专门法律的规定相衔接。

（一）非法招用童工的违法行为

童工是指未满16周岁，与单位或者个人发生劳动关系，从事有经济收入的劳动或者从事个体劳动的少年儿童。关于禁止非法招用童工的问题，我国的劳动法、未成年人保护法、义务教育法以及国务院的《禁止使用童工规定》等都作出了明确的规定，以保护未成年人的身心健康和接受义务教育的权利。

我国劳动法规定：“禁止用人单位招用未满十六周岁的未成年人。文艺、体育和特种工艺单位招用未满十六周岁的未成年人，必须依照国家有关规定，履行审批手续，并保障其接受义务教育的权利。”我国的义务教育法也规定：“禁止用人单位招用应当接受义务教育的适龄儿童、少年。根据国家有关规定经批准招收适龄儿童、少年进行文艺、体育等专业训练的社会组织，应当保证所招收的适龄儿童、少年接受义务教育；自行实施义务教育的，应当经县级人民政府教育行政部门批准。”此次新修订的未成年人保护法第三十八条第一款又进一步重申了这一规定：“任何组织或者个人不得招用未满十六周岁的未成年人，国家另有规定的除外。”

对违反上述规定，用人单位非法招用未满16周岁的未成年人的，由劳动行政部门责令改正，处以罚款；情节严重的，由工商行政管理部门吊销营业执照。

国务院颁布的《禁止使用童工规定》对用人单位非法招用未满16周岁的未成年人的违法行为规定了更为具体的法律责任：

第六条规定：“用人单位使用童工的，由劳动保障行政部门按照每使用一名童工每月处 5000 元罚款的标准给予处罚；在使用有毒物品的作业场所使用童工的，按照《使用有毒物品作业场所劳动保护条例》规定的罚款幅度，或者按照每使用一名童工每月处 5000 元罚款的标准，从重处罚。劳动保障行政部门并应当责令用人单位限期将童工送回原居住地交其父母或者其他监护人，所需交通和食宿费用全部由用人单位承担。”“用人单位经劳动保障行政部门依照前款规定责令限期改正，逾期仍不将童工送交其父母或者其他监护人的，从责令限期改正之日起，由劳动保障行政部门按照每使用一名童工每月处 1 万元罚款的标准处罚，并由工商行政管理部门吊销其营业执照或者由民政部门撤销民办非企业单位登记；用人单位是国家机关、事业单位的，由有关单位依法对直接负责的主管人员和其他直接责任人员给予降级或者撤职的行政处分或者纪律处分。”

第七条规定：“单位或者个人为不满 16 周岁的未成年人介绍就业的，由劳动保障行政部门按照每介绍一人处 5000 元罚款的标准给予处罚；职业中介机构为不满 16 周岁的未成年人介绍就业的，并由劳动保障行政部门吊销其职业介绍许可证。”

第八条规定：“用人单位未按照本规定第四条的规定保存录用登记材料，或者伪造录用登记材料的，由劳动保障行政部门处 1 万元的罚款。”

第九条规定：“无营业执照、被依法吊销营业执照的单位以及未依法登记、备案的单位使用童工或者介绍童工就业的，依照本规定第六条、第七条、第八条规定的标准加一倍罚款，该非法单位由有关的行政主管部门予以取缔。”

第十条规定：“童工患病或者受伤的，用人单位应当负责送到医疗机构治疗，并负担治疗期间的全部医疗和生活费用。”“童工伤残或者死亡的，用人单位由工商行政管理部门吊销营业执照或者由民政部门撤销民办非企业单位登记；用人单位是国家机关、事业单位的，由有关单位依法对直接负责的主管人员和其他直接责任人员给予降级或者撤职的行政处分或者纪律处分；用人单位还应当一次性地对伤残的童工、死亡童工的直系亲属给予赔偿，赔偿金额按照国家工伤保险的有关规定计算。”

第十一条的规定：“拐骗童工，强迫童工劳动，使用童工从事高空、井下、放射性、高毒、易燃易爆以及国家规定的第四级体力劳动强度的劳动，使用不满 14 周岁的童工，或者造成童工死亡或者严重伤残的，依照刑法关于拐卖儿童罪、强迫劳动罪或者其他罪的规定，依法追究刑事责任。”

这里要指出的是：对于非法使用童工的行为，劳动法和未成年人保护法只规定了由劳动行政部门责令改正，处以罚款；情节严重的，由工商行政管理部门吊销营业执照。这一规定只涉及行政处罚的种类，没有规定具体的处罚幅度。国务院颁布的《禁止使用童工规定》则依据劳动法的规定，对处罚幅度作了更具体的规定，如罚款数额，同时还对具体的执法工作作出了更加有操作性的规定。因此，劳动保障部门可以在实践中对非法招用童工的行为依据《禁止使用童工规定》来进行执法。

（二）违反对未成年工的特殊劳动保护的违法行为

我国对未成年工实行特殊劳动保护。所谓未成年工，是指年满 16 周岁未满 18 周岁的劳动者。我国劳动法明确规定了对未成年工的特殊劳动保护，包括不得安排未成年工从事矿山井下、有毒有害、国家规定的第四级体力劳动强度的劳动和其他禁忌从事的劳动。用人单位应当对未成年工定期进行健康检查等。未成年人保护法第三十八条第二款也明确规定：“任何组织或者个人依照国家有关规定招用已满十六周岁未满十八周岁的未成年人的，应当执行国家在工种、劳动时间、劳动强度和保护措施等方面的规定，不得安排其从事过重、有毒、有害等危害未成年人身心健康的劳动或者危险作业。”

（三）有关法律责任

对于违反上述规定，招用已满16周岁的未成年人从事过重、有毒、有害等危害未成年人身心健康的劳动或者危险作业的，由劳动行政部门责令改正，处以罚款；对女职工或者未成年工造成损害的，应当承担赔偿责任。

此外，非法招用未满16周岁的未成年人的，或者招用已满16周岁的未成年人从事过重、有毒、有害等危害未成年人身心健康的劳动或者危险作业的，情节严重构成犯罪的，依法追究刑事责任。

刑法第二百四十四条规定："违反劳动管理法规，雇用未满十六周岁的未成年人从事超强度体力劳动的，或者从事高空、井下作业的，或者在爆炸性、易燃性、放射性、毒害性等危险环境下从事劳动，情节严重的，对直接责任人员，处三年以下有期徒刑或者拘役，并处罚金；情节特别严重的，处三年以上七年以下有期徒刑，并处罚金。有前款行为，造成事故，又构成其他犯罪的，依照数罪并罚的规定处罚。"

第六十九条　侵犯未成年人隐私，构成违反治安管理行为的，由公安机关依法给予行政处罚。

【释义】　本条是关于侵犯未成年人个人隐私的行为所要承担的法律责任的规定。

未成年人虽然年龄小，但也是国家公民，享有法律规定的各项权利，其中包括隐私权。但实践中，一些家长、学校教师等成年人对孩子的隐私权问题没有引起足够的重视，导致偷看孩子日记、检查孩子信件等侵害孩子隐私权的行为时有发生。为了进一步加强对未成年人隐私权的保护，修订后的未成年人保护法第三十九条规定："任何组织或者个人不得披露未成年人的个人隐私。对未成年人的信件、日记、电子邮件，任何组织和个人不得隐匿、毁弃；除因追查犯罪的需要，由公安机关或者人民检察院依法进行检查，或者对无行为能力的未成年人的信件、日记、电子邮件由其父母或者其他监护人代为开拆、查阅外，任何组织或者个人不得开拆、查阅。”法律保护未成年人的个人隐私，对侵犯未成年人个人隐私的行为，要依法追究法律责任，虽然本条只规定了行政处罚，但联系到本法第六十条有关综合性的法律责任的规定，对侵犯未成年人隐私的违法行为，要依法追究包括民事责任、行政处罚和刑事责任在内的三种法律责任。

（一）有关民事责任

个人隐私是指公民不愿向他人公开的有关个人信息，如身体状况，包括是否患有某种疾病，以及个人私生活的情况，包括私人活动等属于个人生活领域的事情。每个公民都享有个人的隐私权，作为未成年人同样也享有这样的权利。如果未成年人的隐私权受到侵犯，受害人可以依法向人民法院起诉，要求追究侵害人的民事责任，如要求赔礼道歉、恢复名誉、请求侵权损害赔偿等。在侵权损害赔偿中，除了物质赔偿外，依法要求精神损害赔偿也是很重要的。

所谓精神损害赔偿，是指公民因其人身权利受到不法侵害而遭受精神痛苦或精神利益受到损害，要求侵权人进行金钱赔偿的一种法律制度。精神损害赔偿的条件，根据最高人民法院 2001 年 3 月 8 日发布的《关于确定民事侵权精神损害赔偿责任若干问题的解释》（以下简称《解释》）的规定，在下列几种情况下可以请求精神损害赔偿：

第一，自然人因人格权利（包括生命权、健康权、身体权；姓名权、肖像权、名誉权、荣誉权；人格尊严、人身自由权）遭受非法侵害时，有权向法院起诉请求赔偿精神损害。

第二，违反社会公共利益、社会公德、侵害他人隐私或者其他人格利益，受害人有权以侵权为由向法院起诉请求赔偿精神损害。如宣扬他人婚恋生活、私自开拆他人信件了解他人的秘密等，都属于侵犯他人隐私权的行为。

第三,非法使被监护人脱离监护,导致亲子关系或近亲属间的亲属关系遭受严重损害的,监护人有权起诉请求精神损害赔偿。

第四,自然人死亡后,其近亲属因下列侵权行为遭受精神痛苦的,有权向法院起诉请求赔偿精神损害:(1)以侮辱、诽谤、贬损、丑化或者违反社会公共利益、社会公德的其他形式,侵害死者姓名、肖像、名誉、荣誉;(2)非法披露、利用死者隐私,或者以违反社会公共利益、社会公德的其他形式侵害死者隐私;(3)非法利用、损害遗体、遗骨,或者以违反社会公共利益、社会公德的其他形式损害遗体、遗骨。

第五,具有人格象征意义的特定纪念物品,因侵权行为而永久性灭失或者损毁,物品所有人以侵权为由,向人民法院起诉请求精神损害赔偿的,法院应当依法受理。据此,妇女受到性骚扰,或者因遭受家庭暴力而导致离婚的,可以依据《解释》的第一种情况,即人格权利受到侵害,向法院请求精神损害赔偿。

当事人承担精神损害赔偿责任的方式有:致人精神损害,未造成严重后果的,可判令侵权人停止侵害、恢复名誉、消除影响、赔礼道歉;造成严重后果的,应根据受害人一方的请求同时判令侵权人赔偿相应的精神损害抚慰金。精神损害赔偿应起到三个作用:一是对受害人的抚慰;二是对加害人的制裁;三是对社会的一般的警示。只有符合这三点要求,这样的赔偿数额就是合适的,而不在于究竟是多是少。法院确定精神损害赔偿数额一般根据以下因素:(1)侵权人的过错程度,法律另有规定的除外;(2)侵害的手段、场合、行为方式等具体情节;(3)侵权行为所造成的后果;(4)侵权人的获利情况;(5)侵权人承担责任的经济能力;(6)受诉法院所在地的平均生活水平。

(二)有关行政处罚

侵犯未成年个人隐私,构成违反治安管理行为的,要由公安机关依据治安管理处罚法给予行政处罚。

治安管理处罚法第四十二条规定:“有下列行为之一的,处五日以下拘留或者五百元以下罚款;情节较重的,处五日以上十日以下拘留,可以并处五百元以下罚款:(一)写恐吓信或者以其他方法威胁他人人身安全的;(二)公然侮辱他人或者捏造事实诽谤他人的;(三)捏造事实诬告陷害他人,企图使他人受到刑事追究或者受到治安管理处罚的;(四)对证人及其近亲属进行威胁、侮辱、殴打或者打击报复的;(五)多次发送淫秽、侮辱、恐吓或者其他信息,干扰他人正常生活的;(六)偷窥、偷拍、窃听、散布他人隐私的。”根据第(六)项的规定,对于偷窥、偷拍、窃听、散布未成年人隐私的,要由公安机关依法给予5日以下拘留或者500元以下罚款的处罚;情节较重的,给予5日以上10日以下拘留,可以并处500元以下罚款的处罚。

(三)有关刑事责任

对于隐匿、毁弃或者非法开拆未成年人的信件,情节严重构成犯罪的,要依据刑法关于侵犯公民通信自由罪的规定追究刑事责任。

刑法第二百五十二条规定:“隐匿、毁弃或者非法开拆他人信件,侵犯公民通信自由权利,情节严重的,处一年以下有期徒刑或者拘役。”

刑法第二百五十三条规定:“邮政工作人员私自开拆或者隐匿、毁弃邮件、电报的,处二年以下有期徒刑或者拘役。”“犯前款罪而窃取财物的,依照本法第二百六十四条的规定定罪从重处罚。”

第七十条　未成年人救助机构、儿童福利机构及其工作人员不依法履行对未成年人的救助保护职责,或者虐待、歧视未成年人,或者在办理收留抚养工作中牟取利益的,由主管部门责令改正,依法给予行政处分。

【释义】 本条是关于未成年人救助机构和儿童福利机构及其工作人员违反本法的法律责任的规定。

当前,社会上出现了一些流浪乞讨、离家出走的未成年人,他们有的是孤儿,有的是的父母外出打工、无人照管,有的父母双双服刑、生活无着。对于这样一些孩子,政府和社会要承担起对他们的监护责任,及时予以救助和保护。为此,修订后的未成年人保护法第四十三条规定:“县级以上人民政府及其民政部门应当根据需要设立救助场所,对流浪乞讨等生活无着未成年人实施救助,承担临时监护责任;公安部门或者其他有关部门应当护送流浪乞讨或者离家出走的未成年人到救助场所,由救助场所予以救助或者妥善照顾,并及时通知其父母或者其他监护人领回。对孤儿、无法查明其父母或者其他监护人的以及其他生活无着的未成年人,由民政部门设立的儿童福利机构收留抚养。未成年人救助机构、儿童福利机构及其工作人员应当依法履行职责,不得虐待、歧视未成年人;不得在办理收留抚养工作中牟取利益。”这就明确了未成年人救助机构和儿童福利机构及其工作人员救助、收留抚养未成年人方面的法定职责,如果未成年人救助机构和儿童福利机构及其工作人员不履行这些法定职责,就要依法承担相应的法律责任,包括行政处分和刑事责任。

(一)有关行政处分的法律责任

未成年人救助机构、儿童福利机构及其工作人员不依法履行对未成年人的救助保护职责,或者虐待、歧视未成年人,或者在办理收留抚养工作中牟取利益的,要由主管的民政部门责令改正,依法给予行政处分。

根据公务员法的规定,行政处分的种类有六种,从轻到重依次为警告、记过、记大过、降级、撤职、开除。

行政处分和行政处罚虽然同属行政责任的一种,但两者是不同的:

第一，适用对象不同。行政处分只适用于国家公职人员，不适用于社会上一般的公民；而行政处罚则适用于所有的公民、法人或其他组织。

第二，适用的违法行为不同。行政处分与行政处罚都适用于行政违法行为，但行政处分适用的是一般的违法失职行为；而行政处罚则适用于违反某种特定的，设定有行政处罚的法律、法规、规章的违法行为。

第三，实施处罚的机关不同。实施行政处分的机关必须是被处分人员所在单位或者行政监察机关；实施行政处罚的机关是国家法律规定的具有行政处罚权的行政机关，法律、法规授权的具有管理公共事务职能的组织和行政机关依照法律、法规、规章的规定在其法定权限内委托的组织。

第四，执行不同。行政处分只能由国家机关和具有公共事务管理职能的事业单位执行；而行政处罚则由行政机关执行，也可由行政机关申请人民法院强制执行。

第五，救济的渠道不同。行政处罚的救济渠道为行政复议和行政诉讼，当事人对行政处罚不服的，可以向该行政机关的上级行政机关申请行政复议，也可以向人民法院就行政机关的行政处罚行为提起行政诉讼。行政处分的救济渠道为复核和申诉，当事人对行政处分不服的，可以自知道该处理之日起 30 日向原处理机关申请复核；对复核结果不服的，可以自接到复核决定之日起 15 日内，按照规定向同级公务员主管部门或者做出处理的机关的上一级机关提出申诉；也可以不经复核，自知道处理决定之日起 30 日内直接提出申诉。对省级以下机关做出的申诉处理决定不服的，可以向做出处理决定的上一级机关提出申诉。行政机关公务员对处分不服向行政监察机关申诉的，监察机关经审查认为原行政处分决定是错误的，应当及时予以纠正；造成名誉损害的，应当负责恢复名誉、消除影响、赔礼道歉；造成经济损失的，应当负赔偿责任。

（二）有关刑事责任

未成年人救助机构、儿童福利机构及其工作人员不依法履行对未成年人的救助保护职责，或者虐待、歧视未成年人，或者在办理收留抚养工作中牟取利益，情节严重构成犯罪的，依法追究刑事责任。涉及罪名有：

1. 玩忽职守、徇私舞弊罪。玩忽职守是指国家机关工作人员严重不负责任，不履行或者不正确地履行职责，致使公共财产、国家和人民利益受到损失的行为。国家机关工作人员在对未成年人实施救助和收留抚养工作中玩忽职守的行为，主要表现为对工作极端不负责任，对被救助和收留抚养的未成年人不管不问，漠然视之，不予关心和照料。

徇私舞弊是指国家机关工作人员为徇个人私利、私情，违反国家法律、法规的规定，使国家和人民利益受到损失的行为。国家机关工作人员在未成年人收留抚养工作中徇私舞弊的行为，主要表现为：徇私枉法、徇情枉法，出于贪赃、报复或者袒护亲友的目的，明知某人不符合作收养人的条件，却将孩子送其收养；明知某公民完全符合收养孤儿的条件，却出于报复的目的，不允许其收养孩子等。

对国家机关工作人员在对未成年人实施救助和收留抚养工作中玩忽职守、徇私舞弊的违法行为，构成犯罪的，要依据刑法第三百九十七条的规定追究刑事责任。刑法第三百九十七条规定："国家机关工作人员滥用职权或者玩忽职守，致使公共财产、国家和人民利益遭受重大损失的，处三年以下有期徒刑或者拘役；情节特别严重的，处三年以上七年以下有期徒刑。本法另有规定的，依照规定。国家机关工作人员徇私舞弊犯前款罪的，处五年以下有期徒刑或者拘役；情节特别严重的，处五年以上十年以下有期徒刑。本法另有规定的，依照规定。"

2. 索取、收受贿赂罪。索取、收受贿赂罪，是指国家机关工作人员在收留抚养工作中，利用职务上的便利，索取他人财物，或者非法收受他人财物，为他人谋取利益的行为。国家机关工作人员在收留抚养工作中，利用自己职务上的便利索取、收受他人的财物，明知其所作所为违反法律、法规对其履行职责的要求，损害公务人员的廉洁形象，但出于贪利动机或目的仍然为之，利用手中的权力搞权钱交易，为他人谋取不正当利益。例如，明知某人不符合收养人的条件，在收受其贿赂后，即为其大开方便之门，允许其收养儿童福利院的孩子；某人不符合收养法规定的收养孩子的条件，但经过权钱交易、收受贿赂后，即允许其收养儿童福利院的孩子。对于索取、收受贿赂的违法行为，不构成犯罪的，要依法给予行政处分；构成犯罪的，要依据刑法第三百八十五条、第三百八十六条的规定追究刑事责任。刑法第三百八十五条规定："国家工作人员利用职务上的便利，索取他人财物的，或者非法收取他人财物，为他人谋取利益的，是受贿罪。国家工作人员在经济往来中，违反国家规定，收受各种名义的回扣、手续费，归个人所有的，以受贿论处。"第三百八十六条规定："对犯受贿罪的，根据受贿所得数额及情节，依照本法第三百八十三条的规定处罚。索贿的从重处罚。"根据刑法第三百八十三条的规定，犯受贿罪的，根据受贿所得的数额及情节，分别依照下列规定处罚：

"（一）个人受贿数额在十万元以上的，处十年以上有期徒刑或者无期徒刑，可以并处没收财产；情节特别严重的，处死刑，并处没收财产。（二）个人受贿数额在五万元以上不满十万元的，处五年以上有期徒刑，可以并处没收财产；情节特别严重的，处无期徒刑，并处没收财产。（三）个人受贿数额在五千元以上不满五万元的，处一年以上七年以下有期徒刑；情节严重的，处七年以上十年以下有期徒刑。个人受贿数额在五千元以上不满一万元，犯罪后有悔改表现、积极退赃的，可以减轻处罚或者免予刑事处罚，由其所在单位或者上级主管机关给予行政处分。（四）个人受贿数额不满五千元，情节较重的，处二年以下有期徒刑或者拘役；情节较轻的，由其所在单位或者上级主管机关酌情给予行政处分。对多次受贿未经处理的，按照累计受贿数额处罚。”

在认定受贿罪时，应注意两点：第一，行为人只要有利用职务上的便利公开向他人要求财物或暗示他人给予财物的索贿行为，即可构成本罪，不需要行为人已经为他人谋取了利益；第二，对于非法收受他人财物的行为，必须同时具有为他人谋取利益的要件，才能构成本罪，但为他人谋取的利益是否实现，不影响本罪的构成。

3. 故意伤害罪、侮辱罪。未成年人救助机构、儿童福利机构工作人员虐待、歧视未成年人，构成犯罪的，要依据刑法有关故意伤害罪、侮辱罪的规定追究刑事责任。

除了上述犯罪行为外，对于未成年人救助机构、儿童福利机构及其工作人员的其他的违法行为，构成犯罪的，也要依法追究刑事责任。

第七十一条　胁迫、诱骗、利用未成年人乞讨或者组织未成年人进行有害其身心健康的表演等活动的，由公安机关依法给予行政处罚。

【释义】　本条是关于胁迫、诱骗、利用未成年人乞讨或者进行非法表演的违法行为所应承担的法律责任的规定。

当前社会上出现了一些不法分子胁迫、诱骗、利用未成年人乞讨或者组织未成年人进行恐怖、残忍或者淫秽表演等有害其身心健康的活动，严重损害了未成年人的身心健康，同时也造成了极大的社会危害。为了严厉打击这类违法犯罪行为，治安管理处罚法明确规定了相应的法律责任。此次修订后的未成年人保护法也增加了这方面的规定，“禁止胁迫、诱骗、利用未成年人乞讨或者组织未成年人进行有害其身心健康的表演等活动”。违反这一规定要承担相应的法律责任，包括行政处罚和刑事责任，以更好地保护未成年人，同时也与治安管理处罚法相衔接。

（一）关于行政处罚

行政处罚主要针对下列情形：

1. 胁迫、诱骗、利用未成年人乞讨的

治安管理处罚法第四十一条第一款规定："胁迫、诱骗或者利用他人乞讨的，处十日以上十五日以下拘留，可以并处一千元以下罚款。"根据这一规定，对胁迫、诱骗或者利用未成年人乞讨的，要依法给予行政处罚。

2. 组织未成年人进行有害其身心健康的表演的

组织未成年人进行有害其身心健康的表演的行为，包括组织未成年人进行恐怖、残忍表演或者淫秽表演等。这些表演活动严重影响未成年人的身心健康，损害其人格尊严，对其健康成长极为不利，因而必须依法严惩。

治安管理处罚法第四十条规定，对组织、胁迫、诱骗不满 16 周岁的人或者残疾人进行恐怖、残忍表演的，或者以暴力、威胁或者其他手段强迫他人劳动的，处 10 日以上 15 日以下拘留，并处 500 元以上 1000 元以下罚款；情节较轻的，处 5 日以上 10 日以下拘留，并处 200 元以上 500 元以下罚款。

治安管理处罚法第六十九条规定："有下列行为之一的，处十日以上十五日以下拘留，并处五百元以上一千元以下罚款：（一）组织播放淫秽音像的；（二）组织或者进行淫秽表演的；（三）参与聚众淫乱活动的。"根据这一规定，对组织未成年人进行淫秽表演的，要依法给予行政处罚。

（二）关于刑事责任

如果采用殴打、拘禁等暴力手段迫使未成年人乞讨或者组织未成年人进行有害其身心健康的表演等活动的，情节严重构成犯罪的，要依据刑法有关故意伤害罪和非法拘禁罪的规定，追究刑事责任。

第七章　附　　则

第七十二条　本法自 2007 年 6 月 1 日起施行。

【释义】　本条是关于法律施行日期的规定。

法律的施行日期也就是法律的生效日期，是一部法律中重要的一个组成部门，一般都是放在附则中的最后一条。在一些比较简单的、不分章节的法律中，它也是作为最后一条出现的。法律施行日期的规定，目的是明确一部法律何时开始生效施行，它对于一部法律的贯彻执行至关重要，因为国家立法的目的就在于确立人们在实践中必须遵守的行为规则，在于对法律规定的贯彻执行。如果没有一个明确的施行日期，人们就不知道新颁布的法律何时开始生效，执法部门也无从确定何时开始履行执法工作，这样法律的颁布出台就没有意义了。所以说，一部制定得再好的法律如果没有规定实施日期，就像是画了龙却没有点睛，仍然是停留在纸面上的死的东西，没有生命力。所以说，正确理解法律的生效日期，是运用法律不可缺少的条件。

法律的生效日期，一般根据该项法律的性质和实际需要来决定，通常有三种方式：

第一种是法律条文中明确规定，从其公布之日起生效施行。这种方式一般在修订法律的情况下使用，考虑到是对现行法律的修改，所以法律修改决定或修正案一般自公布之日起施行。例如，九届全国人大常委会第二十四次会议审议通过的关于修改《中华人民共和国工会法》的决定即是采取的这种形式，该决定第四十四条第三款规定："本决定自公布之日起施行。"目前这种方式在我国的立法中已经不多见了。我国已经加入了世界贸易组织,根据世界贸易组织的规则,成员国应避免一颁布法律即开始生效实施的做法,对于法律实施日期的规定给人们留有对新法的规定进行熟悉、为实施做好准备的时间。

第二种是法律公布后并不立即生效施行,需要经过一定时期后才开始生效施行,但在法律中明确规定该项法律的施行日期。

第三种是法律公布后,先予以试行,然后由立法部门予以补充修改,再通过为正式法律,予以公布施行,在试行期间该法律也具有约束力。例如,1982 年第五届全国人民代表大会常务委员会第二十二次会议通过的《中华人民共和国民事诉讼法(试行)》,经过近十年的司法实践,在 1991 年第七届全国人民代表大会第四次会议上通过了正式的《中华人民共和国民事诉讼法》;1982 年第五届全国人民代表大会第二十五次会议通过的《中华人民共和国食品卫生法(试行)》规定,"本法自 1983 年 7 月 1 日起试行";经过 12 年的试行,在 1995 年第八届全国人民代表大会常务委员会第十六次会议上通过了正式的《中华人民共和国食品卫生法》。

还有一种特殊的生效形式,即法律的施行日期以其他法律的施行为条件。例如,1986 年 12 月 2 日第六届全国人大常委会第十八次会议通过的《中华人民共和国企业破产法(试行)》第四十三条规定,"本法自全民所有制工业企业法实施满三个月之日起施行",即企业破产法从 1986 年 12 月 2 日通过后要到 1988 年 11 月 1 日起施行。这样的法律施行日期,在十一届三中全会以后,我国的法制建设刚刚恢复时多一些,到了 20 世纪 80 年代后期以及进入 90 年代以后,这样的情况就不多了。

在我国,绝大多数法律的生效施行采用的是上述第二种形式,即法律公布后并不立即生效施行,而是经过一段时间以后才生效施行。1992 年通过的妇女权益保障法即是采用的这一形式。

由于本法是对原未成年人保护法的全面修订,不是部分修改,所以法律的施行日期需要重新规定。考虑到6月1日是国际儿童节，所以未成年人保护法定在这一天施行比较有意义。

修订后的未成年人保护法将于2007年6月1日起施行，也就是说从法律公布之日到法律施行之时，相隔了5个月的时间。之所以规定间隔5个月的时间，就是考虑到对修改后的未成年人保护法的贯彻执行还需要一段宣传教育和实施准备时间，以便解决好未成年人保护法的地方性法规与国家立法的衔接问题。

为了贯彻实施好新的未成年人保护法，从现在开始到2007年6月1日这段时间里，各地方要做好如下工作：

一是要做好地方性法规、规章的修订工作。国务院有关部门和地方人大、政府都要依据新的未成年人保护法，做好对原法规、规章的修订工作，以保障新的未成年人保护法在本地区、本部门得到很好的贯彻、执行。

二是要广泛深入地组织开展学习、宣传、贯彻新的未成年人保护法的活动，采取多种途径，对广大干部群众做好法律的宣传教育工作。通过宣传教育，使他们充分认识到保护未成年人合法权益的重要意义，国家机关、社会团体、企业事业单位都要切实贯彻执行未成年人保护法，重视保障未成年人权益的各项工作。同时要对广大干部群众宣传立法的指导思想、基本原则以及法律规定的主要内容。要把各级领导干部、各单位负责人以及广大教育工作者、学生家长及广大从事未成年人保护工作的干部列为学习、宣传的重点对象，通过学习、宣传，促进和推动未成年人保护法的贯彻实施。

此外，还有一个比较重要的问题要说明，就是关于本法配套法规的制定：

原未成年人保护法第五十五条规定："国务院有关部门可以根据本法制定有关条例，报国务院批准施行。省、自治区、直辖市的人民代表大会常务委员会可以根据本法制定实施办法。"修订后的未成年人保护法删去了这一条规定，理由是：第一，根据立法法规定，行政法规不再采取国务院有关部门制定后报国务院批准的方式制定，这一款规定与立法法不衔接；第二，国务院和国务院有关部门根据本法制定行政法规和规章，地方人大可以根据本法制定地方性法规，立法法已有规定。这里不必再重复。根据立法法的规定，为了保障法律的贯彻执行，国务院和国务院有关部门有权依据本法制定配套的行政法规和规章。省、自治区、直辖市的人民代表大会及其常委会根据本行政区域的具体情况和实际需要，在不同宪法、法规、行政法规相抵触的前提下，有权依据本法制定地方性法规。地方性法规的一个重要任务是为执行法律、行政法规的规定，根据本行政区域的实际情况，制定执行性的规定。中国地域广阔，各地情况很不相同，城市和农村、东南沿海和中西部地区情况都不一样。法律是要在全国范围内实行的，为了符合全国各地的情况，有些规定只能比较概括和原则，各地在执行时需要根据本行政区域的实际情况作出具体规定。这样有利于更好地根据实际情况贯彻执行法律。因此，本法可以不再作出授权性的规定。没有这一规定，并不等于国务院和国务院有关部门以及地方人大就不再作这方面的配套行政法规、地方性法规和规章了。

目前，全国各省级人大基本上都制定了未成年人保护的地方性法规。在修订后的未成年人保护法通过后，各地方人大要根据新法的规定，对原有的地方性法规进行修改，以保障这部法律的贯彻实施。这里要说明的是：一是，为了贯彻执行修订后的未成年人保护法，各省区市人大要积极做好未成年人保护法实施办法的修订工作，以确保未成年人保护法在本地区的贯彻落实。二是，在各省、自治区、直辖市人大及其常委会还未审议通过对本地方未成年人保护的法规的修订之前，原地方性法规仍然有效。但是，与修订后的未成年人保护法规定不一致的，应当依照本法执行。

第二部分 附　录

中华人民共和国未成年人保护法

（1991年9月4日第七届全国人民代表大会常务委员会
第二十一次会议通过　2006年12月29日第十届
全国人民代表大会常务委员会第二十五次会议修订）

目　录

第一章　总　则

第一条　为了保护未成年人的身心健康，保障未成年人的合法权益,促进未成年人在品德、智力、体质等方面全面发展,培养有理想、有道德、有文化、有纪律的社会主义建设者和接班人,根据宪法,制定本法。

第二条 本法所称未成年人是指未满十八周岁的公民。

第三条 未成年人享有生存权、发展权、受保护权、参与权等权利,国家根据未成年人身心发展特点给予特殊、优先保护,保障未成年人的合法权益不受侵犯。

未成年人享有受教育权,国家、社会、学校和家庭尊重和保障未成年人的受教育权。

未成年人不分性别、民族、种族、家庭财产状况、宗教信仰等,依法平等地享有权利。

第四条 国家、社会、学校和家庭对未成年人进行理想教育、道德教育、文化教育、纪律和法制教育,进行爱国主义、集体主义和社会主义的教育,提倡爱祖国、爱人民、爱劳动、爱科学、爱社会主义的公德,反对资本主义的、封建主义的和其他的腐朽思想的侵蚀。

第五条 保护未成年人的工作,应当遵循下列原则:

(一)尊重未成年人的人格尊严;

(二)适应未成年人身心发展的规律和特点;

(三)教育与保护相结合。

第六条 保护未成年人,是国家机关、武装力量、政党、社会团体、企业事业组织、城乡基层群众性自治组织、未成年人的监护人和其他成年公民的共同责任。

对侵犯未成年人合法权益的行为,任何组织和个人都有权予以劝阻、制止或者向有关部门提出检举或者控告。

国家、社会、学校和家庭应当教育和帮助未成年人维护自己的合法权益,增强自我保护的意识和能力,增强社会责任感。

第七条 中央和地方各级国家机关应当在各自的职责范围内做好未成年人保护工作。

国务院和地方各级人民政府领导有关部门做好未成年人保护工

作;将未成年人保护工作纳入国民经济和社会发展规划以及年度计划,相关经费纳入本级政府预算。

国务院和省、自治区、直辖市人民政府采取组织措施,协调有关部门做好未成年人保护工作。具体机构由国务院和省、自治区、直辖市人民政府规定。

第八条　共产主义青年团、妇女联合会、工会、青年联合会、学生联合会、少年先锋队以及其他有关社会团体,协助各级人民政府做好未成年人保护工作,维护未成年人的合法权益。

第九条　各级人民政府和有关部门对保护未成年人有显著成绩的组织和个人,给予表彰和奖励。

第二章　家庭保护

第十条　父母或者其他监护人应当创造良好、和睦的家庭环境,依法履行对未成年人的监护职责和抚养义务。

禁止对未成年人实施家庭暴力,禁止虐待、遗弃未成年人,禁止溺婴和其他残害婴儿的行为,不得歧视女性未成年人或者有残疾的未成年人。

第十一条　父母或者其他监护人应当关注未成年人的生理、心理状况和行为习惯,以健康的思想、良好的品行和适当的方法教育和影响未成年人,引导未成年人进行有益身心健康的活动,预防和制止未成年人吸烟、酗酒、流浪、沉迷网络以及赌博、吸毒、卖淫等行为。

第十二条　父母或者其他监护人应当学习家庭教育知识,正确履行监护职责,抚养教育未成年人。

有关国家机关和社会组织应当为未成年人的父母或者其他监护人提供家庭教育指导。

第十三条　父母或者其他监护人应当尊重未成年人受教育的权利,必须使适龄未成年人依法入学接受并完成义务教育,不得使接受义务教育的未成年人辍学。

第十四条 父母或者其他监护人应当根据未成年人的年龄和智力发展状况,在作出与未成年人权益有关的决定时告知其本人,并听取他们的意见。

第十五条 父母或者其他监护人不得允许或者迫使未成年人结婚,不得为未成年人订立婚约。

第十六条 父母因外出务工或者其他原因不能履行对未成年人监护职责的,应当委托有监护能力的其他成年人代为监护。

第三章 学校保护

第十七条 学校应当全面贯彻国家的教育方针,实施素质教育,提高教育质量,注重培养未成年学生独立思考能力、创新能力和实践能力,促进未成年学生全面发展。

第十八条 学校应当尊重未成年学生受教育的权利,关心、爱护学生,对品行有缺点、学习有困难的学生,应当耐心教育、帮助,不得歧视,不得违反法律和国家规定开除未成年学生。

第十九条 学校应当根据未成年学生身心发展的特点,对他们进行社会生活指导、心理健康辅导和青春期教育。

第二十条 学校应当与未成年学生的父母或者其他监护人互相配合,保证未成年学生的睡眠、娱乐和体育锻炼时间,不得加重其学习负担。

第二十一条 学校、幼儿园、托儿所的教职员工应当尊重未成年人的人格尊严,不得对未成年人实施体罚、变相体罚或者其他侮辱人格尊严的行为。

第二十二条 学校、幼儿园、托儿所应当建立安全制度,加强对未成年人的安全教育,采取措施保障未成年人的人身安全。

学校、幼儿园、托儿所不得在危及未成年人人身安全、健康的校舍和其他设施、场所中进行教育教学活动。

学校、幼儿园安排未成年人参加集会、文化娱乐、社会实践等集体活动，应当有利于未成年人的健康成长，防止发生人身安全事故。

第二十三条 教育行政等部门和学校、幼儿园、托儿所应当根据需要，制定应对各种灾害、传染性疾病、食物中毒、意外伤害等突发事件的预案，配备相应设施并进行必要的演练，增强未成年人的自我保护意识和能力。

第二十四条 学校对未成年学生在校内或者本校组织的校外活动中发生人身伤害事故的，应当及时救护，妥善处理，并及时向有关主管部门报告。

第二十五条 对于在学校接受教育的有严重不良行为的未成年学生，学校和父母或者其他监护人应当互相配合加以管教；无力管教或者管教无效的，可以按照有关规定将其送专门学校继续接受教育。

依法设置专门学校的地方人民政府应当保障专门学校的办学条件，教育行政部门应当加强对专门学校的管理和指导，有关部门应当给予协助和配合。

专门学校应当对在校就读的未成年学生进行思想教育、文化教育、纪律和法制教育、劳动技术教育和职业教育。

专门学校的教职员工应当关心、爱护、尊重学生，不得歧视、厌弃。

第二十六条 幼儿园应当做好保育、教育工作，促进幼儿在体质、智力、品德等方面和谐发展。

第四章 社会保护

第二十七条 全社会应当树立尊重、保护、教育未成年人的良好风尚，关心、爱护未成年人。

国家鼓励社会团体、企业事业组织以及其他组织和个人，开展多种形式的有利于未成年人健康成长的社会活动。

第二十八条 各级人民政府应当保障未成年人受教育的权利，并采取措施保障家庭经济困难的、残疾的和流动人口中的未成年人等接受义务教育。

第二十九条 各级人民政府应当建立和改善适合未成年人文化生活需要的活动场所和设施,鼓励社会力量兴办适合未成年人的活动场所,并加强管理。

第三十条 爱国主义教育基地、图书馆、青少年宫、儿童活动中心应当对未成年人免费开放;博物馆、纪念馆、科技馆、展览馆、美术馆、文化馆以及影剧院、体育场馆、动物园、公园等场所,应当按照有关规定对未成年人免费或者优惠开放。

第三十一条 县级以上人民政府及其教育行政部门应当采取措施,鼓励和支持中小学校在节假日期间将文化体育设施对未成年人免费或者优惠开放。

社区中的公益性互联网上网服务设施,应当对未成年人免费或者优惠开放,为未成年人提供安全、健康的上网服务。

第三十二条 国家鼓励新闻、出版、信息产业、广播、电影、电视、文艺等单位和作家、艺术家、科学家以及其他公民,创作或者提供有利于未成年人健康成长的作品。出版、制作和传播专门以未成年人为对象的内容健康的图书、报刊、音像制品、电子出版物以及网络信息等,国家给予扶持。

国家鼓励科研机构和科技团体对未成年人开展科学知识普及活动。

第三十三条 国家采取措施,预防未成年人沉迷网络。

国家鼓励研究开发有利于未成年人健康成长的网络产品,推广用于阻止未成年人沉迷网络的新技术。

第三十四条 禁止任何组织、个人制作或者向未成年人出售、出租或者以其他方式传播淫秽、暴力、凶杀、恐怖、赌博等毒害未成年人的图书、报刊、音像制品、电子出版物以及网络信息等。

第三十五条 生产、销售用于未成年人的食品、药品、玩具、用具和游乐设施等,应当符合国家标准或者行业标准,不得有害于未成年人的安全和健康;需要标明注意事项的,应当在显著位置标明。

第三十六条　中小学校园周边不得设置营业性歌舞娱乐场所、互联网上网服务营业场所等不适宜未成年人活动的场所。

营业性歌舞娱乐场所、互联网上网服务营业场所等不适宜未成年人活动的场所，不得允许未成年人进入，经营者应当在显著位置设置未成年人禁入标志；对难以判明是否已成年的，应当要求其出示身份证件。

第三十七条　禁止向未成年人出售烟酒，经营者应当在显著位置设置不向未成年人出售烟酒的标志；对难以判明是否已成年的，应当要求其出示身份证件。

任何人不得在中小学校、幼儿园、托儿所的教室、寝室、活动室和其他未成年人集中活动的场所吸烟、饮酒。

第三十八条　任何组织或者个人不得招用未满十六周岁的未成年人，国家另有规定的除外。

任何组织或者个人按照国家有关规定招用已满十六周岁未满十八周岁的未成年人的，应当执行国家在工种、劳动时间、劳动强度和保护措施等方面的规定，不得安排其从事过重、有毒、有害等危害未成年人身心健康的劳动或者危险作业。

第三十九条　任何组织或者个人不得披露未成年人的个人隐私。

对未成年人的信件、日记、电子邮件，任何组织或者个人不得隐匿、毁弃；除因追查犯罪的需要，由公安机关或者人民检察院依法进行检查，或者对无行为能力的未成年人的信件、日记、电子邮件由其父母或者其他监护人代为开拆、查阅外，任何组织或者个人不得开拆、查阅。

第四十条　学校、幼儿园、托儿所和公共场所发生突发事件时，应当优先救护未成年人。

第四十一条　禁止拐卖、绑架、虐待未成年人，禁止对未成年人实施性侵害。

禁止胁迫、诱骗、利用未成年人乞讨或者组织未成年人进行有害其身心健康的表演等活动。

第四十二条 公安机关应当采取有力措施,依法维护校园周边的治安和交通秩序,预防和制止侵害未成年人合法权益的违法犯罪行为。

任何组织或者个人不得扰乱教学秩序,不得侵占、破坏学校、幼儿园、托儿所的场地、房屋和设施。

第四十三条 县级以上人民政府及其民政部门应当根据需要设立救助场所,对流浪乞讨等生活无着未成年人实施救助,承担临时监护责任;公安部门或者其他有关部门应当护送流浪乞讨或者离家出走的未成年人到救助场所,由救助场所予以救助和妥善照顾,并及时通知其父母或者其他监护人领回。

对孤儿、无法查明其父母或者其他监护人的以及其他生活无着的未成年人,由民政部门设立的儿童福利机构收留抚养。

未成年人救助机构、儿童福利机构及其工作人员应当依法履行职责,不得虐待、歧视未成年人;不得在办理收留抚养工作中牟取利益。

第四十四条 卫生部门和学校应当对未成年人进行卫生保健和营养指导,提供必要的卫生保健条件,做好疾病预防工作。

卫生部门应当做好对儿童的预防接种工作,国家免疫规划项目的预防接种实行免费;积极防治儿童常见病、多发病,加强对传染病防治工作的监督管理,加强对幼儿园、托儿所卫生保健的业务指导和监督检查。

第四十五条 地方各级人民政府应当积极发展托幼事业,办好托儿所、幼儿园,支持社会组织和个人依法兴办哺乳室、托儿所、幼儿园。

各级人民政府和有关部门应当采取多种形式,培养和训练幼儿园、托儿所的保教人员,提高其职业道德素质和业务能力。

第四十六条 国家依法保护未成年人的智力成果和荣誉权不受侵犯。

第四十七条 未成年人已经完成规定年限的义务教育不再升学的，政府有关部门和社会团体、企业事业组织应当根据实际情况，对他们进行职业教育，为他们创造劳动就业条件。

第四十八条 居民委员会、村民委员会应当协助有关部门教育和挽救违法犯罪的未成年人，预防和制止侵害未成年人合法权益的违法犯罪行为。

第四十九条 未成年人的合法权益受到侵害的，被侵害人及其监护人或者其他组织和个人有权向有关部门投诉，有关部门应当依法及时处理。

第五章 司法保护

第五十条 公安机关、人民检察院、人民法院以及司法行政部门，应当依法履行职责，在司法活动中保护未成年人的合法权益。

第五十一条 未成年人的合法权益受到侵害，依法向人民法院提起诉讼的，人民法院应当依法及时审理，并适应未成年人生理、心理特点和健康成长的需要，保障未成年人的合法权益。

在司法活动中对需要法律援助或者司法救助的未成年人，法律援助机构或者人民法院应当给予帮助，依法为其提供法律援助或者司法救助。

第五十二条 人民法院审理继承案件，应当依法保护未成年人的继承权和受遗赠权。

人民法院审理离婚案件，涉及未成年子女抚养问题的，应当听取有表达意愿能力的未成年子女的意见，根据保障子女权益的原则和双方具体情况依法处理。

第五十三条 父母或者其他监护人不履行监护职责或者侵害被监护的未成年人的合法权益，经教育不改的，人民法院可以根据有关人员或者有关单位的申请，撤销其监护人的资格，依法另行指定监护人。被撤销监护资格的父母应当依法继续负担抚养费用。

第五十四条　对违法犯罪的未成年人，实行教育、感化、挽救的方针，坚持教育为主、惩罚为辅的原则。

对违法犯罪的未成年人，应当依法从轻、减轻或者免除处罚。

第五十五条　公安机关、人民检察院、人民法院办理未成年人犯罪案件和涉及未成年人权益保护案件，应当照顾未成年人身心发展特点，尊重他们的人格尊严，保障他们的合法权益，并根据需要设立专门机构或者指定专人办理。

第五十六条①　公安机关、人民检察院讯问未成年犯罪嫌疑人，询问未成年证人、被害人，应当通知监护人到场。

公安机关、人民检察院、人民法院办理未成年人遭受性侵害的刑事案件，应当保护被害人的名誉。

第五十七条　对羁押、服刑的未成年人，应当与成年人分别关押。

羁押、服刑的未成年人没有完成义务教育的，应当对其进行义务教育。

解除羁押、服刑期满的未成年人的复学、升学、就业不受歧视。

第五十八条　对未成年人犯罪案件，新闻报道、影视节目、公开出版物、网络等不得披露该未成年人的姓名、住所、照片、图像以及可能推断出该未成年人的资料。

第五十九条　对未成年人严重不良行为的矫治与犯罪行为的预防，依照预防未成年人犯罪法的规定执行。

第六章　法 律 责 任

第六十条　违反本法规定，侵害未成年人的合法权益，其他法

---

①　2012 年 10 月 26 日《全国人民代表大会常务委员会关于修改〈中华人民共和国未成年人保护法〉的决定》将本条第一款修改为："讯问、审判未成年犯罪嫌疑人、被告人，询问未成年证人、被害人，应当依照刑事诉讼法的规定通知其法定代理人或者其他人员到场。"

律、法规已规定行政处罚的，从其规定；造成人身财产损失或者其他损害的，依法承担民事责任；构成犯罪的，依法追究刑事责任。

第六十一条　国家机关及其工作人员不依法履行保护未成年人合法权益的责任，或者侵害未成年人合法权益，或者对提出申诉、控告、检举的人进行打击报复的，由其所在单位或者上级机关责令改正，对直接负责的主管人员和其他直接责任人员依法给予行政处分。

第六十二条　父母或者其他监护人不依法履行监护职责，或者侵害未成年人合法权益的，由其所在单位或者居民委员会、村民委员会予以劝诫、制止；构成违反治安管理行为的，由公安机关依法给予行政处罚。

第六十三条　学校、幼儿园、托儿所侵害未成年人合法权益的，由教育行政部门或者其他有关部门责令改正；情节严重的，对直接负责的主管人员和其他直接责任人员依法给予处分。

学校、幼儿园、托儿所教职员工对未成年人实施体罚、变相体罚或者其他侮辱人格行为的，由其所在单位或者上级机关责令改正；情节严重的，依法给予处分。

第六十四条　制作或者向未成年人出售、出租或者以其他方式传播淫秽、暴力、凶杀、恐怖、赌博等图书、报刊、音像制品、电子出版物以及网络信息等的，由主管部门责令改正，依法给予行政处罚。

第六十五条　生产、销售用于未成年人的食品、药品、玩具、用具和游乐设施不符合国家标准或者行业标准，或者没有在显著位置标明注意事项的，由主管部门责令改正，依法给予行政处罚。

第六十六条　在中小学校园周边设置营业性歌舞娱乐场所、互联网上网服务营业场所等不适宜未成年人活动的场所的，由主管部门予以关闭，依法给予行政处罚。

营业性歌舞娱乐场所、互联网上网服务营业场所等不适宜未成年人活动的场所允许未成年人进入，或者没有在显著位置设置未成年人禁入标志的，由主管部门责令改正，依法给予行政处罚。

第六十七条　向未成年人出售烟酒，或者没有在显著位置设置不向未成年人出售烟酒标志的，由主管部门责令改正，依法给予行政处罚。

第六十八条 非法招用未满十六周岁的未成年人，或者招用已满十六周岁的未成年人从事过重、有毒、有害等危害未成年人身心健康的劳动或者危险作业的，由劳动保障部门责令改正，处以罚款；情节严重的，由工商行政管理部门吊销营业执照。

第六十九条 侵犯未成年人隐私，构成违反治安管理行为的，由公安机关依法给予行政处罚。

第七十条 未成年人救助机构、儿童福利机构及其工作人员不依法履行对未成年人的救助保护职责，或者虐待、歧视未成年人，或者在办理收留抚养工作中牟取利益的，由主管部门责令改正，依法给予行政处分。

第七十一条 胁迫、诱骗、利用未成年人乞讨或者组织未成年人进行有害其身心健康的表演等活动的，由公安机关依法给予行政处罚。

第七章 附 则

第七十二条 本法自2007年6月1日起施行。

全国人大内务司法委员会关于提请审议《中华人民共和国未成年人保护法（修订草案）》的议案

全国人民代表大会常务委员会：

未成年人保护法颁布实施十多年来，对于保障未成年人的合法权益，促进未成年人的健康成长，发挥了重要作用。但是，随着改革开放的深入和社会主义市场经济的发展，未成年人成长的社会环境已经发生了重大变化，未成年人保护领域出现了许多新情况、新问题，现行法律的一些规定已不适应经济和社会发展对未成年人保护工作的要求，进行修改是必要的。根据十届全国人大常委会立法规划，全国人大内务司法委员会在深入调查研究，广泛听取意见的基础上，草拟了《中华人民共和国未成年人保护法（修订草案）》。2006 年 7 月 11 日，内务司法委员会第 38 次会议讨论通过了这个草案，现提请审议。

全国人大内务司法委员会

2006 年 7 月 17 日

关于《中华人民共和国未成年人保护法（修订草案）》的说明

——2006年8月22日在第十届全国人民代表大会常务委员会第二十三次会议上

全国人大内务司法委员会副主任委员　祝铭山

委员长、各位副委员长、秘书长、各位委员：

根据十届全国人大常委会立法规划，全国人大内务司法委员会承担了修改未成年人保护法的起草工作。2005年4月以来，多次赴各地进行立法调研；全面搜集和研究了各省、自治区、直辖市人大制定的关于未成年人保护的地方法规；组团考察了外国未成年人保护的立法和工作情况。在此基础上，参考共青团中央提出的修改建议稿，拟出修订草稿。在对草稿进行修改过程中，征求了中央综治办、中央文明办、中央编制办、全国人大教科文卫委、全国人大常委会法工委、国务院妇儿工委、国务院法制办、教育部、文化部、公安部、司法部、民政部、最高人民法院、最高人民检察院、共青团中央、全国妇联等20多个中央有关部门和单位的意见；召开座谈会听取全国31个省、自治区、直辖市人大内务司法委员会以及人大代表、未成年人保护工作者、中小学教师、未成年学生及其家长和基层群众的意见；召开专家论证会，听取法学、社会学、心理学等学科的学者的意见。经过反复修改，形成了《中华人民共和国未成年人保护法（修订草案）》。

我受内务司法委员会的委托,就草案作如下说明:

一、关于修改的必要性和思路

未成年人保护法自1992年1月1日施行以来,对于保障未成年人的合法权益,促进未成年人在品德、智力、体质等方面全面发展,培养有理想、有道德、有文化、有纪律的社会主义事业建设者和接班人,发挥了重要作用。随着我国改革开放的深入和经济与社会的发展,当时立法所依据的社会条件发生了很大变化,未成年人保护工作面临许多新情况、新问题。现行未成年人保护法的一些规定已不适应未成年人保护工作的需要。党的十六大和四中、五中全会对新时期未成年人保护工作提出了新的更高要求,强调未成年人的素质特别是思想道德素质决定着中华民族的未来发展和前途命运,要求全党全社会都关心未成年人的健康成长,特别要关心未成年人的思想道德建设。近几年来,许多全国人大代表和社会各界人士要求修改未成年人保护法的呼声很高,一些专家学者也通过不同形式表达了修改未成年人保护法的意见。2003年,全国人大常委会关于未成年人保护法和预防未成年人犯罪法执法检查报告,提出了修改未成年人保护法的建议。

修改未成年人保护法,必须坚持以邓小平理论和“三个代表”重要思想为指导,贯彻科学发展观,按照《中共中央国务院关于进一步加强和改进未成年人思想道德建设的若干意见》的要求,以宪法为根据,坚持从国情出发,突出重点,解决实际问题,使未成年人保护法更加符合我国经济社会发展和构建社会主义和谐社会的实际,符合广大人民群众的根本利益,适应未成年人保护工作的现实需要。

(一)保留现行未成年人保护法的主要内容,在现行法律基本框架的基础上进行修改。现行未成年人保护法于1991年9月审议通过。十多年来的实践证明,其立法的指导思想是明确的,确立的一些原则和制度仍然具有很强的现实意义,基本框架和结构也是合理的。因此,应当在现行法律基本框架内进行修改,保留主要内容,修改或者删除已不符合新的客观情况的规定，根据中央的精神和现实需要补充一些新内容，保留了并不是非改不可的一些规定和表述方法。

（二）坚持法制统一原则，处理好本法的修改与其他法律的关系。未成年人保护工作涉及面很广，我国民事、刑事、行政、社会等很多法律都有关于未成年人保护的内容。修改未保法应当注意处理好本法与其他法律的关系，做到与其他相关法律相协调、相衔接。凡是其他法律有明确规定的，本法不再重复，或者只作原则性、衔接性的规定；其他法律没有规定或者规定不够完善的，在本法修改中尽可能作出明确的具体规定。

（三）解决现实存在的突出问题，增强法律修改的针对性和可操作性。当前，未成年人保护工作面临的问题很多、很复杂，不可能通过修改一次法律全部解决，应当抓主要矛盾，力求解决突出问题。执法主体责任不够明确，未成年人保护工作机制不够健全问题；家长不履行或者不正确履行监护职责问题；校园安全问题；对流浪、乞讨、失去监护等生活无着未成年人的救助问题；优化未成年人成长的社会环境，预防和减少未成年人违法犯罪问题等，都是此次修改力求解决的重点。

（四）总结未成年人保护工作经验，把成熟的经验上升为法律。未成年人保护法实施十多年来，各地各部门积累了很多好经验、好做法。一些地方健全未成年人保护工作协调机制，充分发挥统一协调、指导和督促未成年人保护工作的作用；将未成年人保护工作纳入国民经济和社会发展规划；建立流浪儿童救助保护机构；加强和改进对有严重不良行为的未成年人的教育和矫治；加强对营利性网吧的管理，建设绿色网吧；加强对失足未成年人的教育挽救等。对这些经验进行认真总结，把成熟的、带有普遍性的经验上升为法律。

我国已签署《联合国儿童权利公约》、《联合国少年司法最低限度标准规则》等国际法律文件，文件规定的儿童利益优先和儿童利益最大化等基本原则，在修订草案中加以体现。

二、关于修改的主要内容

草案从现行未成年人保护法的56条增加到75条，其中，新增25条，删除6条，修改32条，修改的主要内容有：

（一）进一步明确未成年人的权利。作为一部保护未成年人的专项法律，有必要对未成年人享有的权利作出明确规定。参考《中国儿童发展纲要（2001—2010）》以及“十一五”规划纲要的表述，草案在总则一章设专条加以规定：“未成年人享有生存权、发展权、受保护权、参与权和受教育权等权利。国家保障未成年人的合法权益不受侵犯。”生存权是指未成年人享有其固有的生命权、健康权和获得基本生活保障的权利；发展权是指充分发展其全部体能和智能的权利；受保护权是指不受歧视、虐待和忽视的权利；参与权是指参与家庭和社会生活，并就影响他们生活的事项发表意见的权利。考虑到受教育权对未成年人的特殊重要性，草案把这一权利从发展权中单列了出来。草案还规定：“未成年人依法平等地享有权利，不因其本人、父母或者其他监护人的民族、种族、性别、户籍、家庭状况、宗教信仰、教育程度、财产状况、身体状况等而受歧视。”

（二）进一步明确未成年人保护工作的原则。草案特别强调未成年人保护工作要适应未成年人身心发展的规律和特点。草案规定：“保护未成年人的工作，应当遵循下列原则：（一）优先保障未成年人的合法权益；（二）尊重未成年人的人格尊严；（三）适应未成年人身心发展的规律和特点；（四）教育与保护相结合。”草案尽可能将这些原则在各章中具体化，如在社会保护一章中规定，“公共场所和学校发生重大突发事件时，应当优先救护未成年人”；在家庭保护一章中，增加了父母或者其他监护人应当“关注未成年人的生理、心理状况和行为习惯”的内容；在司法保护一章中，根据未成年犯罪嫌疑人和被告人的特点规定了社会调查制度。

（三）进一步明确执法主体。保护未成年人是全社会的共同责任，各级政府责任尤为重大。为了促进未成年人保护工作的落实，有必要进一步明确政府及其有关部门执法主体的地位和责任。草案总则中规定："国务院和地方各级人民政府领导有关部门做好未成年人保护工作，将未成年人保护工作纳入国民经济和社会发展规划及年度计划，相关经费纳入本级政府预算。""县级以上人民政府未成年人保护工作协调机构指导、督促有关部门和社会组织做好未成年人保护工作。"在社会保护一章和法律责任一章中，对县级以上人民政府及其教育、公安、民政、卫生等有关部门的责任作了进一步的明确规定。

（四）保障未成年人健康成长，强化家庭保护。针对一些父母或者其他监护人对子女生而不养、养而不教、教而不当等问题，草案增加了以下内容："父母或者其他监护人应当学习家庭教育知识，正确履行监护职责，抚育未成年人健康成长。""有关国家机关和社会组织应当为未成年人父母或者其他监护人提供家庭教育指导。""父母因外出务工等原因不能履行对未成年人监护职责的，应当依法委托有监护能力的其他成年人代为监护。"并规定父母或者其他监护人"不得侵害未成年人的合法权益"，"禁止对未成年人实施家庭暴力"。草案还对家庭其他成年人的责任作了规定："家庭其他成年人协助未成年人的父母或者其他监护人教育、保护未成年人。"

（五）促进未成年人全面发展，强化学校保护。上个世纪九十年代以来，我国先后制定了教育法、义务教育法、职业教育法、教师法、民办教育促进法等法律，最近，又全面修订了义务教育法。这些法律对于学校的设置及职责、教师的权利和义务、未成年人受教育权的保障等作出了比较明确的规定。根据未成年人保护法的特点和当前学校保护中面临的突出问题，草案主要增加了以下几个方面的内容：一是为了全面贯彻国家的教育方针，强调"实施素质教育，培养未成年学生的创新精神和实践能力"。二是为了保障未成年人身心健康发展，草案规定：学校应当"与父母或者其他监护人相互配合，保证未成年人必要的睡眠、娱乐和体育锻炼时间"，不得加重学生的学习负担。三是规定"学校应当建立校园安全制度，预防和制止校园暴力以及其他侵害未成年人合法权益的行为,保障未成年人的安全”。并对学校安全事故的预防、报告和处理等问题作出了新规定。四是为了预防和减少未成年人违法犯罪,草案对矫治未成年人严重不良行为的专门学校的设置、管理等问题作出了规定。

(六)净化未成年人成长的社会环境,强化社会保护。一是针对未成年人活动场所不足、有些场所利用又不够充分等问题,草案对鼓励社会力量兴办未成年人活动场所、公益性文化设施向未成年人免费或者优惠开放等作了补充,并增加一些新规定:“各级人民政府及其教育行政部门应当采取措施,鼓励和支持中小学校在节假日期间将网络设施及其他文化体育设施对未成年人免费或者优惠开放。”二是为了使未成年人免受不良文化的危害,草案规定对营业性歌舞娱乐场所以及网吧、酒吧等场所不得允许未成年人进入,禁止制作和向未成年人出售、出租不良文化产品等作出了新的规定。三是为了维护未成年人的安全和健康,草案规定,“公安机关应当依法预防和制止侵害未成年人合法权益的违法犯罪行为,维护校园周边的治安和交通秩序”;“禁止胁迫、诱骗、利用未成年人乞讨”。并对用于未成年人的食品、药品等的质量标准、禁止向未成年人出售烟酒等问题作了规定。四是为了更好地维护弱势未成年人群体的合法权益,草案规定:“各级人民政府应当采取措施,保障贫困、残疾、失去监护和暂住人口中的未成年人以及其他有实际困难的未成年人接受义务教育。”并对流浪、乞讨、失去监护等生活无着未成年人的救助问题作了规定。五是增加了对未成年人权益的保障措施,规定:“未成年人的合法权益受到侵害的,被侵害人及其监护人或者其他组织和公民有权向有关部门投诉,有关部门应当依法及时处理。”有关部门不依法及时处理的,未成年人保护工作协调机构应当予以督促。六是为了加强基层基础工作,对居委会、村委会在保护未成年人工作中的责任作了规定。

(七)贯彻教育、感化、挽救的方针,强化司法保护。草案规定,对违法犯罪的未成年人实行教育、感化、挽救的方针。草案在总结经验的基础上,对司法保护一章作了多方面的补充规定。一是规定公安机关、人民检察院、人民法院办理未成年人刑事案件,应当限制适用羁押性强制措施和监禁刑;讯问未成年犯罪嫌疑人,询问未成年证人、被害人,应当在适当场所、使用适当的方法进行。二是对维护未成年人的受遗赠权、隐私权和名誉权等民事权益作出了进一步的规定。三是根据中央关于司法体制改革的有关精神,草案规定:“人民法院根据需要设立审理未成年人犯罪案件和涉及未成年人权益保护案件的机构,或者指定专人办理。公安机关、人民检察院可以相应设立办理未成年人犯罪案件的机构,或者指定专人办理。”这些规定可以更好地适应对未成年人进行司法保护的需要。

(八)强化法律责任。为强化法律责任,增强法律的可操作性,草案从两个方面作出规定。一是概括性规定:“违反本法规定,侵害未成年人的合法权益,其他法律、法规已规定行政处罚的,从其规定;造成财产损失或者其他损害的,依法承担民事责任;构成犯罪的,依法追究刑事责任。”这样可以使未成年人保护法与其他相关法律、法规有机衔接,减少不必要的重复。二是对其他法律、法规没有规定或者规定不明确的,作出具体规定。如国家机关及其工作人员在未成年人保护工作中失职、渎职的法律责任;未成年人的父母或者其他监护人不依法履行监护职责或者侵害未成年人合法权益的法律责任;学校教职员工侵害未成年人合法权益的法律责任;营业性歌舞娱乐场所、酒吧、网吧等场所允许未成年人进入的法律责任;生产、销售不符合质量标准的用于未成年人的食品、药品、玩具、用具和游乐设施以及向未成年人出售烟酒的法律责任。

此外,还作了一些文字上的修改。

《中华人民共和国未成年人保护法(修订草案)》和以上说明是否妥当,请审议。

全国人大法律委员会关于《中华人民共和国未成年人保护法（修订草案）》修改情况的汇报

全国人民代表大会常务委员会：

常委会第二十三次会议对未成年人保护法（修订草案）进行了初步审议。会后，法制工作委员会将草案印发各省（区、市）和中央有关部门、部分高等院校、研究机构征求意见。法律委员会、内务司法委员会和法制工作委员会还联合召开座谈会，听取中央有关部门和部分专家的意见；法律委员会和内务司法委员会就修订草案几个主要问题反复交换意见，进行研究。法律委员会于10月16日召开会议，根据常委会组成人员的审议意见和各方面的意见，对草案进行了逐条审议。内务司法委员会的负责同志和国务院法制办的有关同志列席了会议。10月25日，法律委员会召开会议，再次进行了审议。现将修订草案主要问题修改情况汇报如下：

一、修订草案第三条第一款规定："未成年人享有生存权、发展权、受保护权、参与权和受教育权等权利。国家保障未成年人的合法权益不受侵犯。"第四条第一项规定，保护未成年人的工作，应当遵循"优先保障未成年人的合法权益"的原则。有些常委委员、地方和专家提出，对未成年人应突出对其特殊权利的保护。有的常委委员提出，"受教育权"属于"发展权"的一部分，不宜将二者并列规定，建议删去"受教育权"，与"十一五"规划等文件的提法一致起来。法律委员会经同内务司法委员会研究,建议将修订草案第三条第一款与第四条第一项合并,修改为:“未成年人享有生存权、发展权、受保护权、参与权等权利,国家根据未成年人身心发展特点给予特殊、优先保护,保障未成年人的合法权益不受侵犯。”(修订草案二次审议稿第三条第一款)

二、有些常委委员、地方和专家提出,目前一些青少年上网成瘾,长时间沉迷于网络游戏,身心健康受到很大损害,已经成为一个严重的社会问题,广大家长和教育工作者对此反应强烈,建议本法除规定禁止未成年人进入网吧外,还要从其他方面采取措施,如研究开发定时终止网络游戏的软件,供家庭和社会使用等,以解决这一问题。法律委员会经同内务司法委员会研究,建议增加规定:“国家采取措施,组织研究开发阻止未成年人沉迷网络的新技术。”(修订草案二次审议稿第三十一条第三款)

三、有些常委委员、地方和专家提出,现行未成年人保护法中一些规定,如父母不得迫使未成年人结婚,学校要对未成年学生进行社会生活指导和青春期教育以及幼儿园的学前教育等,目前仍有针对性,建议予以保留。法律委员会经同内务司法委员会研究,建议恢复现行未成年人保护法的下列规定:(1)“父母或者其他监护人不得允许或者迫使未成年人结婚,不得为未成年人订立婚约。”(修订草案二次审议稿第十五条)(2)“学校应当对未成年学生进行社会生活指导和青春期教育。”(修订草案二次审议稿第十七条第三款)(3)“幼儿园应当做好保育、教育工作,促进幼儿在体质、智力、品德等方面和谐发展。”(修订草案二次审议稿第二十六条)(4)“地方各级人民政府应当积极发展托幼事业,办好托儿所、幼儿园,支持社会组织和个人依法兴办哺乳室、托儿所、幼儿园,提倡和支持举办家庭托儿所。”(修订草案二次审议稿第四十四条第一款)

四、有些常委委员、地方和专家提出,为了保护未成年人健康成长,应当创造良好的家庭和社会教育环境;公检法机关应当依法履行职责,加强对未成年人的司法保护,严厉打击拐卖、虐待未成年人以及对未成年人实施性侵害等犯罪行为。法律委员会经同内务司法委员会研究,建议增加规定:(1)“父母或者其他监护人应当创造良好、和睦的家庭环境,依法履行对未成年人的监护职责和抚养义务。”(修订草案二次审议稿第十条第一款)(2)“全社会应当树立尊重、保护、教育未成年人的良好风尚,关心、爱护未成年人。”(修订草案二次审议稿第二十七条第一款)(3)“禁止拐卖、绑架、虐待未成年人,禁止对未成年人实施性侵害。”(修订草案二次审议稿第四十条第一款)(4)“公安机关、人民检察院、人民法院以及司法行政部门,应当依法履行职责,在司法活动中保护未成年人的合法权益。”(修订草案二次审议稿第四十九条)同时,将修订草案第五十九条第一款修改为:“未成年人的合法权益受到侵害,依法向人民法院提起诉讼的,人民法院应当依法及时审理,并考虑未成年人生理、心理特点和健康成长的需要,保障未成年人的合法权益。”(修订草案二次审议稿第五十条第一款)

五、修订草案第五章规定了对未成年人的司法保护。有些常委委员、地方、专家和部门提出,修订草案规定办理未成年人刑事案件应当“在适当的场所、使用适当的方法”进行询问,“限制适用羁押性强制措施”和“限制适用监禁刑”,并可以进行社会调查以及开展社区矫正等,这些规定涉及刑事诉讼制度和刑罚制度,应由刑事诉讼法和刑法统一规定。目前,刑事诉讼法、刑法的修改工作正在进行,对这些问题还在研究论证,本法不宜作规定。法律委员会经同内务司法委员会反复研究认为,上述规定应与现行刑事诉讼法、刑法相衔接,建议作如下修改:(1)将修订草案第五十条第一款修改为:“公安机关、人民检察院讯问未成年犯罪嫌疑人,询问未成年证人、被害人,应当有监护人在场。”(修订草案二次审议稿第五十五条第一款)(2)将修订草案第五十二条修改为:“公安机关、人民检察院、人民法院办理未成年人刑事案件,应当依法从轻、减轻或者免除刑事处罚。”(修订草案二次审议稿第五十五条第三款)

此外,还对修订草案作了一些文字修改。

修订草案二次审议稿已按上述意见作了修改,法律委员会建议本次常委会会议再次审议。

修订草案二次审议稿和以上意见是否妥当,请审议。

全国人大法律委员会

2006 年 10 月 27 日

全国人大法律委员会关于《中华人民共和国未成年人保护法（修订草案）》审议结果的报告

全国人民代表大会常务委员会：

常委会第二十四次会议对未成年人保护法（修订草案二次审议稿）进行了再次审议。会后，法律委员会和内务司法委员会就修订草案二次审议稿中的几个主要问题交换意见，进行研究。法律委员会于12月11日召开会议，根据常委会组成人员的审议意见和各方面的意见，对修订草案二次审议稿进行了审议。内务司法委员会和国务院法制办的负责同志列席了会议。12月19日，法律委员会召开会议，再次进行了审议。法律委员会认为，为了保护未成年人的身心健康，保障未成年人的合法权益，促进未成年人全面发展，对未成年人保护法进行修订是必要的，修订草案经过常委会两次审议、修改，已经比较成熟。同时，提出以下主要修改意见：

一、修订草案二次审议稿第三条第一款规定："未成年人享有生存权、发展权、受保护权、参与权等权利，国家根据未成年人身心发展特点给予特殊、优先保护，保障未成年人的合法权益不受侵犯。"有些常委会组成人员提出，本法应明确未成年人的"受教育权"，尽管"发展权"可以包括"受教育权"，但不够突出。法律委员会经同内务司法委员会研究认为，"未成年人享有生存权、发展权、受保护权、参与权等权利"的表述与"十一五"规划纲要的提法是一致的，可以不再改动。至于未成年人受教育的权利,可以在第一章“总则”有关条款和第三章“学校保护”、第四章“社会保护”有关条款中加以补充。据此,法律委员会建议对修订草案二次审议稿作如下修改、补充:(1)在第四条中增加一款,作为第一款,规定:“国家、社会、学校和家庭尊重和保障未成年人受教育的权利。”(修订草案三次审议稿第四条第一款)(2)将修订草案二次审议稿第十八条修改为:“学校应当尊重未成年学生受教育的权利,关心、爱护学生,对品行有缺点、学习有困难的学生,应当耐心教育、帮助,不得歧视,不得违反法律和国家规定开除未成年学生。”(修订草案三次审议稿第十八条)(3)增加规定:“各级人民政府应当保障未成年人受教育的权利,并采取措施保障家庭经济困难的、残疾的和流动人口中的未成年人等接受义务教育。”(修订草案三次审议稿第二十九条)

二、有些常委会组成人员提出,为了解决未成年人沉迷网络的问题,需要从源头上加强治理,如对游戏软件的开发进行控制,进一步减少和限制营业性网吧。法律委员会经同内务司法委员会研究,建议对修订草案二次审议稿作如下修改、补充:(1)将修订草案第三十一条第三款单作一条,分为两款,修改为:“国家采取措施,预防未成年人沉迷网络。”“国家鼓励研究开发有利于未成年人健康成长的网络产品,推广阻止未成年人沉迷网络的新技术。”(修订草案三次审议稿第三十四条)(2)增加规定:“中小学校园周边不得设置营业性歌舞娱乐场所、互联网上网服务营业场所等不适宜未成年人活动的场所。”(修订草案三次审议稿第三十七条第一款)并在“法律责任”一章中增加相应的处罚规定。

三、有些常委委员提出,为了保护未成年人健康成长,卫生部门和学校应当对未成年人进行营养指导。同时,为了做好传染病的预防工作,本法应当明确规定国家免疫规划项目的预防接种实行免费。法律委员会经同内务司法委员会研究,建议将修订草案二次审议稿第四十三条修改为:“卫生部门和学校应当对未成年人进行卫生保健和营养指导,提供必要的卫生保健条件,做好疾病预防工作。”“卫生部门应当做好对儿童的预防接种工作,国家免疫规划项目的预防接种实行免费;积极防治儿童常见病、多发病,加强对传染病防治工作的监督管理和对托儿所、幼儿园卫生保健的业务指导和监督检查。”(修订草案三次审议稿第四十五条)

这里,还有一个问题需要汇报。修订草案二次审议稿第六章对违法行为规定了法律责任。有些常委委员提出,这一章规定的法律责任多是“依法给予行政处罚”,规定比较笼统,建议作出具体规定。法律委员会经同内务司法委员会反复研究认为,目前我国一些法律、法规对侵犯未成年人合法权益的违法行为已经规定了具体的行政处罚,如《互联网上网服务营业场所管理条例》规定,互联网上网服务营业场所经营单位接纳未成年人进入营业场所的,“由文化行政部门给予警告,可以并处15000元以下的罚款;情节严重的,责令停业整顿,直至吊销《网络文化经营许可证》”。为了处理好本法与相关法律、法规的衔接,修订草案二次审议稿第五十九条中已经规定:“违反本法规定,侵害未成年人的合法权益,其他法律、法规已规定行政处罚的,从其规定”(修订草案三次审议稿第六十一条)因此,法律委员会建议本法不必重复其他法律、法规有关行政处罚的具体规定,作出衔接性的规定即可。

此外,还对修订草案二次审议稿作了一些文字修改。

修订草案三次审议稿已按上述意见作了修改,法律委员会建议提请本次常委会会议审议通过。

修订草案三次审议稿和以上报告是否妥当,请审议。

全国人大法律委员会

2006年12月24日

全国人大法律委员会关于未成年人保护法(修订草案三次审议稿)修改意见的报告

全国人民代表大会常务委员会:

本次常委会会议于12月24日下午对未成年人保护法(修订草案三次审议稿)进行了分组审议。常委会组成人员认为,未成年人保护法(修订草案)经过两次审议、修改,已经比较成熟,建议本次会议进一步修改后通过;同时,有些常委会组成人员还提出了一些修改意见。12月25日下午,法律委员会召开会议,根据常委会组成人员的意见,对修订草案进行了审议。内务司法委员会和国务院法制办的负责同志列席了会议。法律委员会认为,未成年人保护法(修订草案)是可行的;同时,提出以下主要修改意见:

一、有些常委委员提出,本法应当进一步突出未成年人享有受教育权,建议在修订草案三次审议稿第三条有关"未成年人享有生存权、发展权、受保护权、参与权等权利"中增加规定"受教育权"。法律委员会经同内务司法委员会研究,建议将修订草案三次审议稿第四条第一款并入第三条,作为第二款,修改为:"未成年人享有受教育权,国家、社会、学校和家庭尊重和保障未成年人的受教育权。"(修订草案建议表决稿第三条第二款)

二、修订草案第三章"学校保护"中第二十七条规定:"任何组织和个人不得扰乱教学秩序,不得侵占、破坏学校、幼儿园、托儿所的场地、房屋和设施。”有的常委委员提出,这一条不属于学校保护的内容,应在第四章“社会保护”中作规定。法律委员会经同内务司法委员会研究,建议将这一条并入第四章“社会保护”中,作为第四十二条第二款。(修订草案建议表决稿第四十二条第二款)

三、修订草案三次审议稿第七十三条规定:“违反本法,构成犯罪的,依法追究刑事责任。”有些常委委员建议将这一条的规定并入修订草案三次审议稿第六十一条,对违反本法所应承担的行政、民事和刑事法律责任作出综合性的规定。法律委员会经同内务司法委员会研究,建议将修订草案三次审议稿第七十三条与第六十一条合并为一条,修改为:“违反本法规定,侵害未成年人的合法权益,其他法律、法规已规定行政处罚的,从其规定;造成财产损失或者其他损害的,依法承担民事责任;构成犯罪的,依法追究刑事责任。”(修订草案建议表决稿第六十条)

此外,还对修订草案三次审议稿作了一些文字修改。

修订草案建议表决稿已按上述意见作了修改,法律委员会建议本次常委会会议通过。

修订草案建议表决稿和以上报告是否妥当,请审议。

全国人大法律委员会

2006 年 12 月 26 日

十届全国人大常委会第二十三次会议分组审议未成年人保护法（修订草案）的意见

2006年8月24日上午，十届全国人大常委会第二十三次会议分组审议了未成年人保护法（修订草案）。现将有关审议意见简报如下：

一、总的意见

大家普遍认为，未成年人保护法实施15年来，对保障未成年人的合法权益，促进未成年人的发展发挥了重要作用，但随着我国经济社会的快速发展，有些规定已经不能适应当前未成年人保护工作的需要，因此进行修改是必要的。修订草案针对当前未成年人保护工作出现的新情况、新问题，做了有针对性的规定，特别是规定了优先保障未成年人权益的原则，明确了执法主体，加大了对未成年人的保护力度。修订草案总体上修改得比较好，符合当前的实际情况。

有的常委会组成人员提出，本法应加大对女童的权益保护，重视未成年人保护中的男女平等问题，体现党中央关爱女孩的政策。郑功成委员提出，应当对流浪儿童、农民工子女以及弃婴问题予以特别关注。

有的委员提出，修订草案规定得面面俱到，没有突出重点，没有突出社会、家长对未成年人应该履行的具体保护义务。本法应处理好与其他法律的关系,如义务教育法、预防未成年人犯罪法、刑事诉讼法等,这些法律已经规定的内容,本法可不必重复,要注意与已有法律规定的衔接。

有的代表提出,立法要贯彻节约原则,可改可不改的,就没有必要改。建议对原法中一些意思表述清楚明确、修订草案也没作出实质性修改的条文,如第一条、第九条、第三十一条等予以保留。

二、关于总则

修订草案第一条规定:"为了保护未成年人的身心健康,保障未成年人的合法权益,促进未成年人在品德、智力、体质等方面全面发展,培养有理想、有道德、有文化、有纪律的社会主义事业建设者和接班人,根据宪法,制定本法。"有的委员提出,由于宪法对社会主义事业的建设者有特定的含义,建议删除新增加的"建设者和"四个字,恢复原法的表述。有的委员提出,这部法的对象是未成年人,建议不要提"接班人",未成年人做接班人,要求太高了。

修订草案第三条第一款规定,未成年人享有生存权、发展权、受保护权、参与权和受教育权等权利。有的委员提出,受教育权属于发展权,建议不要单列,修改为:"未成年人享有生存权、发展权、受保护权和参与权。"有的代表建议增加规定未成年人的知情权。有的委员提出,这一款权利写得很多,但是有些权利在后续的条文中没有具体内容,建议进一步研究。一些权利内容需要推敲,如参与权,似乎只有一条规定家庭作出与未成年人权益有关的决定时应告知本人,但这只是知情权。

修订草案第三条第二款规定:"未成年人依法平等地享有权利,不因其本人、父母或者其他监护人的民族、种族、性别、户籍、家庭状况、宗教信仰、教育程度、财产状况、身体状况等而受歧视。"有的同志提出,鉴于目前轻视农民工,轻视干重活脏活的现象比较严重,建议此款增加"职业状况"的内容。汤洪高委员建议将"家庭状况"改为"职业状况"。有的代表建议在"性别"后加上"职业"。有的代表提出应对“种族”的含义进行详细说明。

修订草案第四条第四项规定,保护未成年人的工作,应当遵循教育与保护相结合的原则。有的代表建议修改为“教育矫治与保护相结合”。有的代表提出,未来社会是法制社会,建议修改为“教育保护与法制相结合”。

修订草案第五条规定:“国家、社会、学校和家庭对未成年人进行理想教育、道德教育、文化教育、纪律和法制教育,进行爱国主义、集体主义和国际主义、共产主义的教育,提倡爱祖国、爱人民、爱劳动、爱科学、爱社会主义的公德,反对资本主义的、封建主义的和其他的腐朽思想的侵蚀。”有的代表建议增加“感恩教育”,让孩子从小尊老爱幼,长大以后,知道报效祖国。有的代表建议在纪律和法制教育之前加上“自护教育”,加强未成年人的自我保护意识。有的委员提出,该条缺少了一些基本的东西,如孝道、诚信、正直等。还有的委员和代表建议增加“劳动技能教育”、“公德教育”、“公民权利教育”、“荣辱观教育”等,保留原法中规定的“劳动教育”、“青春期教育”等。有的代表提出,资本主义的思想并不都是腐朽的,建议改为“反对一切腐朽思想的侵蚀”。

修订草案第七条第三款规定,县级以上人民政府未成年人保护工作协调机构指导、督促有关部门和社会组织做好未成年人保护工作。有的同志建议不要设立协调机构,认为成立工作委员会(或工作机构)更有利于履行职责。有的委员建议进一步加强该机构的指导、协调和监管职能,并考虑把它作为国务院的一个职能部门。有的代表建议要确定一个部门来行使保障未成年人权益的职责,负责宏观的管理考核,监督法律的实施。在家庭保护、学校保护、社会保护、司法保护各章节中要进一步明确政府各部门的职责,细化各机构的责任,确保对未成年人的保护。有的代表提出,目前没有一个专门的机构去保护未成年人的利益,实践中一些地方的妇女儿童工作委员会或未成年人保护委员会是一个协调机构,没有实质性的工作权力。政府应当把这项工作落实到一个有职、有权、有钱的工作部门。有的委员提出,未成年人保护工作协调机构的问题要再论证,将协调机构法定化需要考虑。

修订草案第八条规定:"共产主义青年团、妇女联合会、工会、青年联合会、学生联合会、少年先锋队及其他有关的社会团体,协助各级人民政府做好未成年人保护工作,维护未成年人的合法权益。"有的委员建议增加"关心下一代工作委员会"和"残疾人联合会"。

三、关于家庭保护

修订草案第十条第一款中规定,父母或者其他监护人不得侵害未成年人的合法权益;不得虐待、遗弃未成年人。有的代表提出,除了虐待和遗弃,还有"忽视"的问题,现在很多家庭的父母对孩子很忽视,不一定是虐待,也不一定是遗弃,但是在家庭里对孩子很冷漠,这对孩子的健康成长是不利的。建议增加"不得忽视未成年人"的内容。

修订草案第十一条中规定,父母或者其他监护人应当预防和制止未成年人吸烟、酗酒、流浪以及赌博、吸毒、卖淫等。路明委员提出,应增加"预防和制止未成年人迷恋网络",家庭和社会齐抓共管,共同解决未成年人迷恋网络问题。有的代表提出,要预防和制止未成年人聚众行凶、斗殴,未成年人刑事案件中很大一部分是未成年人聚众斗殴、滋事造成的,家庭应该有这样的责任。

修订草案第十四条规定,父母或者其他监护人应当尊重未成年人的参与权。华侨委赖爱光建议增加尊重未成年人的"知情权"。未成年人小学毕业后已经懂事,应当让他们知道家庭的状况,有事家长应当平等地和他们商量,听取他们的意见。

修订草案第十五条规定:"父母因外出务工等原因不能履行对未成年人监护职责的,应当依法委托有监护能力的其他成年人代为监护。"有的委员提出,仅规定"外出务工"范围窄了一些。实践中,因父母出国、工作等原因不能照顾孩子的情况很多,应该写得宽泛一点,不能只规定为"务工"。有的委员提出,对父母短期的、临时离开也可以在法律中提一下。

修订草案第十六条第一款规定:“父母或者其他监护人不履行监护职责或者侵害被监护的未成年人的合法权益,经教育不改的,人民法院可以根据有关人员或者有关单位的申请,撤销其监护人的资格,依法另行指定监护人。被撤销监护资格的父母依法继续承担抚养费用。”有的代表提出,对于那些家庭确实不尽监护责任,或者其家庭本身情况非常恶劣的未成年人,应当由相关部门管起来。有的委员提出,这一条涉及侵害未成年人合法权益需要承担的法律后果,建议放入“法律责任”一章。有的委员提出,应当增加规定基层政权和社会组织对留守子女的责任问题。有的委员提出,对父母、家庭以及监护人的责任要再细化一些。

四、关于学校保护

修订草案第十七条第一款规定:“学校应当全面贯彻国家的教育方针,实施素质教育,培养未成年学生的创新精神和实践能力。”有的委员提出,应强调学校有实施爱国主义教育的责任,学校应把爱国主义教育和各种课内外活动有机结合起来。有的委员提出,希望能把学校的责任规定得更全面一些,建议修改为:“学校应当全面贯彻国家的教育方针,实施素质教育,培养未成年学生的创新能力和实践能力,促使未成年学生德智体全面发展”。有的同志提出,该款应增加“培养未成年学生优良的品德,良好的行为”的内容。有的委员提出,这一款可以写得再简练些,规定“学校应当贯彻国家的教育方针,促进学生的全面发展”就可以了,创新精神和实践能力与未成年人保护关系不大。有的委员提出,对未成年学生的培养,实践能力应该是首位的,创新精神则是更高的要求,建议修改为“实践能力和创新精神”。

修订草案第十八条规定:“学校应当尊重未成年人的受教育权,不得随意开除未成年学生。”有的同志提出,实践中剥夺未成年人上学的权利不仅是开除,还有其他形式,建议增加规定“也不得采取除名、勒令退学等形式剥夺未成年人受教育的权利”。陈舒代表提出，学生被开除后进入社会是一个更大的社会问题。学校不能对这些学生以开除了事，建议删除“随意”二字。如果学生确实比较顽劣可以把他送到工读学校，表现好的可以复学，要让他接受完义务教育。有的委员提出，本条涉及义务教育问题，应当注意与义务教育法的衔接。

修订草案第十九条规定：“学校应当严格执行教育行政等部门的有关规定，无特殊情况，不得延长未成年学生在校学习时间，加重学生的学习负担；与父母或者其他监护人相互配合，保证未成年人必要的睡眠、娱乐和体育锻炼时间。”有的委员提出，规定“学校应当严格执行教育行政部门的有关规定”，但是教育行政部门不一定有相关规定，法律应该规定教育行政部门的这一责任，并应当将该规定向社会公布。另外，修订草案规定“保证未成年人必要的睡眠、娱乐和体育锻炼时间”，“必要”二字灵活性太强，约束性不强，必须作出更明确的规定，否则很难执行。有的委员提出，无论什么情况，都不能延长未成年学生在校学习的时间，建议把“无特殊情况”删除；但有的委员提出，如果没有“无特殊情况”这几个字限定的话，学校很容易违法，建议再斟酌。有的委员建议在“不得延长未成年学生在校学习时间”后面加上“不允许给中小学生留过多的课外作业，留有充足的自由活动时间，保证学生有足够的睡眠时间”。

修订草案第二十条规定：“学校的教职员工应当尊重未成年人的人格尊严，不得对未成年人实施体罚、变相体罚或者有其他侮辱人格尊严的言行。”有的委员提出，不应将违法主体仅限于教职员工，还要增加学校。现在有的个别学校对违反校规的学生实施体罚，法律对此应有所规定。

修订草案第二十二条第一款规定：“学校应当建立校园安全制度，预防和制止校园暴力以及其他侵害未成年人合法权益的行为，保障未成年人的安全。”有的代表提出，校园安全事故频发，应该引起注意，要明确学校应该承担的责任，要在法律中强化学校保护学生安全的规定。有的代表提出，校园安全的问题不仅是在校内，还应当包括校外和校园周围。建议增加公安机关也应该对校园的周围加强保护工作的内容。

修订草案第二十二条第二款规定："学校安排未成年人参加集会、文体娱乐、社会实践等集体活动，应当有利于未成年人的健康成长，防止发生人身安全事故。"有的委员建议增加规定"学校不得组织未成年人参加与青少年学习健康成长无关的社会和商业活动"。

修订草案第二十三条规定，教育行政部门和学校应当根据需要，制定预防各种重大突发事件的预案。有的委员提出，对重大突发事件，除了有预案，还要有预防措施。建议增加有关"预防措施"的内容。有的委员建议将"重大突发事件"改为"突发事件"。

修订草案第二十五条对矫治未成年人严重不良行为的专门学校作出了规定。有的委员提出，对工读学校的学生要增加"职业技术教育和参加力所能及的生产劳动"的内容。有的委员提出，工读学校教师的工作很辛苦，但待遇比较低，教师的队伍不稳定。建议将工读学校列入特殊教育范畴，并提高特殊教育的补贴，以稳定和加强工读学校教师队伍的建设。有的委员提出，哪些孩子应该进工读学校，从工读学校出来以后，究竟如何安排，应该专门有一条写得明确一些，否则实践中不好执行。

五、关于社会保护

修订草案第二十九条规定："爱国主义教育基地、青少年宫、儿童活动中心、博物馆、纪念馆、科技馆、展览馆、美术馆、图书馆、文化馆以及影剧院、体育场（馆）、动物园、公园等场所，应当依照有关规定对未成年人免费或者优惠开放。"有的委员建议规定除特殊情况经批准外，上述设施均应对未成年人免费开放。有的委员建议明确规定"爱国主义教育基地，青少年宫、儿童活动中心、博物馆、纪念馆、科技馆、展览馆、美术馆、图书馆、文化馆对未成年人免费开放"，因为美术馆、科技馆等享受国家财政的支持，应该对未成年人免费开放。

修订草案第三十一条第一款规定:“国家鼓励新闻、出版、信息产业、广播、电影、电视、文艺等单位和作家、科学家、艺术家及其他公民,创作或者提供有益于未成年人健康成长的作品。出版、制作和传播专门以未成年人为对象的内容健康的图书、报刊、电影、音像制品、电子娱乐、动漫产品以及网络信息等,国家给予扶持。”有的委员提出,对舞台艺术作品、音乐作品,国家也应给予扶持。有的委员建议增加一款,规定“国家禁止电视等大众传媒传播损害未成年人身心健康的内容(包括不良广告)”。有的委员建议增加规定“国家要制定政策,并且设立专项资金来鼓励适合儿童、少年的新闻作品、歌曲、电影创作等”。有的委员建议对青少年沉迷网络进行专门规定,采取开发定时终止的游戏软件等措施,在本章单独规定一条。

修订草案第三十二条规定:“严禁任何组织和个人制作或者向未成年人出售、出租或者以其他方式传播淫秽、暴力、凶杀、恐怖、赌博等毒害未成年人的图书、报刊、音像制品、电子娱乐、动漫产品以及网络信息等。”有的代表提出,我国目前缺少文化产品的分级制度,但本法应增强可操作性,建议本条增加一款“人民政府未成年人保护工作机构应当协同有关新闻出版、广播影视部门制定不适宜未成年人阅读、观看、参与的各种文化活动、文化产品的标准和标识,并建立专门的审核委员会负责具体的审核工作”,这样有利于实践中做好这项工作。

修订草案第三十三条规定,生产、销售用于未成年人的食品、药品、玩具、用具和游乐设施等,应当符合国家或者行业标准,不得有害于未成年人的安全和健康。有的委员提出,从食品、药品的定义、分类讲,没有用于“未成年人的食品、药品”一说,只有儿童食品,儿童用药。建议修改为“用于婴幼儿、儿童的食品、药品、玩具”。有的代表建议将“国家或者行业标准”改为“国家标准和行业标准”。

修订草案第三十五条第一款规定:“禁止向未成年人出售烟酒。经营者应当在显著位置设置不向未成年人出售烟酒的标志。”有的委员提出,很多家长让孩子替家长去买烟买酒,这种现象非常多,这条规定有些绝对，对这个问题应该界定一下。有的代表提出，应该把家庭的责任加进去，禁止父母或者其他监护人让未成年人购买烟酒。有的委员建议增加禁止向未成年人销售汽油、酒精等易燃、易爆危险品的内容。有的代表建议增加禁止向未成年人出售可能使未成年人使用后产生瘾癖的精神药品和麻醉药品。

修订草案第三十七条第二款规定："对未成年人的信件、日记、电子邮件，任何组织和个人不得隐匿、毁弃；除因追查犯罪的需要由法定机关依法进行检查，或者对无行为能力的未成年人的信件、日记、电子邮件由其父母或者其他监护人代为开拆、查阅外，任何组织或者个人不得开拆、查阅。"有的委员建议将"法定机关"恢复为原法的表述方式，即"公安机关或者人民检察院"。有的委员建议将"电子邮件"改为"网络信息"。

修订草案第四十五条规定："未成年人已经受完规定年限的义务教育不再升学的，政府有关部门和社会团体、企业事业单位应当根据实际情况，对他们进行职业教育或者培训，为他们创造劳动就业条件。"有的同志提出，法律规定"对他们进行职业技术教育或者培训"不够妥当，因为要对他们进行职业技术教育或培训涉及人力、物力、财力等问题，不是哪个地方都能办到的。建议取消这一条，由国务院在制定实施条例时再根据实际情况考虑。

六、关于司法保护

修订草案第五十条第一款规定："公安机关、人民检察院讯问未成年犯罪嫌疑人，询问未成年证人、被害人，应当在适当场所、使用适当的方法进行，保护未成年人的名誉。"有的委员建议在讯问未成年人犯罪嫌疑人方面加上"不要诱供、哄供，更不要逼供"的内容。有的委员认为此款仅对公安机关和检察院提出了要求，建议加上"法院"，同时增加"应当有其监护人或者所在地村民委员会、居民委员会的代表在场"的内容。另外，保护未成年人的"名誉"应改为保护未成年人的"权益"。

修订草案第五十四条规定:“未成年人犯罪,因不满十六周岁不予刑事处罚的,公安机关、人民检察院、人民法院责令其父母或者其他监护人加以管教,并给予指导;必要时,也可以由政府收容教养。”有的委员提出,现在犯罪年龄下降,如果只是责令其父母进行管教,这种做法不一定可行。轻微犯罪可以进行管教,如不是轻微犯罪,就要进入未成年犯管教所教育。

七、关于法律责任

修订草案第六十四条规定了学校教职工的法律责任。有的委员建议增加针对一些中小学教职员工对女学生强暴、强奸行为的法律责任。

修订草案第六十七条规定了营业性歌舞娱乐场所、网吧等的法律责任。有的同志认为此条的规定比较笼统,没有力度,应规定得更确切,未成年人进入网吧首先要处罚经营者,处罚的力度要大,通过处罚使经营者不敢为、不能为。

修订草案第六十八条规定了向未成年人出售烟酒的法律责任。有的代表建议将行政处罚的种类明确为罚款,这样更有操作性。

修订草案第七十二条规定:“胁迫、诱骗、利用未成年人乞讨或者组织未成年人进行有害其身心健康表演等活动的,依法给予行政处罚;构成犯罪的,依法追究刑事责任。”有的委员提出,仅规定乞讨是不够的,有的人利用孩子强迫推销产品牟利,对此也应有所规定。有的代表建议增加控制和打击乞讨幕后人的内容。

八、其他

1. 有的委员建议本法对未成年人的营养问题有所规定,家庭、学校、社会都应该加强对未成年人在营养方面的指导。

2. 有的委员提出,对未成年人进行保护是必要的,但对未成年人本身也应该有所要求。建议增加有关未成年人应该在家庭、社会、学校的教育下严格要求自己,奉公守法,爱祖国、爱人民,做好社会主义建设事业的接班人等内容。

3. 有的委员提出,应当明确规定“任何单位和个人不得组织未成年人参与抢险救灾。”

十届全国人大常委会第二十四次会议分组审议未成年人保护法(修订草案二次审议稿)的意见

2006 年 10 月 29 日下午,十届全国人大常委会第二十四次会议分组审议了未成年人保护法(修订草案二次审议稿)。大家普遍认为,修订草案二次审议稿(以下简称二次审议稿)广泛吸收了常委会组成人员和其他有关部门、专家的意见,有针对性地增加了一些新的内容,条文表述更加切合实际,希望进一步修改完善后审议通过。现将有关审议意见简报如下:

一、关于总则

二次审议稿第一条规定:“为了保护未成年人的身心健康,保障未成年人的合法权益,促进未成年人在品德、智力、体质等方面全面发展,培养有理想、有道德、有文化、有纪律的社会主义建设者和接班人,根据宪法,制定本法。”有的委员提出,“社会主义建设者和接班人”的提法对未成年人来说似乎要求太高了。建议修改为“培养有纪律、有道德、有文化、有纪律的合格公民”。吴基传委员提出,本条是立法宗旨,建议修改为:“为了保护未成年人的身心健康,保障未成年人的合法权益,根据宪法,制定本法。”

二次审议稿第三条第一款规定:“未成年人享有生存权、发展权、受保护权、参与权等权利,国家根据未成年人身心发展特点给予特殊、优先保护，保障未成年人的合法权益不受侵犯。”一些常委会组成人员提出，用“发展权”涵盖“受教育权”在理论上还讲不太清楚，本法应该突出未成年人的“受教育权”，建议恢复一审稿中未成年人享有“受教育权”的表述。

二次审议稿第三条第二款规定：“未成年人不分性别、民族、种族、家庭财产状况、宗教信仰等，依法平等地享有权利。”有的委员提出，考虑到我国还有7000多万残疾人，对于残疾未成年人应当一视同仁地加以保护，建议“在家庭财产状况”后加上“身体健康状况”。有的委员提出，应该加强对流动人口子女、特别是农民工子女的权益保护，建议增加“户籍所在地”或者“居住地”的内容。

二次审议稿第四条对保护未成年人工作应当遵循的原则作出了规定。有的委员提出，促进儿童利益最大化是儿童权利公约的核心条款，在国际上很受推崇。虽然二次审议稿中已经规定“国家根据未成年人身心发展特点给予特殊、优先保护”，但是最大化原则还是没有完整地体现出来。因为儿童利益最大化原则，不仅体现在“保护”方面，也体现在“发展”方面。建议本条中再增加一项原则，即“促进未成年人权益最大化”原则。

二次审议稿第七条第三款规定：“国务院和省、自治区、直辖市人民政府根据需要，采取组织措施，协调有关部门做好未成年人保护工作。具体机构由国务院和省、自治区、直辖市人民政府规定。”一些委员和同志提出，应当明确保护未成年人是政府责任，而不是仅仅规定“政府采取组织措施”。建议本法明确执法主体为“议事协调机构”或者“工作机构”，这样对未成年人的保护才能落到实处。

二次审议稿第八条规定：“共产主义青年团、妇女联合会、工会、青年联合会、学生联合会、少年先锋队及其他有关的社会团体，协助各级人民政府做好未成年人保护工作，维护未成年人的合法权益。”有的委员提出，应当允许民办的非企业单位协助各级人民政府做好未成年人保护工作，建议在“社会团体”后面加“和组织”三个字。有的常委会组成人员提出，少年先锋队是未成年人组成的组织，由未成年人保护未成年人是否合适,建议研究。有的委员也提出,少年先锋队是未成年人组织,不能算是社会团体,建议从本条中删去。另外,有的同志提出,工青妇是人民团体,人民团体与社会团体在立法表述上是否应当有所区别,建议考虑。

二、关于家庭保护

二次审议稿第十二条第二款规定:“有关国家机关和社会组织应当为未成年人父母或者其他监护人提供家庭教育指导。”有的委员和代表提出,应当明确由哪个部门负责,否则该条规定就会流于形式。

二次审议稿第十六条规定:“父母因外出务工等原因不能履行对未成年人监护职责的,应当依法委托有监护能力的其他成年人代为监护。”有的同志提出,父母长期或一个时期内不能履行监护职责的情况是很多的,没有必要单独突出“外出务工原因”,建议修改为“因各种原因长期或一个时期内不能履行对未成年人监护职责的”。有的委员和代表提出,受委托代为监护者是否要承担监护人的义务,出了问题是否要追究其责任,还需要加以斟酌,建议增加“受委托人必须严格履行监护职责”的内容。

三、关于学校保护

二次审议稿第二十三条规定:“教育行政等部门和学校、幼儿园、托儿所应当根据需要,制定预防各种灾害、传染性疾病、食物中毒、意外伤害等重大突发事件的预案,配备相应设施并进行必要的演练,增强未成年人应对重大突发事件的自我保护意识和能力。”有的委员提出,“预防”是要建立健全制度并认真执行的日常性工作问题;“预案”是一个应急、应对的准备,可能执行,也可能不执行。建议把“预防”和“预案”分开表述修改为,建立健全预防制度,制定突发事件预案。而且按照现在确定突发事件的等级,一般分为“特别重大、重大、较大和一般”四级,要应对的不一定只是“重大”突发事件,建议将“重大”两个字删去。

二次审议稿第二十四条规定："学校对未成年人在校和本校组织的校外活动中发生人身伤害事故的，应当及时救护，妥善处理，并及时向有关主管部门报告。"有的代表提出，这里涉及救护费用的承担问题，建议本条明确规定学校的赔偿责任。有的委员建议本条增加规定："县级以上各级人民政府应当采取措施，建立对中小学生、幼儿园儿童意外伤害保险制度，使学生、儿童因意外伤害事故后得到及时、必要的补偿。""意外伤害的保险费可以由政府、学生（儿童）的父母或其他法定监护人、保险企业共同分担。"

二次审议稿第二十五条第二款规定："县级以上地方人民政府应当保障专门学校的办学条件，教育行政部门应当加强对专门学校的管理和指导，有关部门应当给予协助和配合。"一些委员和代表提出，目前专门学校严重萎缩，很多地方没有专门学校，应当规定"县级以上人民政府应当建立和完善专门学校并保证专门学校的办学条件"。有的同志提出，鉴于专门学校教育教学的特殊性，本条还应当规定"对专门学校的教职工应该采取鼓励帮助的措施，并且进行定期的培训"。

四、关于社会保护

二次审议稿第二十九条规定："爱国主义教育基地、图书馆、青少年宫、儿童活动中心应当对未成年人免费开放；博物馆、纪念馆、科技馆、展览馆、美术馆、文化馆以及影剧院、体育场（馆）、动物园、公园等场所，应当按照有关规定对未成年人免费或者优惠开放。"一些委员和代表提出，博物馆、纪念馆、科技馆等公益场所，享受国家财政支持，也应履行其社会义务，和"爱国主义教育基地、图书馆、青少年宫、儿童活动中心"一样向未成年人免费开放。这样做的成本很小，却能带来巨大的社会效益。有的代表提出，还应当考虑未成年人乘坐公共交通工具的优惠问题，一些国家对此都有规定。

二次审议稿第三十一条第一款规定："国家鼓励新闻、出版、信息产业、广播、电影、电视、文艺等单位和作家、科学家、艺术家及其他公民，创作或者提供有利于未成年人健康成长的作品。出版、制作和传播专门以未成年人为对象的内容健康的图书、报刊、音像制品、电子出版物以及网络信息等，国家给予扶持。”有的代表建议本条增加规定：“国家对涉及淫秽、暴力、凶杀、恐怖、赌博等有害未成年人的图书、报刊、音像制品、电子出版物以及网络信息实行分级分类管理，具体办法由国务院另行规定”。

二次审议稿第三十一条第三款规定：“国家采取措施，组织研究开发阻止未成年人沉迷网络的新技术。”有的委员和代表提出，组织研究开发某种新技术不是法律语言，不应该也不必写在法律里面，建议取消该款规定。有的委员提出，如果不从软件开发这个源头控制游戏产品的内容，下游管理（例如不允许未成年人进入网吧）是很难的，建议保留该款规定。有的委员提出，对于青少年沉溺网络问题在法律上应该有所规范，但主要还是靠引导、教育和社会关爱，建议将该款改为“国家采取宣传教育、监督管理、心理矫正等措施，防治未成年人沉迷网络”。另外，有的委员提出，与未成年人上网相关的内容在第三十条、第三十一条、第三十四条、第六十五条等条款中都有出现，建议把这些条款合并成一条针对未成年人上网的专门规定：“国家鼓励通过互联网对未成年人进行教育教学；各互联网服务设施和机构应为未成年人提供安全、健康的网上信息和上网服务，社区中的公益性互联网上网服务设施应对未成年人免费或者是优惠开放。”

有的常委会组成人员提出，要从根本上治理未成年人进入网吧的问题，能否考虑取消营业性网吧。发达国家都没有这么多营业性网吧，而我国存在着大量营业性网吧，网吧管理和经营还很不规范，已经形成了严重的社会问题，目前全国城乡的网吧每年的税利远远不如为了治理网吧国家所投入的人力和财力。建议对营业性网吧存在的社会功能及负面影响进行认真研究。

有的委员提出，规定未成年人都不能进入网吧实际上办不到，很多16岁的未成年人已经参加工作了，还不让他们进网吧是否合理？法律要宽严适度，才便于真正实施。

二次审议稿第三十五条规定:“禁止向未成年人出售烟酒。经营者应当在显著位置设置不向未成年人出售烟酒的标志。”有的委员和代表提出,为了加强对未成年人的保护,规范经营者出售烟酒的行为,应在本条末尾加上一句话,即“对难以判明是否已成年的,可以要求其出示身份证件”。

二次审议稿第四十二条第一款规定:“县级以上城市人民政府及其民政部门应当根据需要设立救助场所,对流浪乞讨等生活无着未成年人实施救助,承担临时监护责任。”有的委员提出,应让农村留守儿童与城市未成年人一样,依法平等地享有各项权利,建议删去“城市”二字。

二次审议稿第四十三条规定:“卫生部门和学校应当对未成年人进行卫生保健指导,提供必要的卫生保健条件,做好预防疾病工作。”“卫生部门应当做好对儿童的预防接种工作,积极防治儿童常见病、多发病,加强对传染病防治工作的监督管理和对托儿所、幼儿园卫生保健的业务指导和监督检查。”有的委员建议本条增加“卫生部门和学校应对未成年人进行营养指导”的内容,促进未成年人健康成长。有的委员建议本条增加“国家应当免费对儿童实行预防接种”的规定,国家拿一点钱预防疾病,会带来非常大的社会效益,这也符合加强社会保护的立法指导思想。

五、关于司法保护

二次审议稿第五十五条第三款规定:“人民检察院、人民法院办理未成年人刑事案件,应当依法从轻、减轻或者免除刑事处罚。”有的委员提出,应当把“人民检察院”删去,因为只有人民法院才有这种量刑权。有的代表提出,为了进一步加强对未成年人的保护,应当增加一款,即“人民法院审判未成年人犯罪案件,应当有监护人参加诉讼,未委托辩护人的,应当指定律师为未成年人提供辩护”。

六、关于法律责任

二次审议稿第六十三条规定:“制作或者向未成年人出售、出租或者以其他方式传播淫秽、暴力、凶杀、恐怖、赌博等图书、报刊、音像制品、电子出版物以及网络信息等的，由主管部门责令改正，依法给予行政处罚。”有的委员和同志提出，应当对此种违法行为加大惩处力度，进一步强化其法律责任。

二次审议稿第六十五条规定：“营业性歌舞娱乐场所、互联网上网服务营业场所等不适宜未成年人进入的场所允许未成年人进入，或者没有在显著位置设置未成年人禁入标志的，由主管部门责令改正，依法给予行政处罚。”一些委员和同志提出，本条规定的惩处力度不够，建议明确规定相当数额的罚款，或者在情况较为严重的情况下，责令其停业整顿或者吊销其营业执照。

有的委员提出，二次审议稿第四十条第一款明确规定禁止拐卖、绑架、虐待未成年人，禁止对未成年人实施性侵害。但是在“法律责任”一章中没有相应的惩处措施，建议写上一条追究刑事责任的规定，与这一款相呼应。

有的委员提出，主管机构、执法机构、司法机关等相关部门，对未成年人权益受损现象不作为并造成恶果的怎么办？建议“法律责任”一章中增加一条，明确规定相关部门不作为的法律责任。

七、其他

1. 有的常委会组成人员提出，本法要全面保护未成年人的身心健康，不能只重视身体健康，而忽视了心理健康。要注意培养未成年人自我保护的意识和能力，加强培养吃苦耐劳、自强、自立精神。

2. 有的代表和同志提出，公安机关等要加强对校园周边环境的治理，清理不规范的小商贩，保障孩子健康成长和养成良好的生活习惯。

各地和中央有关部门、单位对未成年人保护法(修订草案)的意见

十届全国人大常委会第二十三次会议对未成年人保护法(修订草案)进行了初步审议。会后,全国人大常委会法制工作委员会将草案印发中央有关部门、社会团体、高等院校和研究机构,以及各省、自治区、直辖市和较大市的人大常委会征求意见。现将各地和中央有关部门、单位提出的意见和建议简报如下:

一、总的意见

各地和中央有关部门、单位普遍认为,未成年人保护法实施十五年来,对保障未成年人的合法权益发挥了重要作用。但随着我国经济社会的快速发展,未成年人保护工作出现了一些新情况、新问题,有必要对未成年人保护法作相应的修改,以适应未成年人保护工作的需要。修订草案针对现实中存在的突出问题,增加了一些新内容,增强了对未成年人保护工作的力度,但有些问题还需要进一步研究,建议修改完善后尽快审议通过。

一些地方和单位提出,修订草案的许多条款缺乏明确的执行主体,缺少确定的程序和标准,使用“有关部门”、“有关机构”、“依法处理”等模糊性用语过多。由于未成年人保护工作涉及部门比较多,如果执法主体不明确,在实际执行过程中会出现互相推诿的情况,建议进一步明确执法主体及其在未成年人保护工作方面的具体职责,并注意与其他法律规定的衔接。(昆明、西安、广州,中国社会科学院法

学所）

教育部提出，修订草案针对学龄前儿童的保护内容体现不够，建议增加相应规定，如：积极发展学前教育，办好托儿所、幼儿园；幼儿园应当坚持保育与教育相结合，促进幼儿身心和谐发展等。

二、关于总则

修订草案第三条第一款规定，未成年人享有生存权、发展权、受保护权、参与权和受教育权等权利。广东提出，受教育权属于发展权，建议删除“受教育权”，表述上与《中国儿童发展纲要》和“十一五”发展规划等文件的提法保持一致。安徽提出，修订草案虽然提出了未成年人的发展权、参与权等权利，但在具体法律条文中体现不够明确。中国人民大学提出，我国未成年人的合法权利已经得到包括宪法在内的相关法律的充分保障，本条的上述规定反而会引发人们对我国未成年人是否具有生存权、发展权、受教育权、参与权等项权利的不必要猜疑，建议删除上述规定。

修订草案第四条第一项规定，保护未成年人的工作，应遵循优先保障未成年人合法权益的原则。天津、广州、淮南提出，法律面前人人平等是一项基本的宪法原则，任何人的权利都应当是平等的，在特定的情形下，权益的保护顺序是相对的，建议对这一原则进行研究修改。浙江、广东、湖南建议增加规定未成年人权益最大化原则。

修订草案第五条第一款规定：“国家、社会、学校和家庭对未成年人进行理想教育、道德教育、文化教育、纪律和法制教育，进行爱国主义、集体主义和国际主义、共产主义的教育，提倡爱祖国、爱人民、爱劳动、爱科学、爱社会主义的公德，反对资本主义的、封建主义的和其他的腐朽思想的侵蚀。”浙江、辽宁、哈尔滨建议根据未成年人的年龄和理解能力的特点，着重突出对未成年人的基本道德教育和行为习惯教育。一些地方建议删除其中的“反对资本主义的、封建主义的和其他的腐朽思想的侵蚀”表述，或者结合时代发展的要求对其做适当修改（贵州、昆明、济南、苏州）。

修订草案第七条规定了政府及其相关部门、未成年人保护工作协调机构在未成年人保护工作方面的职责。一些地方提出，政府未成年人保护工作协调机构是一个虚设机构，没有行政执法、监督协调的能力，很难将保护未成年人的工作落到实处，也很难完成修订草案第四十七条规定的"督促有关部门依法处理"未成年人保护投诉的职责。建议明确未成年人保护工作的执法主体和具体工作职责。（陕西、安徽、哈尔滨、昆明）

修订草案第八条规定："共产主义青年团、妇女联合会、工会、青年联合会、学生联合会、少年先锋队及其他有关的社会团体，协助各级人民政府做好未成年人保护工件，维护未成年人的合法权益。"安徽和中国残疾人联合会建议突出规定共产主义青年团、妇女联合会、残疾人联合会所承担的未成年人保护工作职责。

一些地方提出，由于未成年人不具备从事抢险救灾等活动的能力，参加这类活动非常容易造成人身伤亡。因此，从保护未成年人生命安全出发，建议在总则中增加规定"任何组织和个人不得组织未成年人参加抢险救灾等不符合其身体条件、可能危及其生命安全的活动"。（天津、重庆、辽宁、湖南、广州、杭州、西安、无锡）

三、关于家庭保护

修订草案第十二条第二款规定："有关国家机关和社会组织应当为未成年人父母或者其他监护人提供家庭教育指导。"上海提出，"有关国家机关和社会组织"的指向不明确，不利于家庭教育指导工作的落实，建议将其明确为教育、卫生等行政主管部门和新闻出版、妇女联合会、工会等社会组织及社区等。

修订草案第十四条规定："父母或者其他监护人应当尊重未成年人的参与权，根据未成年人的年龄、智力状况，在作出与未成年人权益有关的决定时告知其本人，并听取他们的意见。"天津和中央政策研究室提出，为了保护未成年人的合法权益，民法中规定了监护制度，对未成年人的民事行为能力进行适当限制，而本条规定则要求监护人在代为民事行为时，应当听取未成年人的意见，这不利于监护人履行监护职责，建议修改。

修订草案第十六条新增规定："被撤销监护资格的父母依法继续承担抚养费用。""经被撤销监护资格的父母或者其他监护人的申请，人民法院可以依法裁定恢复其监护资格。"天津提出，我国民法通则和其他法律对上述事项并无规定，在司法实践中也不好操作，建议删去。

四、关于学校保护

修订草案第十七条第一款规定："学校应当全面贯彻国家的教育方针，实施素质教育，培养未成年学生的创新精神和实践能力。"上海和教育部提出，本款的内容应当与义务教育法的有关规定相一致，建议予以修改。

修订草案第十八条规定，学校不得随意开除未成年学生。一些地方提出，这一表述与新修订的义务教育法第二十七条"不得开除"的规定不一致，其中"随意"一词具有不确定性，可能造成对学生权益的侵犯，建议予以修改（陕西、云南、辽宁、广东、湖南、上海、北京、重庆、广州、哈尔滨、沈阳、齐齐哈尔、唐山、苏州、无锡）。广东和哈尔滨建议，修订草案应当赋予被处分学生以申辩权和救济权。

修订草案第二十五条对矫治未成年人严重不良行为的专门学校作出了规定。浙江和安徽提出，鉴于实践中关于矫治未成年人严重不良行为的专门学校对未成年人的身心健康是否有利存在争议，且要求"县级以上地方人民政府根据需要设置矫治未成年人严重不良行为的专门学校"在实践中也难以落实。建议对这一问题作进一步研究修改。

一些地方和部门建议，修订草案应增加规定"学校应当加强对学生进行法制教育、自救知识教育和心理健康辅导"。（重庆、上海、广东、辽宁、甘肃、四川、南京、哈尔滨、广州、西安、昆明、唐山，公安部、国家人口和计划生育委员会、中央政策研究室）

五、关于社会保护

济南、公安部、中央政策研究室提出,在未成年人保护工作中,政府保护起主导作用。建议将有关政府及其相关部门职责的内容从“社会保护”一章中分离出来,专门规定“政府保护”一章。

修订草案第二十八条规定,鼓励社会力量兴办适合未成年人的活动场所。淮南提出,考虑到适合未成年人的活动场所比较多,有一些活动场所并不在鼓励范围内,建议予以修改。

修订草案第二十九规定:“爱国主义教育基地、青少年宫、儿童活动中心、博物馆、纪念馆、科技馆、展览馆、美术馆、图书馆、文化馆以及影剧院、体育场(馆)、动物园、公园等场所,应当依照有关规定对未成年人免费或者优惠开放。”辽宁、湖南、济南提出,应当按照公益性与经营性顺序明确区分上述场馆哪些应对未成年人免费开放,哪些应对未成年人优惠开放。

修订草案第三十三条规定,生产、销售用于未成年人的食品、药品、玩具、用具和游乐设施等,应当符合国家或者行业标准,不得有害于未成年人的安全和健康。国家质量监督检验检疫总局建议增加规定“经营使用大型游乐设施的,应当符合有关法规和安全技术规范的要求”。国家食品药品监督管理局提出,现行法律已对药品标签和说明书上必须注意的事项规定了明确、具体和强制性的要求,这与修订草案“应当符合国家或者行业标准”的选择性规定并不完全一致,建议删除本条中的“药品”一词。辽宁和上海建议本条应增加一款规定,即对生产、销售未成年人的食品、药品、玩具、用具和游乐设施等的行业,国家应当考虑未成年人的生理和心理特点,制定相关的标准。

修订草案第三十五条规定:“禁止向未成年人出售烟酒。经营者应当在显著位置设置不向未成年人出售烟酒的标志。”“任何人不得在学校的教室、寝室、活动室和其他未成年人集中活动的室内吸烟、饮酒。”昆明、重庆、公安部提出,在实际工作中,对这一问题的监督和执法是空白的，没有相关的处罚依据和执法主体，建议明确规定相关的法律责任和执法主体。西藏提出，本条关于禁止向未成年人出售烟酒的规定，在目前的情况下难以执行，建议暂不作规定为宜。

修订草案第三十八条规定："公共场所和学校发生突发事件时，应当优先救护未成年人。"一些地方提出，在发生突发事件时，人人都应获得平等的救护，如何救护，先救谁要看当时的具体情况和可能性，法律不宜规定优先救护未成年人，建议删除这一规定。（安徽、浙江、昆明、淮南）

修订草案第四十一条第一款定："民政等有关部门应当建立流浪、乞讨、失去监护等生活无着未成年人的救助制度，根据需要设立救助场所，对上述未成年人进行救助、保护和教育，承担临时监护责任，并支持有条件的组织和个人依法建立未成年人救助场所。"民政部提出，流浪、乞讨、生活无着未成年人的教育管理问题涉及社会安定及其自身权益保护，不宜笼统地允许社会组织特别是个人建立未成年人救助场所。建议对流浪、乞讨、失去监护等生活无着未成年人的救助制度的表述与国务院颁布的《城市生活无着的流浪乞讨人员救助管理办法》中的有关规定相一致。

第四十一条第二款规定："对流浪乞讨或者离家出走的未成年人，民政部门或者其他有关部门应当护送其到救助场所，并负责送交其父母或者其他监护人；暂时无法查明其父母或者其他监护人的，由民政部门设立的儿童福利机构或者由其他具备相应资格的机构收留抚养。"民政部提出，建立无法定监护人的未成年人社会福利制度是各级人民政府的责任和义务，该项制度是我国社会保障体系的重要组成部分，与本条第一款中所规定的针对临时失去监护的未成年人设立的临时监护的救助制度不同。建议将这一款修改为："国家建立无法定监护人的未成年人的社会福利制度，民政部门应当根据需要设立社会福利机构，对上述未成年人进行抚养、教育、康复、医疗等，承担监护责任。"辽宁、西安和中国社会科学院建议建立未成年人国家监护制度和救助制度，在收留抚养的对象中增加父母皆为服刑人员的未成年人。

修订草案第四十七条第三款规定:“对符合法律援助条件的未成年被害人、犯罪嫌疑人、被告人,有关机构应当依法为其提供法律援助。”广州、苏州和司法部提出,上述规定将符合法律援助条件的未成年人只限于“未成年被害人、犯罪嫌疑人、被告人”,过于狭窄,建议扩大至民事和行政案件中所有符合法律援助条件的未成年人。一些地方和单位提出,上述规定应属于司法保护范畴,建议放在“司法保护”一章中规定,同时删除修订草案第五十九条第二款关于司法救助的规定(河北、大连,司法部、上海社会科学院法学所)。四川建议增加规定:“监护人侵犯未成年人合法权益或者不履行监护职责的案件,或者未成年人法定代理人不愿代理其申请法律援助的其他案件,未成年人可以直接申请法律援助”;此外,与争议事项无利害关系的居民委员会、村民委员会、妇女联合会、残疾人联合会等社会组织及其他亲属也可以代为申请法律援助。

贵州、哈尔滨、中央政策研究室提出,在本章中应对建立未成年人医疗保障体系特别是对未成年人医疗救助作出原则性的规定,以使患重大疾病的未成年人能够得到及时救治。

六、关于司法保护

修订草案第四十九条第一款规定:“人民法院根据需要设立审理未成年人犯罪案件和涉及未成年人权益保护案件的机构,或者指定专人办理。公安机关、人民检察院可以相应设立办理未成年人犯罪案件的机构,或者指定专人办理。”中编办提出,根据中央编委关于严格控制机构编制的要求和立法惯例,一般法律、行政法规中不对具体机构特别是二级机构的设置作明确规定,建议对这一规定予以修改。

修订草案第五十条、第五十二条规定,公安机关或者人民检察院讯问或者询问未成年人应当在“在适当的场所、使用适当的方法”进行;对未成年人应“限制适用羁押性强制措施”或者“限制适用监禁刑”。一些地方和单位提出,上述规定不够确切和严谨,没有具体标准,实际执行中灵活度过大,不利于对未成年人进行保护,建议进一步研究(湖北、河南、上海、天津、大连、齐齐哈尔,公安部、中国人民大学)。济南、齐齐哈尔提出,对未成年人“限制适用羁押性强制措施”的规定涉及刑事诉讼制度,应由刑事诉讼法统一规定,本法不宜规定。西安提出,我国刑法和刑事诉讼法已经对未成年人犯罪的从轻、减轻或者免除处罚作出了详细的规定,这里再规定“限制适用监禁刑”并无必要,另外“监禁刑”也不是刑法中的表述,界限不清,建议斟酌。

修订草案第五十二条第三款规定:“对于被判处管制、被宣告缓刑、被裁定假释、被暂予监外执行的未成年犯,主管机关应当会同有关部门,依照有关规定开展社区矫正。”国务院法制办、公安部和中国人民大学提出,社区矫正制度目前正处于试点阶段,该项制度的功能作用、管理体制等尚需进一步论证。另一方面,作为刑罚的执行方式,社区矫正制度的确立需要通过修改刑事诉讼法来完成,不宜在本法中作规定。

一些地方提出,修订草案将司法保护的对象局限于未成年犯罪嫌疑人和少年犯,不是所有的未成年人,范围太窄,建议扩大未成年人司法保护的范围。(陕西、上海、天津、苏州)

七、关于法律责任

一些地方和部门提出,修订草案法律责任部分规定得过于笼统,大部分条款未明确具体的执法主体,与民法、刑法等相关法律规定也多有重复,不具有针对性和可操作性,建议作适当修改。(辽宁、昆明、西安、苏州,公安部)

修订草案第六十一条第二款规定,国家机关工作人员不依法履行保护未成年人合法权益的责任,造成财产损失或者其他损害的,依法承担民事责任。广州提出,根据国家赔偿法的规定,国家机关工作人员履行保护未成年人合法权益的职责是一种职务行为,其行为后果应当由其所在的国家机关承担,国家机关可以向其工作人员进行追偿。本款的规定排除了国家机关的责任，建议加以研究修改。

哈尔滨、南京、齐齐哈尔提出，修订草案第六十二条和第六十三条的规定过于原则，建议将父母或者其他监护人、学校侵害未成年人合法权益的行为予以进一步细化，并规定相应的处罚。

修订草案第七十二条第一款规定："胁迫、诱骗、利用未成年人乞讨或者组织未成年人进行有害其身心健康的表演等活动的，依法给予行政处罚；构成犯罪的，依法追究刑事责任。"重庆建议将本条的规定与治安管理处罚法第四十条和第四十一条的表述一致起来。

八、其他

1. 修订草案第七十三条规定："本法所称学校包括中小学校、幼儿园、托儿所等招收未成年人的学校。"一些地方和单位提出，招收未成年人就学的并不限于上述规定的学校范围，还包括各类职业技术学校、大专院校等其他有未成年人就学的学校和其他教育机构，建议斟酌（陕西、北京、南京、济南、广州、无锡、淮南，中国人民大学法学院）。教育部提出，将"托儿所"解释为一种学校，不准确，建议修改。

2. 西安和中国社会科学院提出，根据《儿童权利公约》的规定，出生登记是使儿童与国家和社会确立法律联系，在法律上成为法律主体，获得法律为其提供的一切权利保障的重要制度。目前，由于违反计划生育、遗漏登记等问题的存在，致使有的未成年人无法享有应有的权利，因此建议对儿童出生登记这一制度作出相应规定。

3. 贵州和中央政策研究室建议增加对流动人口中的未成年人及贫困家庭、单亲家庭、农村留守家庭的未成年人的特殊保护性规定。

4. 杭州建议以儿童的实际年龄而不是身高，作为儿童享受交通工具及儿童公园、影剧院等活动场所的优惠条件。

有关部门和专家对未成年人保护法（修订草案）的意见

9月18日、19日，全国人大法律委员会、全国人大内务司法委员会和全国人大常委会法制工作委员会联合召开座谈会，听取国务院有关部门和部分专家对未成年人保护法（修订草案）的意见。现将有关意见简报如下：

一、总的意见

大家普遍认为，随着经济社会的快速发展，未成年人保护工作出现了一些新情况、新问题，在总结经验的基础上，针对这些新情况、新问题，对未成年人保护法适时修改非常必要。修订草案符合推进未成年人思想道德建设的实际需要，符合进一步做好未成年人保护工作的目标，操作性比较强，修改得比较好，建议进一步修改完善。

教育部夏娟提出，对幼儿的保育及学前教育是未成年人保护工作中十分重要的一个方面，但修订草案对此方面规定得不够，建议将现行未成年人保护法中有关幼儿的保育及学前教育的内容予以保留。

北京市未成年人法学研究会稽昆梅提出，“儿童利益最大化”是我国已经加入的《儿童权利公约》所确立的重要原则，但修订草案对此没有体现，建议研究。

中国政法大学尹志强提出，修订草案条文中存在过多宣示性规范，如第十三条、第十五条、第十九条、第二十二条等，影响了法律的权威性，实践中也难以执行。

二、关于总则

修订草案第三条第一款规定："未成年人享有生存权、发展权、受保护权、参与权和受教育权等权利。国家保障未成年人的合法权益不受侵犯。"团中央王路和国务院妇女儿童工作委员会宋文珍提出，"受教育权"属于"参与权"的一部分，不能将二者并列规定，建议删去"受教育权"。

修订草案第四条第一项规定，保护未成年人的工作，应当遵循优先保障未成年人的合法权益的原则。稽昆梅提出，这一规定没有准确体现出"儿童优先"的原则。尹志强提出，总则中把"优先保障未成年人的合法权益"作为一项原则规定，而在后面的条文中只有一条规定体现了这一原则，显得很空。建议不在总则中规定优先原则，而是在后面的具体规定中将这一原则的内容作具体规定。

修订草案第五条规定，国家、社会、学校和家庭对未成年人进行理想教育、道德教育、文化教育、纪律和法制教育，反对资本主义的、封建主义的和其他的腐朽思想的侵蚀。中央文明办张英伟建议增加有关"社会主义荣辱观"教育的内容。宋文珍建议删除"反对资本主义的、封建主义的和其他的腐朽思想的侵蚀"。尹志强建议将"反对"改为"抵制"。

修订草案第七条规定了未成年人保护工作的领导体制。新闻出版总署于慈珂和中国政法大学马怀德提出，为了更具可操作性，建议对本法的执法主体予以明确规定。

稽昆梅和中国青少年研究中心鞠青提出，未成年人保护工作非常繁重，要有专门机构做这件事，至少要保证有专门工作人员。宋文珍和全国妇联张世平提出，未成年人保护工作需要一个部门来统一管理，建议由国务院妇女儿童工作委员会主抓。团中央王路建议设立未成年人保护的专门工作机构，即国家未成年人保护工作委员会，并把办公室设在团中央。建议将此条修改为"国务院和县级以上人民政府领导有关部门做好未成年人保护工作;将未成年人保护工作纳入国民经济和社会发展规划及年度计划,相关经费纳入本级政府预算。县级以上人民政府未成年人保护工作机构指导、督促有关部门和社会组织做好未成年人保护工作。县级以上人民政府有关部门在各自的职责范围内做好未成年人保护工作”。

文化部李健建议删除第三款有关“县级以上人民政府未成年人保护工作协调机构指导、督促有关部门和社会组织做好未成年人保护工作”的规定。马怀德建议要明确协调机构的权限、职责、运作程序等。

三、关于家庭保护

修订草案第十条规定,父母或者其他监护人依法履行对未成年人监护职责和抚养义务。尹志强提出,“监护职责”包括“抚养义务”,不应将二者并列规定。

修订草案第十一条规定:“父母或者其他监护人应当关注未成年人的生理、心理状况和行为习惯,以健康的思想、品行和适当的方法教育和影响未成年人,引导未成年人进行有益身心健康的活动,预防和制止未成年人吸烟、酗酒、流浪以及赌博、吸毒、卖淫等。”王路建议增加预防和制止未成年人“接触不良文化产品”和“沉迷网络”的规定。尹志强建议在“品行”前加上“良好的”三个字。

修订草案第十五条规定:“父母因外出务工等原因不能履行对未成年人监护职责的,应当依法委托有监护能力的其他成年人代为监护。”中央综治办田大忠建议增加有关对“服刑人员的子女”代为监护的内容。

修订草案第十六条规定:“父母或者其他监护人不履行监护职责或者侵害被监护的未成年人的合法权益,经教育不改的,人民法院可以根据有关人员或者有关单位的申请,撤销其监护人的资格,依法另行指定监护人。被撤销监护资格的父母依法继续承担抚养费用。”“经被撤销监护资格的父母或者其他监护人的申请,人民法院可以依法裁定恢复其监护资格。”中国人民大学龙翼飞建议将“承担”改为“负担”。社科院周汉华、中国青少年研究中心鞠青建议将本条规定移入第六章“法律责任”。尹志强提出“抚养费用”是否包括“教育费用”需要研究。北京青少年法律援助与研究中心佟丽华提出,“撤销监护人资格”在实践中很少适用,因为可能导致未成年人面临无人监护的困境,建议对此问题不在本法中规定,可以考虑将来制定民法典时一并予以研究。

四、关于学校保护

修订草案第十七条第一款规定:“学校应当全面贯彻国家的教育方针,实施素质教育,培养未成年学生的创新精神和实践能力。”夏娟建议将此款修改为“学校应当全面贯彻国家的教育方针,实施素质教育,注重培养未成年学生的独立思考能力、创新能力和实践能力,使未成年人在品德、智力、体质方面全面发展”。

修订草案第十七条第二款规定:“学校应当关心、爱护学生;对行为有偏差、心理有障碍、生理有缺陷、身体有疾病、学习有困难的学生,应当耐心教育、帮助、鼓励,不得歧视。”夏娟提出,此款的规定有给学生加标签之嫌,建议恢复现行法律的有关表述。周汉华提出,什么是“行为有偏差”不好界定,建议删去。

修订草案第十八条规定:“学校应当尊重未成年学生的受教育权,不得随意开除未成年学生。”夏娟建议修改为:“学校应当尊重未成年学生的受教育权,对违反学校制度的学生,应当批评教育,不得随意开除未成年学生。”最高人民检察院吴孟栓建议改为“一般不得开除未成年学生”。

修订草案第十九条规定,学校应当与父母或者其他监护人互相配合,保证未成年人必要的睡眠、娱乐和体育锻炼时间。夏娟提出,这一规定,学校在实践中难以执行,建议删去。

修订草案第二十一条第二款规定:“任何组织和个人不得扰乱教学秩序,不得侵占、破坏学校的场地、房屋和设施。”尹志强提出,这一款的内容与学校保护的规定关系不大,建议删去。

修订草案第二十二条第一款规定:“学校应当建立校园安全制度,预防和制止校园暴力以及其他侵害未成年人合法权益的行为,保障未成年人的安全。”夏娟提出,什么是“校园暴力”应当加以界定,否则不要规定。同时建议增加“未经学校允许,非本校教职工、学生不得进入校园”的内容。尹志强提出,本条第一款和第二款规定的内容差异较大,建议分条规定。公安大学王大伟建议增加有关“预防和制止违法犯罪,并进行违法犯罪和自救自护知识的教育,保障未成年人的安全”的内容。王路建议增加“学校不得组织未成年人参加商业性活动”的内容。

修订草案第二十三条规定教育行政部门和学校应当根据需要,制定预防各种重大突发事件的预案,配备相应设施并进行必要的演练。夏娟建议将“教育行政部门”修改为“地方人民政府及其有关部门”,并增加“增强处理重大突发事件的能力”的规定。劳动和社会保障部王学琳提出,职业教育学校是由劳动部门管的,本条只规定“教育行政部门”不全面,建议将“教育行政部门”改为“教育行政等部门”。

修订草案第二十四条规定,学校发生治安案件或者涉嫌刑事案件的,应当立即报警。夏娟建议修改为“违反治安管理规定,危及到学生安全的,学校应当立即报警”,并增加有关学校在发生学生人身伤害的情况下,应如何承担相应法律责任的规定。

修订草案第二十五条规定县级以上地方人民政府应当根据需要设置矫治未成年人严重不良行为的专门学校。对于有严重不良行为的未成年人,学校和父母或者其他监护人应当互相配合加以管教。宋文珍建议将“管教”改为“教育”。周汉华建议将本条规定移入“法律责任”一章。鞠青建议将专门学校办成开放式教育机构,并增加“配合普通学校做好学生的教育、指导、矫正工作”的内容。

公安部刘天峰建议本章应增加规定“学校应当加强对未成年人的自我保护教育和法制教育,并将其纳入学校日常教育教学计划”的内容。

稽昆梅建议增加有关被劳教的未成年人如何接受义务教育的规定。

五、关于社会保护

修订草案第二十九条规定:“爱国主义教育基地、青少年宫、儿童活动中心、博物馆、纪念馆、科技馆、展览馆、美术馆、图书馆、文化馆以及影剧院、体育场(馆)、动物园、公园等场所,应当依照有关规定对未成年人免费或者优惠开放。”张英伟和中国政法大学郑尚元提出,中办四号文件将这些场所分为爱国主义教育基地、公益性文化设施、青少年文化场所三类,建议参照这一分类,对上述场所是否免费或优惠分别规定。

修订草案第三十条规定,各级人民政府鼓励和支持中小学校在节假日期间将网络设施及其他文体设施对未成年人免费或优惠开放。张英伟建议增加“企事业单位也要在节假日期间将网络设施及其他文体设施对未成年人免费或优惠开放”的内容。

修订草案第三十四条规定,营业性歌舞娱乐场所、酒吧、互联网上网服务营业场所等法律法规禁止未成年人进入的场所,经营者应当在显著位置设置未成年人禁入标志,不得允许未成年人进入。文化部李健提出,对未成年人进入营业性歌舞娱乐场所、酒吧、互联网上网服务营业场所,也不能一概禁止,如果有监护人在场,也可以考虑让未成年人进入。建议将“禁止未成年人进入的场所”修改为“禁止或限制未成年人进入的场所”。刘天峰建议增加“禁止在学校周围设立公共娱乐、商业活动场所”的内容。

修订草案第三十七条第一款规定:“任何组织和个人不得披露未成年人的个人隐私。”文化部李健建议将本款移到总则,改为“应当尊重未成年人的人格和名誉,不得以任何形式公开未成年人的隐私,不得对未成年人进行相互的比较或者类似的心理暗示”。

修订草案第三十八条规定:“公共场所和学校发生突发事件时,

应当优先救护未成年人。”王路建议本条增加“不得组织未成年人参与有人身危险性的抢险救灾活动”的规定。

修订草案第四十条第一款规定:“公安机关应当依法预防和制止侵害未成年人合法权益的违法犯罪行为,维护校园周边的治安和交通秩序。”刘天峰建议改为“公安机关应当依法严厉打击侵害未成年人合法权益的违法犯罪行为”。夏娟提出,规定“公安机关应当依法预防和制止侵害未成年人合法权益的违法犯罪行为”涉及的面很宽,但落脚点“维护校园周边的治安和交通秩序”却很窄,建议斟酌。

修订草案第四十一条第一款规定:“民政等有关部门应当建立流浪、乞讨、失去监护等生活无着未成年人的救助制度,根据需要设立救助场所,对上述未成年人进行救助、保护和教育,承担临时监护责任,并支持有条件的组织和个人依法建立未成年人救助场所。”民政部李健提出,考虑到救助场所要承担对未成年人的教育监护职责,因而原则上只限于政府来设立救助机构。建议将“并支持有条件的组织和个人依法建立未成年人救助场所”删去,同时,从建立一项完整的对未成年人的社会救助制度考虑,建议增加规定:“各级人民政府应该建立无法定监护人的未成年人的社会福利制度,民政等有关部门应该根据职责做好工作,根据需要设立社会福利机构,对上述未成年人进行抚养、教育、康复、医疗等承担监护职责。”中编办李辉凤提出,对未成年人的救助要体现在制度上,不要规定“根据需要设立救助场所”。宋文珍建议增加“国家建立和完善未成年人的基本社会福利和救助制度”的内容。

修订草案第四十二条第二款规定,卫生部门应当对儿童实行预防接种证制度。卫生部何昌龄建议修改为“卫生部门应当依法开展对儿童的预防接种工作”。

修订草案第四十三条规定:“地方各级人民政府应当积极发展托幼事业,支持社会力量依法兴办托幼单位。有关部门应当采取多种形式,培养和训练托幼单位的保教人员,提高职业道德素质和业务能力。”夏娟建议将此条修改为“各级人民政府应当积极发展学前教育,加强对农村地区、贫困地区的扶持。各级人民政府和有关部门应当采取多种形式，培养和训练幼儿园的保教人员，提高幼儿园、托儿所工作人员的素质和能力”。

修订草案第四十七条第三款规定：“对符合法律援助条件的未成年被害人、犯罪嫌疑人、被告人，有关机构应当依法为其提供法律援助。”司法部张毅提出，对未成年人提供法律援助属于提供司法保护的内容，建议将该款移入“司法保护”一章中，表述为“未成年人的合法权益受到侵害，需要法律援助，并且符合法律援助条件的，法律援助机构应当依法为其提供法律援助”。

刘天峰建议本章增加有关“各级人民政府和教育行政主管部门解决中小学校舍的安全隐患问题，确保中小学生的人身安全”的内容。

王路建议在本章中明确规定共青团的工作职责，并增加“国家建立出生登记制度”和“国家设立未成年人医疗或意外保险制度”的内容。

宋文珍和刘天峰提出，“社会保护”一章中的很多内容属于政府保护的内容，建议把涉及政府及相关部门的条款提出来，单独规定一章。马怀德建议将章名改为“行政和社会保护”。

六、关于司法保护

修订草案第四十九条规定：“人民法院根据需要设立未成年人犯罪案件和涉及未成年人权益保护案件的机构，或者指定专人办理。公安机关、人民检察院可以相应设立办理未成年人犯罪案件的机构，或者指定专人办理。”“公安机关、人民检察院、人民法院和未成年犯管教所，应当照顾违法犯罪的未成年人的身心特点，尊重他们的人格尊严，保障他们的合法权益。”财政部祝向文建议将“机构”修改为“内部机构”。李辉凤提出，未成年人犯罪案件中对未成年人的保护应主要体现在程序上，建议本法不要规定机构设置。鞠青提出，“未成年犯管教所”范围过窄，建议改为“司法、执法机构”。

修订草案第五十条规定:“公安机关、人民检察院讯问未成年人犯罪嫌疑人,询问未成年人证人、被害人,应当在适当场所、使用适当的方法进行,保护未成年人的名誉。”“公安机关、人民检察院、人民法院办理未成年人遭受性侵害的刑事案件,应当保护被害人的隐私和名誉。”王路建议增加“询问未成年人证人、被害人,应当有合适的成年人在场”的规定。周汉华提出,隐私是名誉权的一部分,概念界定要清楚。中国青年政治学院林维提出,应增加“保护未成年人人格尊严”的内容。鞠青建议将“应当保护被害人的隐私和名誉”改为“应当保护被害人的名誉和身心健康”。

修订草案第五十一条第二款规定:“监管场所对服刑的未成年人,应当与服刑的成年人分别关押、管理。”刘天峰建议将“监管场所”修改为“监狱、未成年人管理所”。

修订草案第五十二条规定,公安机关、检察院办理未成年人刑事案件,应当限制适用羁押性强制措施。人民法院审理未成年人刑事案件,应当限制适用监禁刑。对判处管制等的未成年犯,依照有关规定开展社区矫正。最高法院李兵提出,应先规定依法适用羁押性强制措施和监禁刑,然后才是“限制适用”。刘天峰建议将“限制适用”改为“严格控制适用”。吴孟栓建议将“限制适用”改为“尽量减少适用”。尹志强建议对“限制适用羁押性强制措施”的提法再作斟酌。林维提出,对未成年人限制适用羁押性强制措施和监禁刑,由刑法和刑事诉讼法规定更为适宜。刘天峰提出,“社区矫正”目前只是处于试点阶段,对这一制度还有不同意见,建议暂不作规定为宜。

稽昆梅提出,修订草案对未成年人违法犯罪的司法保护规定较多,对民事权益部分的保护力度不足。建议增加“人民法院应当依法及时审理未成年人权益受侵害的案件,并考虑未成年人生理、心理特点和成长发育的特殊需要,以保障未成年人的人格权和财产权”的内容。

刘天峰建议在本章中增加规定“公安机关办理行政案件,对未成年违法行为人的保护适用本章规定”。

七、关于法律责任

修订草案第六十四条规定,学校教职员工对未成年人实施体罚、变相体罚或者有其他侮辱人格言行,情节较重的,依法给予行政处分或者解聘。郑尚元提出,学校对教职员工的解聘不是处分,建议予以修改。

修订草案第六十五条规定了制作或者向未成年人出售、出租或者以其他方式传播淫秽、暴力、凶杀、恐怖、赌博等图书、报刊、音像制品、电子娱乐、动漫产品以及网络信息等的法律责任。刘天峰建议增加对“利用计算机信息网络、电话以及其他通讯工具传播淫秽、暴力、凶杀、恐怖、赌博”的违法行为的法律责任,并增加一款规定“组织未成年人参与赌博,开设赌场,吸引未成年人参与赌博的,应从重处罚”。

修订草案第六十八条规定了向未成年人出售烟酒的法律责任。周汉华、林准提出,因为目前我国还没有法律、法规规定向未成年人出售烟酒的法律责任,所以本条规定“依法给予行政处罚”就是一句空话,实践中也无法执行,建议本法对向未成年人出售烟酒的违法行为作出具体处罚规定。张英伟提出,本条应明确对向未成年人出售烟酒行为进行处罚的执法主体。马怀德提出,对违反禁止在未成年人聚集区吸烟的规定等违法行为,也应规定相应的法律责任。

修订草案第六十九条规定非法招用未满十六周岁的未成年人的法律责任。龙翼飞建议增加“造成未成年人人身损害的,依法承担民事责任”的内容。

刘天峰建议将修订草案第六十二条、第七十条规定的“行政处罚”改为“治安管理处罚”。

马怀德建议将本章中有关“有关机关、有关主管部门”的表述予以明确是哪些机关、部门。

八、关于附则

修订草案第七十三条规定:“本法所称学校包括中小学校、幼儿园、托儿所等招收未成年人的学校。” 夏娟提出，本条对“学校”的解释似有不妥，建议删除。马怀德建议将此条修改为“本法所称学校包括中小学校、幼儿园、托儿所等招收未成年人的教育机构”。

未成年人保护法涉及的有关名词的解释

一、未成年人的生存权、发展权、受保护权、参与权

未成年人保护法(修订草案)第三条规定:"未成年人享有生存权、发展权、受保护权、参与权和受教育权等权利。国家保障未成年人的合法权益不受侵犯。"

生存权、发展权、受保护权和参与权是对《儿童权利公约》有关规定的概括。1989 年,联合国大会一致通过了《儿童权利公约》,该公约规定了对儿童权利保护的普遍法律标准。1991 年 12 月 29 日,全国人大常委会批准该公约。《儿童权利公约》规定:"儿童系指十八岁以下的任何人。"儿童享有生命权,获得姓名和国籍权,受父母照料权,就影响其本人的事项发表意见权,思想、言论、信仰和宗教自由权,隐私、通信、名誉不受侵犯权,获得有益信息、资料权,不受虐待、剥削和忽视权,困境儿童得到国家特别保护和协助权,健康权和医疗保健权,社会保障权,受教育权等几十项权利。国际社会通常把儿童的这些权利概括为四大类,即生存权、发展权、受保护权和参与权。《中国儿童发展纲要(2001—2010)》和《中华人民共和国国民经济和社会发展第十一个五年规划纲要》也采纳了这种表述,规定"依法保障儿童生存权、发展权、受保护权和参与权"。

生存权是指未成年人享有其固有的生命权、健康权和获得基本

生活保障的权利。具体包括未成年人享有生命权、医疗保健权、国籍权、姓名权、获得足够食物、拥有一定住所以及获得其他基本生活保障的权利。

发展权是指未成年人享有充分发展其全部体能和智能的权利。包括未成年人有权接受正规和非正规的教育,有权享有促进其身体、心理、精神、道德等全面发展的生活条件。儿童的发展包括身体、智力、道德、情感、社会性等多方面的发展。

受保护权是指未成年人享有不受歧视、虐待和忽视的权利。包括保护未成年人免受歧视、剥削、酷刑、暴力或疏忽照料,以及对失去家庭和处于特殊困境中的未成年人的特别保护。受保护权旨在减少未成年人生存和发展过程中的不利因素。

参与权是指未成年人有权参与家庭和社会生活、就影响他们生活的事项发表意见的权利。成年人应尊重未成年人的看法。参与权旨在使未成年人了解自身的处境,并发展其表达和处事能力。

二、未成年人优先原则

未成年人保护法(修订草案)第四条规定:“保护未成年人的工作,应当遵循下列原则:(一)优先保障未成年人的合法权益。”

未成年人优先原则即儿童优先原则,其基本含义是,对儿童的权利,对他们的生存、保护和发展给予高度优先,无论在任何机构、任何情况下,都应该把儿童放在最优先考虑的地位。

儿童优先原则是在1990年联合国世界儿童问题首脑会议通过的《儿童生存、保护和发展世界宣言》中提出的。宣言指出:“提高儿童福利必须是非常高度的优先。”“我们在此庄严承诺,对儿童的权利,对他们的生存及对他们的保护和发展给予高度优先。”联合国《儿童权利公约》也规定:“关于儿童的一切行动,不论是由公私社会福利机构、法院、行政当局或立法机构执行,均应以儿童的最大利益为一种首要考虑。”全国人大通过的《国民经济和社会发展第十一个五年规划纲要》以及国务院颁布的《中国儿童发展纲要(2001—2010)》均规定,坚持儿童优先原则,保障儿童生存、发展、受保护和参与的权利,改善儿童成长环境,促进儿童身心健康发展。

三、家庭暴力

未成年人保护法(修订草案)第十条规定:"禁止对未成年人实施家庭暴力。"

《最高人民法院关于适用〈中华人民共和国婚姻法〉若干问题的解释》第一条规定:"家庭暴力是指行为人以殴打、捆绑、残害、强行限制人身自由或者其他手段,给其家庭成员的身体、精神等方面造成一定伤害后果的行为。持续性、经常性的家庭暴力,构成虐待。"

四、矫治未成年人严重不良行为的专门学校

未成年人保护法(修订草案)第二十五条规定:"县级以上地方人民政府应当根据需要设置矫治未成年人严重不良行为的专门学校,并保障办学条件。"

矫治未成年人严重不良行为的专门学校是指工读学校。之所以没有用"工读学校"这个名称,主要是为了与最近修订的义务教育法的有关规定相一致。"未成年人严重不良行为",是指预防未成年人犯罪法规定的九种行为,即纠集他人结伙滋事,扰乱治安;携带管制刀具,屡教不改;多次拦截殴打他人或者强行索要他人财物;传播淫秽的读物或者音像制品等;进行淫乱或者色情、卖淫活动;多次偷盗;参与赌博,屡教不改;吸食、注射毒品;其他严重危害社会的行为。

我国的工读教育始于1954年。到1966年,全国有工读学校200多所。工读学校在教育挽救失足青少年,预防和减少青少年违法犯罪方面起到了积极作用。但由于多种原因,后来工读学校逐渐萎缩,目前已减少到67所。多年来,未成年人违法犯罪呈上升趋势,有关

方面和一些专家呼吁加强和改进工读教育。

五、人民法院审理未成年人案件的机构

未成年人保护法(修订草案)第四十九条规定:“人民法院根据需要设立审理未成年人犯罪案件和涉及未成年人权益保护案件的机构,或者指定专人办理。”这一规定是在现行未成年人保护法第四十条的基础上,根据中共中央转发的《中央司法体制改革领导小组关于司法体制和工作机制改革的初步意见》(中发〔2004〕21 号)的精神作出的,该文件规定:“适应未成年人司法工作的特殊需要,完善未成年人司法制度。人民法院逐步设立审理未成年人犯罪案件和涉及未成年人权益保护案件的机构。”

目前,人民法院审理未成年人犯罪案件和涉及未成年人权益保护案件的机构主要是少年法庭。截至 2005 年底,全国法院共建立少年法庭 2420 个,共有兼职或者专职少年法庭法官 7233 名。基本做到了所有未成年人刑事案件都由少年法庭审理。为加强对全国法院少年法庭的指导工作,最高人民法院于 1994 年成立少年法庭指导小组并设办公室。全国 31 个高级人民法院也都设立了少年法庭指导小组及办公室。

少年法庭多数建立在基层人民法院。部分中级人民法院和高级人民法院也设立了少年法庭。少年法庭从建制上可以分为两种:一种是设立在刑庭内的合议庭;另一种是与人民法院其他内设审判庭同等建制的未成年人案件审判庭,目前全国这种独立建制的未成年人案件审判庭有 380 个。个别边远地区的法院还有指定专人审理未成年人案件的情况。

少年法庭受理案件范围,主要有三种情况:第一种是仅受理涉及未成年人的刑事案件,包括未成年人是被告人的刑事案件、未成年人是被害人的刑事案件;第二种是除受理未成年人刑事案件外,还受理部分涉及未成年人权益保护的民事案件;第三种是依据刑事诉讼法第 26 条的规定,由中级人民法院将未成年人刑事案件指定由所辖某

个基层人民法院设置的少年法庭进行集中审理。比如上海市,将全市 20 个区县的未成年人刑事案件指定由 4 个基层人民法院建立的少年法庭审理。

未成年人校外活动场所的有关规定及相关情况

一、文化部、国家发展改革委、教育部、科技部、民政部、财政部、国家文物局、解放军总政治部、中华全国总工会、共青团中央、全国妇联、中国科协关于公益性文化设施向未成年人免费开放的实施意见(摘录)(文办发〔2004〕33号,2004年10月13印发)

根据中央要求,享受国家财政支持的各级各类博物馆(院)、展览馆、美术馆、科技馆、纪念馆、烈士纪念建筑物、名人故居、公共图书馆、学校图书馆、文化馆(站)、文化宫(工人文化宫、工人俱乐部)、青少年宫、儿童活动中心等公益性文化设施要向未成年人等社会群体免费或优惠开放。尚未实行免费和优惠开放的,要于2005年1月1日前,向未成年人等社会群体免费或优惠开放。

各博物馆(院)、展览馆、美术馆、科技馆、纪念馆、烈士纪念建筑物、名人故居要对学校组织的未成年人集体参观实行免票;对未成年人个人参观实行半价或1/4票价优惠;家长携带未成年子女参观的,对未成年子女免票。有条件的纪念馆可对公众免费开放。

文化馆(站)、文化宫(工人文化宫、工人俱乐部)、青少年宫、儿童活动中心要坚持面向未成年人、服务未成年人的宗旨,并与学校综合实践活动相衔接,积极开展教育、科技、文化、艺术、体育等适合未成年人参与的活动。凡学校组织在该设施内开展的集体文化活动均免费。未成年人个人参与的文化活动实行半价优惠或免费。

公共与各级各类学校图书馆要在国家法定节假日设定“未成年

人参观接待日”,免费接待未成年人参观;对未成年人的借阅行为实行免费,对未成年人复印等收费项目实行半价优惠。公共图书馆要开设免费的未成年人阅览室或未成年人多媒体阅览室;面向未成年人举办的讲座、培训、展览等各种活动免费;向中小学图书馆(室)以免费或半价优惠的方式提供适合未成年人阅读使用的文献资料。

二、未成年人校外活动场所的基本情况

目前,全国已初步形成了遍布大中城市的未成年人校外教育和活动网络,共有青少年宫、儿童活动中心、科技馆等校外活动场所5400多个,其中建筑面积1500平方米以上的有1000多个。这些活动场所主要分布在大中城市和县城,分属于教育、共青团、妇联、科协等系统,其中教育系统2600多个,主要为少年宫等;共青团系统1400多个,主要为青少年宫、少年宫、青少年活动中心、青少年活动营地等;妇联系统1200多个,主要为儿童活动中心、妇女儿童活动中心等;科协系统223个,主要为科技馆。此外,文化、体育等部门也建设了一批向未成年人开放的活动场所,如文化活动中心、体育场馆等。2000年至2005年,国家筹集了40亿元彩票公益金建设未成年人校外活动场所。截至2006年3月,已建成742个校外活动场所,总计接待参加活动的中小学生1976.4万人次,惠及396个国家重点扶持的贫困县。中央八号文件下发以来,据不完全统计,全国90%以上的爱国主义教育基地和公益性文化设施已对未成年人集体参观免费开放。各类校外活动场所积极丰富内容,创新形式,拓展载体,开展了大量的主题教育、社会实践、科技普及和文艺体育等活动,在教育引导未成年人培养思想品德、养成行为习惯、发展兴趣爱好、提高实践能力等方面发挥了重要作用。

未成年人校外活动场所还存在一些不适当的地方。一是活动场所数量不足、分布不均,难以满足未成年人就近就便参加活动的需求。全国平均每7万未成年人才拥有一个校外活动场所,并主要集中在大中城市和经济发达地区,广大农村地区和基层社区普遍缺少。二是一些校外活动场所未能真正做到面向和服务广大未成年人。据统计，校外活动场所开展音乐、美术、书法、舞蹈、武术等培训和学科辅导班的比例约为80%，而组织学生开展主题教育、社会实践、科学普及活动的比例不到20%。这类培训班、辅导班主要为少数有特长、专长的学生服务。三是活动安排没有与学校教育很好衔接。场所的活动项目设计、内容安排缺乏与学校课程相结合的有效机制，多数校外活动场所都存在白天没有学生的“白日空”现象，未成年学生一般只能在周末和节假日参加活动，场所利用率不高。四是管理体制不顺，投入保障机制不健全。未成年人校外活动场所分属于不同系统，缺乏科学规划、统筹管理和协调配合，没有真正做到资源共享，现有未成年人校外活动场所的整体效能尚未得到充分发挥。

三、全国网吧情况及网吧对未成年人的影响

20世纪90年代后期以来，随着互联网在我国的普及，网吧市场迅速发展。目前，全国有经过政府许可依法设立的网吧近12万家，计算机终端500多万台。网吧的出现满足了互联网时代人们多样化的文化生活需求，为人际交流提供了便捷的方式，为休闲娱乐提供了新的场所。但是，网络的负面效应也日益显现，主要是未成年人进入网吧，部分未成年人上网成瘾，乃至引发违法犯罪的问题始终难以解决。

网吧对未成年人产生不良影响的原因主要有三个：一是一些经营者受经济利益驱使，把关不严或有意容留，造成未成年人进入网吧屡禁不止。二是一些未成年人抵御不了网吧的吸引，千方百计混进网吧。一些未成年人辍学、逃学，经常游荡于网吧，沉溺于网络游戏，成为“问题少年”，有的甚至违法犯罪。特别是当前有相当一批15—18岁的未成年人，他们已经完成9年义务制教育，不能升入更高一级的学校就学，暂时又没有稳定的工作，于是就在网吧消磨时光。三是网络文化市场上下游产业政策尺度不统一。当前，网吧中60%以上的上网者都是在玩网络游戏；而网络游戏最重要的传播、消费渠道是网吧。网吧所带来的社会问题，很大一部分是由互联网上传播的内容引起的。

解决网吧对未成年人的负面影响,第一,有关部门要继续加强对网吧的日常管理。第二,要根据未成年人的生理、心理特点,开展多种形式的宣传教育,引导未成年人增强自我保护意识,加强自我管理。同时,应强化学校、家庭的教育监护责任,特别是要强化家长作为未成年人监护"第一责任人"的意识。要通过举办家长网校、老人网校等形式,帮助家长掌握网络技能,提高引导、教育和监督子女上网的能力。第三,要进一步理顺网络文化内容管理体制,实行网吧与网站的统一归口管理,加强对网络文化内容的管理,监管关口前移,从而实现标本兼治。

未成年人违法犯罪情况

改革开放以来，受多种因素的影响，我国未成年人违法犯罪问题日渐突出。违法犯罪人数呈上升趋势，并向低龄化、团伙化、恶性化发展。在部分地区，未成年人违法犯罪已成了一个严重的社会问题。未成年人违法犯罪呈现出以下几个特征：

（一）从作案人员构成上看，低龄化情况突出，失学、辍学未成年人占相当比例。有的省公安机关调查发现，过去未成年人刑事案件作案年龄集中在16岁至18岁，而近年来却集中在13岁至18岁之间，11岁至14岁就“小人作大案”了。据中央社会治安综合治理委员会办公室和中国青少年研究中心调查，未成年犯的不良行为多始于初中，特别是初二阶段。失学、辍学的未成年人年龄小，无一技之长，过早进入社会后多无业可就，成为社会闲散群体的重要组成部分，极易走上违法犯罪之路。

（二）从犯罪诱因上看，不良文化影响巨大，特别是互联网在诱发未成年人违法犯罪要素中所占的比例急剧上升。据一些省市未成年犯管教所反映，少年犯中有70%以上受到过不良文化的影响；暴力型犯罪和性犯罪的少年犯中，有90%以上看过凶杀、暴力、淫秽录像和黄色书刊。80%的未成年违法犯罪人员都曾涉足过网吧。

（三）从犯罪类型上看，侵财犯罪所占比例较大，抢劫、抢夺作案人数增势明显。据统计，从2001年至2005年，公安机关抓获的侵财类刑事案件未成年人作案人数占未成年人刑事案件作案人员总数的比例均在80%以上。一些未成年人为获取钱财，常常不择手段，不分时间、场所,不计犯罪后果。

(四)从犯罪性质上看,暴力化、恶性化程度加剧,社会危害性加大。20世纪80年代,未成年人犯罪多表现为一般盗窃、打架斗殴、寻衅滋事等行为。到90年代末,未成年人犯罪向抢劫、放火、杀人、伤害等方面发展,几类案件绝对数不断增多。持枪持刀抢劫杀人、报复杀人、强奸杀人、盗窃杀人、伤害杀人、杀人碎尸等时有发生,主动攻击性增强,暴力倾向明显。

(五)从犯罪手段上看,反侦查意识增强,日趋成人化、智能化。近年来,部分未成年人犯罪手段出现了由简单化、随意化向成人化、智能化发展的苗头。不仅作案前有预谋,对作案时间、地点、犯罪对象、犯罪路线、犯罪分工等都进行周密策划,而且作案手段隐蔽,有意破坏现场,具有明显的反侦查意识,与成年人智能作案极其相似。

(六)从作案形式上看,结伙作案现象突出,"帮会化"趋向明显。"一人胆小,两人胆大,三人什么都不怕",一些有不良倾向和行为的未成年人由于脾气、爱好、兴趣相投,经历相似,极易结伙作案。更有一些未成年人模仿武侠小说、影视作品中的活动情节,纠合在一起磕头结拜,歃血盟誓,成立帮会,制定帮规,形成相对稳定的犯罪团伙甚至形成犯罪集团,其危害的严重性远远超过了个体犯罪。据不完全统计,近年来,团伙犯罪一般占未成年人犯罪总数的70%,个别地区甚至达到了80%以上。

(七)从教育改造情况看,具有反复性特点,重新犯罪率上升。有的少年犯过去只是"一面手",从改造场所出来后,反倒变成了"多面手",所犯新罪往往比以前所犯罪行严重得多,而且犯罪类型也有扩展的趋势。2003年,全国未成年人犯罪罪名已由1998年的98个发展到了120个,增幅达22%。成年男犯中,在未成年时期曾有过违法犯罪经历的比没有违法犯罪经历的要多7倍。

儿童权利公约

（1989 年 11 月 20 日订于纽约）

本公约于 1990 年 9 月 2 日生效。中华人民共和国政府代表于 1990 年 8 月 29 日签署。1991 年 12 月 29 日第七届全国人民代表大会常务委员会第 23 次会议决定：批准 1989 年 11 月 20 日由联合国大会通过的《儿童权利公约》，同时声明：中华人民共和国将在符合其宪法第二十五条关于计划生育的规定的前提下，并根据《中华人民共和国未成年人保护法》第二条的规定，履行《公约》第六条所规定的义务。本公约于 1992 年 4 月 2 日对我国生效。

全国人民代表大会常务委员会关于批准《儿童权利公约》的决定

（1991 年 12 月 29 日通过）第七届全国人民代表大会常务委员会第二十三次会议决定：批准 1989 年 11 月 20 日由联合国大会通过的《儿童权利公约》，同时声明：中华人民共和国将在符合其宪法第二十五条关于计划生育的规定的前提下，并根据《中华人民共和国未成年人保护法》第二条的规定，履行《公约》第六条所规定的义务。

序 言

本公约缔约国，

考虑到按照《联合国宪章》所宣布的原则,对人类家庭所有成员的固有尊严及其平等和不移的权利的承认,乃是世界自由、正义与和平的基础,

铭记联合国人民在《宪章》中重申对基本人权和人格尊严与价值的信念,并决心促成更广泛自由中的社会进步及更高的生活水平,

认识到联合国在《世界人权宣言》和关于人权的两项国际公约中宣布和同意:人人有资格享受这些文书中所载的一切权利和自由,不因种族、肤色、性别、语言、宗教、政治或其他见解、国籍或社会出身、财产、出生或其他身份等而有任何区别,

回顾联合国在《世界人权宣言》中宣布:儿童有权享受特别照料和协助,

深信家庭作为社会的基本单元,作为家庭所有成员、特别是儿童的成长和幸福的自然环境,应获得必要的保护和协助,以充分负起它在社会上的责任,

确认为了充分而和谐地发展其个性,应让儿童在家庭环境里,在幸福、亲爱和谅解的气氛中成长,

考虑到应充分培养儿童可在社会上独立生活,并在《联合国宪章》宣布的理想的精神下,特别是在和平、尊严、宽容、自由、平等和团结的精神下,抚养他们成长,

铭记给予儿童特殊照料的需要已在1924年《日内瓦儿童权利宣言》和在大会1959年11月20日通过的《儿童权利宣言》中予以申明,并在《世界人权宣言》、《公民权利和政治权利国际公约》(特别是第23和第24条)、《经济、社会、文化权利国际公约》(特别是第10条)以及关心儿童福利的各专门机构和国际组织的章程及有关文书中得到确认,

铭记如《儿童权利宣言》所示,“儿童因身心尚未成熟,在其出生以前和以后均需要特殊的保护和照料,包括法律上的适当保护”,

回顾《关于儿童保护和儿童福利、特别是国内和国际寄养和收养

办法的社会和法律原则宣言》、《联合国少年司法最低限度标准规则》(北京规则)以及《在非常状态和武装冲突中保护妇女和儿童宣言》,

确认世界各国都有生活在极端困难情况下的儿童,对这些儿童需要给予特别的照顾,

适当考虑到每一民族的传统及文化价值对儿童保护及和谐发展的重要性,

确认国际合作对于改善每一国家、特别是发展中国家儿童的生活条件的重要性,

兹协议如下:

第一部分

第一条

为本公约之目的,儿童系指18岁以下的任何人,除非对其适用之法律规定成年年龄低于18岁。

第二条

1. 缔约国应尊重本公约所载列的权利,并确保其管辖范围内的每一儿童均享受此种权利,不因儿童或其父母或法定监护人的种族、肤色、性别、语言、宗教、政治或其他见解、民族、族裔或社会出身、财产、伤残、出生或其他身份而有任何差别。

2. 缔约国应采取一切适当措施确保儿童得到保护,不受基于儿童父母、法定监护人或家庭成员的身份、活动、所表达的观点或信仰而加诸的一切形式的歧视或惩罚。

第三条

1. 关于儿童的一切行动,不论是由公私社会福利机构、法院、行政当局或立法机构执行,均应以儿童的最大利益为一种首要考虑。

2. 缔约国承担确保儿童享有其幸福所必需的保护和照料,考虑

到其父母、法定监护人、或任何对其负有法律责任的个人的权利和义务,并为此采取一切适当的立法和行政措施。

3. 缔约国应确保负责照料或保护儿童的机构、服务部门及设施符合主管当局规定的标准,尤其是安全、卫生、工作人员数目和资格以及有效监督等方面的标准。

第四条

缔约国应采取一切适当的立法、行政和其他措施以实现本公约所确认的权利。关于经济、社会及文化权利,缔约国应根据其现有资源所允许的最大限度并视需要在国际合作范围内采取此类措施。

第五条

缔约国应尊重父母或于适用时尊重当地习俗认定的大家庭或社会成员、法定监护人或其他对儿童负有法律责任的人以下的责任、权利和义务,以符合儿童不同阶段接受能力的方式适当指导和指引儿童行使本公约所确认的权利。

第六条

1. 缔约国确认每个儿童均有固有的生命权。

2. 缔约国应最大限度地确保儿童的存活与发展。

第七条

1. 儿童出生后应立即登记,并有自出生起获得姓名的权利,有获得国籍的权利。以及尽可能知道谁是其父母并受其父母照料的权利。

2. 缔约国应确保这些权利按照本国法律及其根据有关国际文书在这一领域承担的义务予以实施,尤应注意不如此儿童即无国籍之情形。

第八条

1. 缔约国承担尊重儿童维护其身份包括法律所承认的国籍、姓名及家庭关系而不受非法干扰的权利。

2. 如有儿童被非法剥夺其身份方面的部分或全部要素,缔约国应提供适当协助和保护，以便迅速重新确立其身份。

第九条

1. 缔约国应确保不违背儿童父母的意愿使儿童与父母分离，除非主管当局按照适用的法律和程序，经法院审查，判定这样的分离符合儿童的最大利益而确有必要。在诸如由于父母的虐待或忽视、或父母分居而必须确定儿童居住地点的特殊情况下，这种裁决可能有必要。

2. 凡按本条第1款进行诉讼，均应给予所有有关方面以参加诉讼并阐明自己意见之机会。

3. 缔约国应尊重与父母一方或双方分离的儿童同父母经常保持个人关系及直接联系的权利，但违反儿童最大利益者除外。

4. 如果这种分离是因缔约国对父母一方或双方或对儿童所采取的任何行动，诸如拘留、监禁、流放、驱逐或死亡(包括该人在该国拘禁中因任何原因而死亡)所致，该缔约国应按请求将该等家庭成员下落的基本情况告知父母、儿童或适当时告知另一家庭成员，除非提供这类情况会有损儿童的福祉，缔约国还应确保有关人员不致因提出这类请求而承受不利后果。

第十条

1. 按照第九条第1款所规定的缔约国的义务，对于儿童或其父母要求进入或离开一缔约国以便与家人团聚的申请，缔约国应以积极的人道主义态度迅速予以办理。缔约国还应确保申请人及其家庭成员不致因提出这类请求而承受不利后果。

2. 父母居住在不同国家的儿童，除特殊情况以外，应有权同父母双方经常保持个人关系和直接联系。为此目的，并按照第九条第1款所规定的缔约国的义务，缔约国应尊重儿童及其父母离开包括其本国在内的任何国家和进入其本国的权利。离开任何国家的权利只应受法律所规定并为保护国家安全、公共秩序、公共卫生或道德、或他人的权利和自由所必需且与本公约所承认的其他权利不相抵触的限制约束。

第十一条

1. 缔约国应采取措施制止非法将儿童移转国外和不使返回本国的行为。

2. 为此目的,缔约国应致力缔结双边或多边协定或加入现有协定。

第十二条

1. 缔约国应确保有主见能力的儿童有权对影响到其本人的一切事项自由发表自己的意见,对儿童的意见应按照其年龄和成熟程度给以适当的看待。

2. 为此目的,儿童特别应有机会在影响到儿童的任何司法和行政诉讼中,以符合国家法律的诉讼规则的方式,直接或通过代表或适当机构陈述意见。

第十三条

1. 儿童应有自由发表言论的权利:此项权利应包括通过口头、书面或印刷、艺术形式或儿童所选择的任何其他媒介,寻求、接受和传递各种信息和思想的自由,而不论国界。

2. 此项权利的行使可受某些限制约束,但这些限制仅限于法律所规定并为以下目的所必需:

(a)尊重他人的权利和名誉;

(b)保护国家安全或公共秩序或公共卫生或道德。

第十四条

1. 缔约国应尊重儿童享有思想、信仰和宗教自由的权利。

2. 缔约国应尊重父母并于适用时尊重法定监护人以下的权利和义务,以符合儿童不同阶段接受能力的方式指导儿童行使其权利。

3. 表明个人宗教或信仰的自由,仅受法律所规定并为保护公共安全、秩序、卫生或道德或他人之基本权利和自由所必需的这类限制约束。

第十五条

1. 缔约国确认儿童享有结社自由及和平集会自由的权利。

2. 对此项权利的行使不得加以限制,除非符合法律所规定并在民主社会中为国家安全或公共安全、公共秩序、保护公共卫生或道德或保护他人的权利和自由所必需。

第十六条

1. 儿童的隐私、家庭、住宅或通信不受任意或非法干涉,其荣誉和名誉不受非法攻击。

2. 儿童有权享受法律保护,以免受这类干涉或攻击。

第十七条

缔约国确认大众传播媒介的重要作用,并应确保儿童能够从多种的国家和国际来源获得信息和资料,尤其是旨在促进其社会、精神和道德福祉和身心健康的信息和资料。为此目的,缔约国应:

(a)鼓励大众传播媒介本着第二十九条的精神散播在社会和文化方面有益于儿童的信息和资料;

(b)鼓励在编制、交流和散播来自不同文化、国家和国际来源的这类信息和资料方面进行国际合作;

(c)鼓励儿童读物的著作和普及;

(d)鼓励大众传播媒介特别注意属于少数群体或土著居民的儿童在语言方面的需要;

(e)鼓励根据第十三条和第十八条的规定制定适当的准则,保护儿童不受可能损害其福祉的信息和资料之害。

第十八条

1. 缔约国应尽其最大努力,确保父母双方对儿童的养育和发展负有共同责任的原则得到确认。父母、或视具体情况而定的法定监护人对儿童的养育和发展负有首要责任。儿童的最大利益将是他们主要关心的事。

2. 为保证和促进本公约所列举的权利,缔约国应在父母和法定监护人履行其抚养儿童的责任方面给予适当协助,并应确保发展育儿机构、设施和服务。

3. 缔约国应采取一切适当措施确保就业父母的子女有权享受他

们有资格得到的托儿服务和设施。

第十九条

1. 缔约国应采取一切适当的立法、行政、社会和教育措施，保护儿童在受父母、法定监护人或其他任何负责照管儿童的人的照料时，不致受到任何形式的身心摧残、伤害或凌辱，忽视或照料不周，虐待或剥削，包括性侵犯。

2. 这类保护性措施应酌情包括采取有效程序以建立社会方案，向儿童和负责照管儿童的人提供必要的支助，采取其他预防形式，查明、报告、查询、调查、处理和追究前述的虐待儿童事件，以及在适当时进行司法干预。

第二十条

1. 暂时或永久脱离家庭环境的儿童，或为其最大利益不得在这种环境中继续生活的儿童，应有权得到国家的特别保护和协助。

2. 缔约国应按照本国法律确保此类儿童得到其他方式的照顾。

3. 这种照顾除其他外，包括寄养、伊斯兰法的“卡法拉”（监护）、收养或者必要时安置在适当的育儿机构中。在考虑解决办法时，应适当注意有必要使儿童的培养教育具有连续性和注意儿童的族裔、宗教、文化和语言背景。

第二十一条

凡承认和（或）许可收养制度的国家应确保以儿童的最大利益为首要考虑并应：

（a）确保只有经主管当局按照适用的法律和程序并根据所有有关可靠的资料，判定鉴于儿童有关父母、亲属和法定监护人方面的情况可允许收养，并且判定必要时有关人士已根据可能必要的辅导对收养表示知情的同意，方可批准儿童的收养；

（b）确认如果儿童不能安置于寄养或收养家庭，或不能以任何适当方式在儿童原籍国加以照料，跨国收养可视为照料儿童的一个替代办法；

（c）确保得到跨国收养的儿童享有与本国收养相当的保障和

标准；

(d)采取一切适当措施确保跨国收养的安排不致使所涉人士获得不正当的财务收益；

(e)在适当时通过缔结双边或多边安排或协定促成本条的目标，并在这一范围内努力确保由主管当局或机构负责安排儿童在另一国收养的事宜。

第二十二条

1. 缔约国应采取适当措施，确保申请难民身份的儿童或按照适用的国际法或国内法及程序可视为难民的儿童，不论有无父母或其他任何人的陪同，均可得到适当的保护和人道主义援助，以享有本公约和该有关国家为其缔约国的其他国际人权或人道主义文书所规定的可适用权利。

2. 为此目的，缔约国应对联合国和与联合国合作的其他主管的政府间组织或非政府组织所作的任何努力提供其认为适当的合作，以保护和援助这类儿童，并为只身的难民儿童追寻其父母或其他家庭成员，以获得必要的消息使其家庭团聚。在寻不着父母或其他家庭成员的情况下，也应使该儿童获得与其他任何由于任何原因而永久或暂时脱离家庭环境的儿童按照本公约的规定所得到的同样保护。

第二十三条

1. 缔约国确认身心有残疾的儿童应能在确保其尊严、促进其自立、有利于其积极参与社会生活的条件下享有充实而适当的生活。

2. 缔约国确认残疾儿童有接受特别照顾的权利，应鼓励并确保在现有资源范围内，依据申请，斟酌儿童的情况和儿童的父母或其他照料人的情况，对合格儿童及负责照料该儿童的人提供援助。

3. 鉴于残疾儿童的特殊需要，考虑到儿童的父母或其他照料人的经济情况，在可能时应免费提供按照本条第2款给予的援助，这些援助的目的应是确保残疾儿童能有效地获得和接受教育、培训、保健服务、康复服务，就业准备和娱乐机会，其方式应有助于该儿童尽可能充分地参与社会，实现个人发展，包括其文化和精神方面的发展。

4. 缔约国应本着国际合作精神，在预防保健以及残疾儿童的医疗、心理治疗和功能治疗领域促进交换适当资料，包括散播和获得有关康复教育方法和职业服务方面的资料，以期使缔约国能够在这些领域提高其能力和技术并扩大其经验。在这方面，应特别考虑到发展中国家的需要。

第二十四条

1. 缔约国确认儿童有权享有可达到的最高标准的健康，并享有医疗和康复设施。缔约国应努力确保没有任何儿童被剥夺获得这种保健服务的权利。

2. 缔约国应致力充分实现这一权利，特别是应采取适当措施，以

(a)降低婴幼儿死亡率；

(b)确保向所有儿童提供必要的医疗援助和保健，侧重发展初级保健；

(c)消除疾病和营养不良现象，包括在初级保健范围内利用现有可得的技术和提供充足的营养食品和清洁饮水，要考虑到环境污染的危险和风险；

(d)确保母亲得到适当的产前和产后保健；

(e)确保向社会各阶层、特别是向父母和儿童介绍有关儿童保健和营养、母乳育婴优点、个人卫生和环境卫生及防止意外事故的基本知识，使他们得到这方面的教育并帮助他们应用这种基本知识；

(f)开展预防保健、对父母的指导以及计划生育教育和服务。

3. 缔约国应致力采取一切有效和适当的措施，以期废除对儿童健康有害的传统习俗。

4. 缔约国承担促进和鼓励国际合作，以期逐步充分实现本条所确认的权利。在这方面，应特别考虑到发展中国家的需要。

第二十五条

缔约国确认在有关当局为照料、保护或治疗儿童身心健康的目的下受到安置的儿童，有权获得对给予的治疗以及与所受安置有关

的所有其他情况进行定期审查。

第二十六条

1. 缔约国应确认每个儿童有权受益于社会保障、包括社会保险，并应根据其国内法律采取必要措施充分实现这一权利。

2. 提供福利时应酌情考虑儿童及负有赡养儿童义务的人的经济情况和环境，以及与儿童提出或代其提出的福利申请有关的其他方面因素。

第二十七条

1. 缔约国确认每个儿童均有权享有足以促进其生理、心理、精神、道德和社会发展的生活水平。

2. 父母或其他负责照顾儿童的人负有在其能力和经济条件许可范围内确保儿童发展所需生活条件的首要责任。

3. 缔约国按照本国条件并其能力范围内，应采取适当措施帮助父母或其他负责照顾儿童的人实现此项权利，并在需要时提供物质援助和资助方案，特别是在营养、衣着和住房方面。

4. 缔约国应采取一切适当措施，向在本国境内或境外儿童的父母或其他对儿童负有经济责任的人追索儿童的赡养费。尤其是，遇对儿童负有经济责任的人住在与儿童不同的国家的情况时，缔约国应促进加入国际协定或缔结此类协定以及作出其他适当安排。

第二十八条

1. 缔约国确认儿童有受教育的权利，为在机会均等的基础上逐步实现此项权利，缔约国尤应：

(a)实现全面的免费义务小学教育；

(b)鼓励发展不同形式的中学教育、包括普通和职业教育，使所有儿童均能享有和接受这种教育，并采取适当措施，诸如实行免费教育和对有需要的人提供津贴；

(c)根据能力以一切适当方式使所有人均有受高等教育的机会；

(d)使所有儿童均能得到教育和职业方面的资料和指导；

(e)采取措施鼓励学生按时出勤和降低辍学率。

2. 缔约国应采取一切适当措施,确保学校执行纪律的方式符合儿童的人格尊严及本公约的规定。

3. 缔约国应促进和鼓励有关教育事项方面的国际合作,特别着眼于在全世界消灭愚昧与文盲,并便利获得科技知识和现代教学方法。在这方面,应特别考虑到发展中国家的需要。

第二十九条

1. 缔约国一致认为教育儿童的目的应是:

(a)最充分地发展儿童的个性、才智和身心能力;

(b)培养对人权和基本自由以及《联合国宪章》所载各项原则的尊重;

(c)培养对儿童的父母、儿童自身的文化认同、语言和价值观、儿童所居住国家的民族价值观、其原籍国以及不同于其本国的文明的尊重;

(d)培养儿童本着各国人民、族裔、民族和宗教群体以及原为土著居民的人之间谅解、和平、宽容、男女平等和友好的精神,在自由社会里过有责任感的生活;

(e)培养对自然环境的尊重。

2. 对本条或第二十八条任何部分的解释均不得干涉个人和团体建立和指导教育机构的自由,但须始终遵守本条第1款载列的原则,并遵守在这类机构中实行的教育应符合国家可能规定的最低限度标准的要求。

第三十条

在那些存在有族裔、宗教或语言方面属于少数人或原为土著居民的人的国家,不得剥夺属于这种少数人或原为土著居民的儿童与其群体的其他成员共同享有自己的文化、信奉自己的宗教并举行宗教仪式、或使用自己的语言的权利。

第三十一条

1. 缔约国确认儿童有权享有休息和闲暇,从事与儿童年龄相宜的游戏和娱乐活动,以及自由参加文化生活和艺术活动。

2. 缔约国应尊重并促进儿童充分参加文化和艺术生活的权利，并应鼓励提供从事文化、艺术、娱乐和休闲活动的适当和均等的机会。

第三十二条

1. 缔约国确认儿童有权受到保护，以免受经济剥削和从事任何可能妨碍或影响儿童教育或有害儿童健康或身体、心理、精神、道德或社会发展的工作。

2. 缔约国应采取立法、行政、社会和教育措施确保本条得到执行。为此目的，并鉴于其他国际文书的有关规定，缔约国尤应：

(a)规定受雇的最低年龄；

(b)规定有关工作时间和条件的适当规则；

(c)规定适当的惩罚或其他制裁措施以确保本条得到有效执行。

第三十三条

缔约国应采取一切适当措施，包括立法、行政、社会和教育措施，保护儿童不致非法使用有关国际条约中界定的麻醉药品和精神药物，并防止利用儿童从事非法生产和贩运此类药物。

第三十四条

缔约国承担保护儿童免遭一切形式的色情剥削和性侵犯之害，为此目的，缔约国尤应采取一切适当的国家、双边和多边措施，以防止：

(a)引诱或强迫儿童从事任何非法的性生活；

(b)利用儿童卖淫或从事其他非法的性行为；

(c)利用儿童进行淫秽表演和充当淫秽题材。

第三十五条

缔约国应采取一切适当的国家、双边和多边措施，以防止为任何目的或以任何形式诱拐、买卖或贩运儿童。

第三十六条

缔约国应保护儿童免遭有损儿童福利的任何方面的一切其他形式的剥削之害。

第三十七条

缔约国应确保:

(a)任何儿童不受酷刑或其他形式的残忍、不人道或有辱人格的待遇或处罚。对未满18岁的人所犯罪行不得判以死刑或无释放可能的无期徒刑;

(b)不得非法或任意剥夺任何儿童的自由。对儿童的逮捕、拘留或监禁应符合法律规定并仅应作为最后手段,期限应为最短的适当时间;

(c)所有被剥夺自由的儿童应受到人道待遇,其人格固有尊严应受尊重,并应考虑到他们这个年龄的人的需要的方式加以对待。特别是,所有被剥夺自由的儿童应同成人隔开,除非认为反之最有利于儿童,并有权通过信件和探访同家人保持联系,但特殊情况除外;

(d)所有被剥夺自由的儿童均有权迅速获得法律及其他适当援助,并有权向法院或其他独立公正的主管当局就其被剥夺自由一事之合法性提出异议,并有权迅速就任何此类行动得到裁定。

第三十八条

1. 缔约国承担尊重并确保尊重在武装冲突中对其适用的国际人道主义法律中有关儿童的规则。

2. 缔约国应采取一切可行措施确保未满15岁的人不直接参加敌对行动。

3. 缔约国应避免招募任何未满15岁的人加入武装部队。在招募已满15岁但未满18岁的人时,缔约国应致力首先考虑年龄最大者。

4. 缔约国按照国际人道主义法律规定它们在武装冲突中保护平民人口的义务,应采取一切可行措施确保保护和照料受武装冲突影响的儿童。

第三十九条

缔约国应采取一切适当措施,促使遭受下述情况之害的儿童身心是以康复并重返社会:任何形式的忽视、剥削或凌辱虐待;酷刑或任何其他形式的残忍、不人道或有辱人格的待遇或处罚；或武装冲突。此种康复和重返社会应在一种能促进儿童的健康、自尊和尊严的环境中进行。

第四十条

1. 缔约国确认被指称、指控或认为触犯刑法的儿童有权得到符合以下情况方式的待遇，促进其尊严和价值感并增强其对他人的人权和基本自由的尊重。这种待遇应考虑到其年龄和促进其重返社会并在社会中发挥积极作用的愿望。

2. 为此目的，并鉴于国际文书的有关规定，缔约国尤应确保：

(a)任何儿童不得以行为或不行为之时本国法律或国际法不禁止的行为或不行为之理由被指称、指控或认为触犯刑法；

(b)所有被指称或指控触犯刑法的儿童至少应得到下列保证：

(一)在依法判定有罪之前应视为无罪；

(二)迅速直接地被告知其被控罪名，适当时应通过其父母或法定监护人告知，并获得准备和提出辩护所需的法律或其他适当协助；

(三)要求独立公正的主管当局或司法机构在其得到法律或其他适当协助的情况下，通过依法公正审理迅速作出判决，并且须有其父母或法定监护人在场，除非认为这样做不符合儿童的最大利益，特别要考虑到其年龄或状况；

(四)不得被迫作口供或认罪；应可盘问或要求盘问不利的证人，并在平等条件下要求证人为其出庭和接受盘问；

(五)若被判定触犯刑法，有权要求高一级独立公正的主管当局或司法机构依法复查此一判决及由此对之采取的任何措施；

(六)若儿童不懂或不会说所用语言，有权免费得到口译人员的协助；

(七)其隐私在诉讼的所有阶段均得到充分尊重。

3. 缔约国应致力于促进规定或建立专门适用于被指称、指控或确认为触犯刑法的儿童的法律、程序、当局和机构，尤应：

(a)规定最低年龄，在此年龄以下的儿童应视为无触犯刑法之行为能力；

（b）在适当和必要时，制订不对此类儿童诉诸司法程序的措施，但须充分尊重人权和法律保障。

4. 应采用多种处理办法，诸如照管、指导和监督令、辅导、察看、寄养、教育和职业培训方案及不交由机构照管的其他办法，以确保处理儿童的方式符合其福祉并与其情况和违法行为相称。

第四十一条

本公约的任何规定不应影响更有利于实现儿童权利且可能载于下述文件中的任何规定：

（a）缔约国的法律；

（b）对该国有效的国际法。

第二部分

第四十二条

缔约国承担以适当的积极手段，使成人和儿童都能普遍知晓本公约的原则和规定。

第四十三条

1. 为审查缔约国在履行根据本公约所承担的义务方面取得的进展，应设立儿童权利委员会，执行下文所规定的职能。

2. 委员会应由 10 名品德高尚并在本公约所涉领域具有公认能力的专家组成。委员会成员应由缔约国从其国民中选出，并应以个人身份任职，但须考虑到公平地域分配原则及主要法系。

3. 委员会成员应以无记名表决方式从缔约国提名的人选名单中选举产生，每一缔约国可从其本国国民中提名一位人选。

4. 委员会的初次选举应最迟不晚于本公约生效之日后的六个月进行，此后每两年举行一次。联合国秘书长应至少在选举之日前四个月函请缔约国在两个月内提出其提名的人选。秘书长随后应将已提名的所有人选按字母顺序编成名单，注明提名此等人选的缔约国，分送本公约缔约国。

5. 选举应在联合国总部由秘书长召开的缔约国会议上进行。在此等会议上,应以三分之二缔约国出席作为会议的法定人数,得票最多且占出席并参加表决缔约国代表绝对多数票者,当选为委员会成员。

6. 委员会成员任期四年。成员如获再次提名,应可连选连任。在第一次选举产生的成员中,有 5 名成员的任期应在两年结束时届满;会议主席应在第一次选举之后立即以抽签方式选定这 5 名成员。

7. 如果委员会某一成员死亡或辞职或宣称因任何其他原因不再能履行委员会的职责,提名该成员的缔约国应从其国民中指定另一名专家接替余下的任期,但须经委员会批准。

8. 委员会应自行制订其议事规则。

9. 委员会应自行选举其主席团成员,任期两年。

10. 委员会会议通常应在联合国总部或在委员会决定的任何其他方便地点举行。委员会通常应每年举行一次会议。委员会的会期应由本公约缔约国会议决定并在必要时加以审查,但需经大会核准。

11. 联合国秘书长应为委员会有效履行本公约所规定的职责提供必要的工作人员和设施。

12. 根据本公约设立的委员会的成员,经大会核可,得从联合国资源领取薪酬,其条件由大会决定。

第四十四条

1. 缔约国承担按下述办法,通过联合国秘书长,向委员会提交关于它们为实现本公约确认的权利所采取的措施以及关于这些权利的享有方面的进展情况的报告:

(a)在本公约对有关缔约国生效后两年内;

(b)此后每五年一次。

2. 根据本条提交的报告应指明可能影响本公约规定的义务履行程度的任何因素和困难。报告还应载有充分的资料,以使委员会全面了解本公约在该国的实施情况。

3. 缔约国若已向委员会提交全面的初次报告,就无须在其以后按照本条第 1 款(b)项提交的报告中重复原先已提供的基本资料。

4. 委员会可要求缔约国进一步提供与本公约实施情况有关的资料。

5. 委员会应通过经济及社会理事会每两年向大会提交一次关于其活动的报告。

6. 缔约国应向其本国的公众广泛供应其报告。

第四十五条

为促进本公约的有效实施和鼓励在本公约所涉领域进行国际合作:

(a)各专门机构、联合国儿童基金会和联合国其他机构应有权派代表列席对本公约中属于它们职责范围内的条款的实施情况的审议。委员会可邀请各专门机构、联合国儿童基金会以及它可能认为合适的其他有关机关就本公约在属于它们各自职责范围内的领域的实施问题提供专家意见。委员会可邀请各专门机构、联合国儿童基金会和联合国其他机构就本公约在属于它们活动范围内的领域的实施情况提交报告;

(b)委员会在其可能认为适当时应向各专门机构、联合国儿童基金会和其他有关机构转交缔约国要求或说明需要技术咨询或援助的任何报告以及委员会就此类要求或说明提出的任何意见和建议;

(c)委员会可建议大会请秘书长代表委员会对有关儿童权利的具体问题进行研究;

(d)委员会可根据依照本公约第四十四和四十五条收到的资料提出提议和一般性建议。此类提议和一般性建议应转交有关的任何缔约国并连同缔约国作出的任何评论一并报告大会。

第三部分

第四十六条

本公约应向所有国家开放供签署。

第四十七条

本公约须经批准。批准书应交存联合国秘书长。

第四十八条

本公约应向所有国家开放供加入。加入书应交存于联合国秘书长。

第四十九条

1. 本公约自第二十份批准书或加入书交存联合国秘书长之日后的第三十天生效。

2. 本公约对于在第二十份批准书或加入书交存之后批准或加入本公约的国家,自其批准书或加入书交存之日后的第三十天生效。

第五十条

1. 任何缔约国均可提出修正案,提交给联合国秘书长。秘书长应立即将提议的修正案通知缔约国,并请它们表明是否赞成召开缔约国会议以审议提案并进行表决。如果在此类通知发出之日后的四个月内,至少有三分之一的缔约国赞成召开这样的会议,秘书长应在联合国主持下召开会议。经出席会议并参加表决的缔约国多数通过的任何修正案应提交大会批准。

2. 根据本条第 1 款通过的修正案若获大会批准并为缔约国三分之二多数所接受,即行生效。

3. 修正案一旦生效,即应对接受该项修正案的缔约国具有约束力,其他缔约国则仍受本公约各项条款和它们已接受的任何早先的修正案的约束。

第五十一条

1. 联合国秘书长应接受各国在批准或加入时提出的保留,并分发给所有国家。

2. 不得提出内容与本公约目标和宗旨相抵触的保留。

3. 缔约国可随时向联合国秘书长提出通知,请求撤销保留,并由他将此情况通知所有国家。通知于秘书长收到当日起生效。

第五十二条

缔约国可以书面通知联合国秘书长退出本公约。秘书长收到通知之日起一年后退约即行生效。

第五十三条

指定联合国秘书长为本公约的保管人。

第五十四条

本公约的阿拉伯文、中文、英文、法文、俄文和西班牙文文本具有同等效力,应交存联合国秘书长。

下列全权代表,经各自政府正式授权,在本公约上签字,以资证明。

中国儿童发展纲要(2001—2010 年)

前言

当今世界,新科技革命迅猛发展,经济全球化趋势增强,综合国力竞争日趋激烈。2001—2010 年是我国经济和社会发展极为重要的时期。推进社会主义现代化建设,实现经济和社会的全面进步,必须把提高国民素质、开发人力资源作为战略任务;必须从儿童早期着手,培养、造就适应新世纪需要的高素质人才队伍。

儿童期是人的生理、心理发展的关键时期。为儿童成长提供必要的条件,给予儿童必需的保护、照顾和良好的教育,将为儿童一生的发展奠定重要基础。

1992 年,我国参照世界儿童问题首脑会议提出的全球目标和《儿童权利公约》,从中国国情出发,发布了《九十年代中国儿童发展规划纲要》。这是我国第一部以儿童为主体、促进儿童发展的国家行动计划。各级政府和有关部门坚持“儿童优先”的原则,加强领导,强化责任,制定政策,采取措施,认真实施,基本实现了《九十年代中国儿童发展,规划纲要》提出的主要目标,使我国儿童生存、保护和发展取得历史性的进步。

——婴儿死亡率、5 岁以下儿童死亡率分别从 90 年代初的 51‰和 61‰下降到 2000 年的 32.2‰和 39.7‰。

——孕产妇死亡率从 1989 年的 94.7/10 万下降到 2000 年的 53.0/10 万。

——5 岁以下儿童低体重患病率从 1990 年的 21% 下降到 10%。

——基本普及了食盐加碘。

——儿童计划免疫接种率以县为单位达到 90% 以上;实现了无脊髓灰质炎的目标。

——农村改水受益人口覆盖率和卫生厕所普及率 2000 年分别达到 92.38% 和 44.84%。

——小学适龄儿童净入学率由 1990 年的 96.3% 提高到 2000 年的 99.1%,男女童入学差异由 1990 年的 2.91 个百分点下降到 2000 年的 0.07 个百分点;小学 5 年巩固率由 1990 年的 71.4% 提高到 2000 年的 94.5%,占全国人口 85% 的地区普及了九年义务教育。

——青壮年文盲率 2000 年下降到 5% 以下。但是,作为人口众多的发展中国家,我们仍然面临诸多的问题和挑战,如:儿童发展的整体水平仍然需要提高,儿童发展的环境需要进一步优化;地区之间、城乡之间儿童生存、保护和发展的条件、水平存在明显差异;贫困尚未消除,仍有数百万儿童生活在贫困中;随着流动人口数量的增加、城镇化水平的提高和农村人口的转移,这些人群中儿童的保健、教育、保护问题亟待解决;艾滋病病毒携带者和艾滋病患者中的儿童数量呈上升趋势;侵害儿童权益的违法犯罪行为时有发生。因此,改善儿童生存、保护和发展条件,促进儿童健康成长,仍然是今后一个时期的重要任务。

《儿童发展纲要(2001—2010 年)》(以下简称《纲要》)按照《中华人民共和国国民经济和社会发展第十个五年计划纲要》的总体要求,根据我国儿童发展的实际情况,以促进儿童发展为主题,以提高儿童身心素质为重点,以培养和造就 21 世纪社会主义现代化建设人才为目标,从儿童与健康、儿童与教育、儿童与法律保护、儿童与环境 4 个领域,提出了 2001—2010 年的目标和策略措施。

《纲要》的发布和实施,必将进一步促进我国儿童的健康成长和儿童事业的持续发展。

总目标

坚持“儿童优先”原则,保障儿童生存、发展、受保护和参与的权利,提高儿童整体素质,促进儿童身心健康发展。儿童健康的主要指标达到发展中国家的先进水平;儿童教育在基本普及九年义务教育的基础上,大中城市和经济发达地区有步骤地普及高中阶段教育;逐步完善保护儿童的法律法规体系,依法保障儿童权益;优化儿童成长环境,使困境儿童受到特殊保护。

主要目标与策略措施

一、儿童与健康

改善儿童卫生保健服务,提高儿童健康水 平

(一)主要目标

1. 提高出生人口素质。

——婚前医学检查率城市达到80%,农村达到50%。

——减少出生缺陷的发生。

2. 保障孕产妇安全分娩。

——孕产妇死亡率以2000年为基数下降1/4。

——农村孕产妇住院分娩率达到65%,高危孕产妇住院分娩率达到90%以上,农村消毒接生率达到95%以上。

——孕产妇缺铁性贫血患病率以2000年为基数下降1/3。

——孕产妇保健覆盖率在城市达到90%以上,在农村达到60%以上。

3. 降低婴儿和5岁以下儿童死亡率。

——婴儿和5岁以下儿童死亡率以2000年为基数分别下降1/5。

——降低新生儿窒息和5岁以下儿童肺炎、腹泻等构成主要死因的死亡率。

——新生儿破伤风发病率以县为单位降低到1%以下。

——免疫接种率以乡(镇)为单位达到90%以上。将乙肝疫苗接

种纳入计划免疫,并逐步将新的疫苗接种纳入计划免疫管理。

4. 提高儿童营养水平,增强儿童体质。

——5 岁以下儿童中、重度营养不良患病率以 2000 年为基数下降 1/4。

——低出生体重发生率控制在 5% 以下。

——婴幼儿家长的科学喂养知识普及率达到 85% 以上。

——婴儿母乳喂养率以省(自治区、直辖市)为单位达到 85%,适时、合理添加辅食。

——减少儿童维生素 A 缺乏。

——合格碘盐食用率达到 90% 以上。

——儿童保健覆盖率在城市达到 90% 以上,在农村达到 60% 以上,逐步提高女童及流动人口中儿童保健覆盖率。

——中小学生《国家体育锻炼标准》及格率达到 90% 以上。

5. 加强儿童卫生保健教育。

——减少未成年人吸烟,预防未成年人吸毒。

——预防和控制性病、艾滋病、结核病的蔓延和增长。

——提供多种形式的儿童心理健康咨询及不良心理矫正服务。

(二)策略措施

1. 国家宏观政策。

努力创造条件,让儿童享有可达到的最高标准的健康服务。

——深化医疗卫生改革,努力实现儿童健康的主要目标。

——合理安排和增加妇幼卫生、疾病预防控制等基本卫生服务经费投入。

——加强妇幼卫生保健知识的教育、培训和宣传。

2. 法律和部门政策。

完善和落实关于妇幼卫生保健的法律法规和政策措施。

——认真贯彻《中华人民共和国母婴保健法》等法律法规,加强执法监督。

——发展社区卫生服务,加强农村卫生服务网的建设和规范化服务，提供孕产妇和儿童保健、儿童生长发育监测、计划免疫、儿童常见病诊疗等基本卫生服务。

——全面开展妇女生殖保健服务，加强对孕产妇产前、产时和产后的保健服务。在城乡特别是农村继续实施“母亲安全”项目，开展高危孕产妇的筛查，提高孕产妇住院分娩率，创造安全分娩的必要条件，降低孕产妇死亡率。

——积极防治儿童多发病和常见病，重视做好儿童眼、口腔和听力保健等工作。

——加强冷链系统建设，增强常规免疫的有效性，逐步增加接种疫苗种类。预防性注射应达到安全注射标准。

——倡导科学喂养和良好的饮食习惯，改善儿童营养。支持母乳喂养。在贫困地区和维生素A缺乏地区，做好儿童维生素A缺乏的干预工作。对中小学生提倡饮用畜奶，分步实施国家“学生饮用奶计划”，推行“国家大豆行动计划”。有计划、有步骤地普及学生营养餐，减少营养不良或营养过剩。

——加强儿童卫生保健的理论研究与技术推广。继续推广和应用计划免疫、口服补液疗法、儿童疾病综合管理、婴幼儿科学喂养、食盐加碘、儿童生长发育监测等适宜技术。研究减少新生儿疾病、儿童营养不良、儿童意外伤害等预防措施。

——广泛开展宣传教育和科学普及工作，提高妇女儿童自我保健和利用卫生服务的能力。倡导科学、文明、健康的生活方式。开展有关性病和艾滋病的危害、预防及自我防范知识的宣传工作；进一步重视在青少年中进行青春期教育、预防吸烟和吸毒的教育。

3. 社会保障和服务。

进一步完善医疗保障制度，确保儿童享有基本卫生医疗和保健服务。

——健全农村初级卫生保健服务体系，因地制宜发展合作医疗以及多种形式的健康保障制度，提高儿童保健水平和抵御疾病风险的能力。

——多渠道设立贫困家庭的疾病救助基金，帮助特困家庭孕产妇和儿童获得必要的医疗救助。加强对弃婴和孤儿的医疗救助。对城市流动人口中的孕产妇、儿童逐步实行保健管理。

——重视儿童体育。有条件的城市社区、乡（镇）要为儿童健身提供必要的体育设施。培养儿童良好的体育锻炼习惯，学校保证中小学生每天 1 小时的体育锻炼时间。

——重视儿童心理卫生知识的普及。在学校开设心理健康课程；逐步在大中城市和其他有条件的地方建立儿童心理咨询和矫正服务机构。

二、儿童与教育

保障儿童受教育权利，提高儿童受教育水平。

（一）主要目标

1. 全面普及九年义务教育，保障所有儿童受教育的权利。

——小学适龄儿童净入学率达到 99% 左右，小学 5 年巩固率提高到 95% 左右。

——初中毛入学率达到 95% 左右。

——发展特殊教育。

——流动人口中的儿童基本能接受九年义务教育。

2. 适龄儿童基童基本能接受学前教育。

——发展 0 - 3 岁儿童早期教育。

——大中城市和经济发达地区适龄儿童基本能接受学前 3 年教育，农村儿童学前 1 年受教育率有较大提高。

3. 有步骤地普及高中阶段教育。

——全国高中阶段毛入学率达到 80% 以上，大中城市和经济发达地区普及高中阶段教育。

4. 提高教育质量和效益。

——建立适应 21 世纪需要的现代化基础教育课程体系。

——改革考试评价制度。

5. 提高家庭教育水平。

——建立多元化的家长学校办学体制，增加各类家长学校的数量。

——提高儿童家长家庭教育知识的知晓率。

（二）策略措施

1. 国家宏观政策。

落实教育优先发展战略，把提高儿童整体素质作为人才战略的基础工程。

——保证教育与国民经济和社会发展相适应，并适度超前发展。

——合理配置教育资源，缩小地区差距，为所有儿童提供平等的受教育机会和条件，确保教育特别是义务教育的公平、公正。

——完善教育投入机制，增加教育投入。

2. 法律和部门政策。

完善并落实教育法律法规和政策。

——进一步加快教育立法工作，完善教育法律体系。

——加大教育执法力度，健全教育督导机构和制度，提高全社会的教育法制观念和有关法律知识水平，积极推进依法治教。

——全面贯彻国家教育方针，整体推进素质教育，促进学生德、智、体、美全面发展。注重培养学生的创新意识、实践能力和科学精神。

——继续减轻中小学生的课业负担，组织学生参加社会实践活动和社会公益活动，培养社会实践能力。将中小学综合实践基地建设纳入地方发展规划。

——将性别平等意识纳入教育内容。

——实施“国家贫困地区义务教育工程”、“西部教育开发工程”、“希望工程”和“春蕾计划”等助学工程，保障贫困地区、少数民族地区儿童就学权利。

——切实保障女童受教育的权利，消除阻碍女童入学的障碍。

——切实保障残疾儿童、孤儿和流动人口中儿童受教育的权利。使残疾儿童与其他儿童同步接受义务教育；贯彻落实孤儿就学的有关优惠政策;完善流动人口中儿童就学制度;根据国家推进城镇化的要求,做好教育规划,满足农村适龄儿童向城镇转移后的就学需要。

——发展学前教育。建立并完善0—3岁儿童教育管理体制。合理规划并办好教育部门举办的示范性幼儿园,同时鼓励社会多渠道、多形式发展幼儿教育。积极探索非正规教育形式,满足边远、贫困地区及少数民族地区幼儿接受学前教育的需要。

——实施"教育信息化工程",推动中小学校普及计算机等信息技术教育。建设现代远程教育网络,发挥卫星电视教育的作用,重点满足边远山区、海岛等地区的教育需要。

——提高教师队伍整体素质。提升教师学历合格率和学历层次,重视中小学校长和教师的在职培训和继续教育。加强师德建设。

——学校、托幼园所的教职工爱护、尊重儿童,维护儿童的人格尊严,不得歧视、体罚或变相体罚儿童。中、小学校不得随意开除学生。学校纪律、教育方法应适合学生身心特点。

——发挥学校、家庭、社会各自的教育优势,充分利用社会资源形成教育合力,促进学校教育、家庭教育、社会教育的一体化。

——重视和改进家庭教育。加强家庭教育知识的宣传和理论研究。办好各类家长学校,帮助家长树立正确的保育、教育观念,掌握科学的教育知识与方法。

三、儿童与法律保护

完善和落实有关法律法规,依法保障儿童权益。

(一)主要目标

1. 依法保障儿童生存权、发展权、受保护权和参与权。

2. 依法打击侵害儿童合法权益的违法犯罪行为。

——控制并减少侵害儿童人身权利的各类刑事案件。

——禁止虐待、溺弃儿童,特别是女婴和病残儿童。

——禁止使用童工(未满16周岁)和对儿童的经济剥削。

3. 预防和控制未成年人犯罪。

——控制未成年人犯罪率并减少重新犯罪率。

——中小学校普遍进行法律知识教育。

4. 在诉讼中依法维护未成年人的合法权益。

——保障未成年人参加诉讼和辩护的权利。

——基层法院建立少年法庭,对未成年人犯罪案件和涉及未成年人犯罪案件不公开审理,或采取适当的回避制度。

5. 建立法律援助机构,为儿童提供法律援助。

(二)策略措施

1. 立法与执法。

完善有关儿童的立法,强化执法,有效保障儿童权益。

——完善儿童权益保护的法律法规,建立健全执法监督机制。认真执行《中华人民共和国未成年人保护法》、《中华人民共和国预防未成年人犯罪法》、《中华人民共和国收养法》等法律法规。认真履行《儿童权利公约》。

——严厉打击杀害、强奸、摧残、虐待、拐卖、绑架、遗弃等侵害儿童人身权利和引诱、教唆或强迫未成年人犯罪的刑事犯罪。保护儿童免遭一切形式的性侵犯。严禁利用儿童生产和贩运毒品。

——加强对企业用工的管理和监督,及时发现和查处使用童工现象。

2. 司法保护。

在处理未成年人违法犯罪时,落实司法保护原则。

——对违法犯罪的未成年人实行教育、感化、挽救的方针,坚持教育为主,惩罚为辅的原则。

——公安机关和法院、检察院在办理未成年人刑事案件中要相互配合,在侦查、起诉、审判各诉讼阶段依法给予未成年犯罪嫌疑人或被告人特殊的、有别于成年人的待遇。对未成年人罪犯执行刑罚时,要与成年人罪犯分别关押、管理和教育。

——对检察院不起诉、法院免予刑事处罚或者宣告缓刑,以及被解除收容教养或者服刑期满释放的未成年人复学、升学、就业不得歧视。

3. 法律宣传与服务。

通过宣传教育和为儿童提供法律服务，动员全社会重视和保护儿童权益。

——宣传普及保护儿童的法律知识，提高全社会保护儿童合法权益的责任意识。有关部门、学校、家庭应密切配合，共同做好儿童保护工作。

——加强对执法和司法人员有关儿童法律知识、权益保护和办案技能的培训，提高执法水平。

——教育儿童父母或其他监护人依法履行监护职责和抚养义务。禁止对儿童实施家庭暴力及其他形式的身心虐待。禁止强迫未成年人结婚或为未成年人订立婚约。

——加强对儿童的纪律教育、法制教育和安全教育，增强儿童法律意识，提高儿童自我保护和防范能力。

——各类媒体在报道有关未成年人案件时不得公开其真实姓名和身份。

——建立保护儿童权益的工作网络。防止侵害儿童合法权益的行为发生；及时矫治未成年人的不良行为，预防和减少未成年人违法犯罪行为；做好违法犯罪未成年人的教育挽救工作和遭受侵害未成年人的身心康复、回归社会工作。

——积极设立面向儿童的法律援助机构，完善法律援助体系和网络，为儿童提供多种形式的法律援助服务。

四、儿童与环境

改善儿童生存和发展环境，尊重并鼓励儿童积极参与。

（一）主要目标

1. 改善儿童生存的自然环境。

——提高农村缺水地区供水受益率和农村改水受益率、自来水普及率。

——提高农村卫生厕所普及率。

——城市空气和水按功能区基本达到国家环境保护标准，提高城市垃圾无害化处理率和污水集中处理率。

——增加森林和绿地面积。

2. 优化儿童发展的社会环境。

——尊重、爱护儿童,使儿童免受一切形式的歧视和伤害。

——为儿童提供必需的闲暇、娱乐时间,保障儿童参与家庭、社会和文化生活的权利。

——提高儿童食品、玩具、用具和游乐设施的质量,保证其安全无害。

——为儿童提供健康向上的精神产品,净化儿童成长的文化环境。

——各类媒体传播有益于儿童健康成长的社会、文化信息,保护儿童免受不良信息影响。

——为儿童成长创造良好的家庭环境。

——增加社区儿童教育、科技、文化、体育、娱乐等课外活动设施和场所,90%以上的县(市)至少有1处儿童校外活动场所。

3. 保护处于困境中的儿童。

——提高残疾儿童康复率。

——改善孤儿、弃婴的供养、教育、医疗康复状况。

——基本达到每个地级市有1所具有养护、医疗康复、教育能力的儿童福利院。

(二)策略措施

1. 国家宏观政策。

国家制定相关法律法规和政策时要体现“儿童优先”原则,有利于儿童发展。

——在全社会树立尊重儿童、爱护儿童、教育儿童的良好风尚,保障儿童参与的权利。

——将儿童发展纳入国民经济和社会发展总体规划,加大对儿童事业的投入。

——鼓励儿童积极参与家庭、文化和社会生活,培养儿童做有理想、有道德、有文化、有纪律的“四有”新人。

——建立和完善儿童社会保障制度。

——关注女童和处于特殊困境的儿童，保证其获得健康成长和平等发展的机会。

——扩大儿童工作领域的国际交流与合作，积极参与全球和区域性的国际交流和合作。

2. 法律和部门政策。

完善和落实有利于儿童生存、保护和发展的相关法律法规和政策。

——依法加强生态建设，加大环境保护和治理的力度。植树造林，治理大气、水、固体废物和噪音等环境污染，控制和治理工业、生活、农村面源污染，保护饮用水源。在农村继续以改水、改厕为重点，带动环境卫生整治，加强卫生厕所建设和人畜粪便无害化处理等技术指导和服务，推广圈养家禽家畜。为儿童的健康成长创造良好的自然环境。

——加强儿童食品、用品、玩具和游乐设施生产、销售的监督管理，完善检测标准和质量认证工作。加强公共设施的管理和安全监察，宣传安全知识，提高儿童及家长的安全意识，减少儿童意外伤害。鼓励企业在经营活动中坚持儿童受惠原则，为儿童发展提供支持。

——各类媒体应为儿童健康成长创造良好的舆论环境。鼓励创作优秀儿童图书、影视、歌曲、舞蹈、戏剧、美术等作品，宣传积极向上的儿童形象，丰富儿童精神生活。对文化市场进行规范化管理，打击非法出版物，禁止各类媒体传播色情、暴力等损害儿童身心健康的信息，减少对儿童的负面影响。加强对学校周边经营场所的监督检查。

——积极开展文明家庭创建活动，加强家庭美德建设，倡导平等、文明、和睦、稳定的家庭关系，为儿童健康成长营造良好的家庭环境。

——增加儿童课外活动设施和场所，将儿童校外教育、科技、文化、体育、娱乐等设施建设纳入城镇建设规划。多渠道筹集资金，重点资助中、西部地区的青少年活动场所建设。强化社区对儿童的服务、管理和教育功能。加强农村儿童科技、文化园建设。加强对儿童活动场所的管理,提高社会效益,逐步实现社会公益活动场所面向儿童免费开放。

3. 社会保障与服务。

完善社会保障机制,促进困境儿童的生存与发展。

——加大儿童福利事业的投入,改善设施,为孤儿、残疾儿童、弃婴提供良好的成长条件。倡导儿童福利社会化,积极探索适合孤残儿童身心发育的供养方式。

——加强对流浪儿童救助保护中心的建设和管理。设立多种形式的流浪儿童收容教育机构,减少流浪儿童数量和反复性流浪。

——加强正规的残疾儿童康复机构建设,建立健全社区康复和卫生服务机构,对残疾儿童家长进行康复知识培训和指导。

组织与实施

一、国务院妇女儿童工作委员会负责《纲要》的组织实施。国务院各有关部门和社会团体要根据《纲要》的要求并结合各自的职责,制定相应的实施方案。

二、地方各级政府要结合实际制定本地区儿童发展规划,并纳入当地经济和社会发展总体规划,统一部署,统筹安排。要将《纲要》的实施、纳入政府的议事日程,纳入政府主要负责人和主管负责人的政绩考核。

三、建立健全实施《纲要》的工作机制。国务院各有关部门和社会团体每年要向国务院妇女儿童工作委员会报告实施《纲要》的工作情况。地方各级妇女儿童工作委员会要建立相应的工作制度和报告制度。要加强调查研究,坚持分类指导、示范先行的工作方法,及时掌握有关情况,总结推广经验。要注重对儿童领域的理论研究。

四、各级政府应根据财力情况,合理安排实施《纲要》所需经费。要多渠道筹集资金,重点扶持贫困地区和少数民族地区儿童事业的发展。

监测与评估

一、对《纲要》的实施情况实行分级监测评估。要加强儿童发展综合统计工作,增设分性别统计指标,建立和完善分性别数据库。做好信息收集、整理、反馈和交流工作,分析儿童发展现状,预测趋势,评估实施效果,为制定规划、科学决策提供依据。

二、建立国家和省(自治区、直辖市)的儿童状况监测体系,制定切实可行、科学规范的监测评估方案,全面、动态地监测儿童发展状况。《纲要》分性别的统计指标纳入国家统计制度和各有关部门的常规统计和统计调查。建立健全劳动监察、卫生监测、教育督导、统计评估、法律监督机构,完善监测机制,确保《纲要》的有效实施。

三、建立定期报送和审评制度。国务院妇女儿童工作委员会各成员单位和各有关部门,每年要向国务院妇女儿童工作委员会办公室和国家统计局报送监测数据及目标实施进展情况,并对报送的监测数据进行分析,评估实施效果。国家监测评估周期分为年度监测、每3—5年的阶段性监测评估和10年的终期监测评估。

四、建立监测评估机构。国务院妇女儿童工作委员会设立监测评估领导小组,负责审批监测评估方案,根据监测评估结果提出相应对策。

监测评估领导小组下设统计监测组和专家评估组。

统计监测组由国家统计局牵头,相关部门共同组成。负责制定《纲要》分性别的统计监测指标体系,提出监测的重点指标;确定监测方法,收集监测数据,建立和完善分性别数据库;向国务院妇女儿童工作委员会提交全国儿童状况统计监测报告;指导各地区对《纲要》的统计监测工

专家评估组由国务院妇女儿童工作委员会办公室牵头,相关部门推荐专家组成。负责制定检查评估方案;审评监测报告,并对重点、难点问题的解决提出意见和建议;开展阶段性评估,向国务院妇

女儿童工作委员会提交评估报告;指导各地区对实施《纲要》的检查评估工作。

各地区要建立相应的监测评估机构和制度,及时、准确、全面地反映《纲要》和本地区规划的实施情况。

图书在版编目(CIP)数据

中华人民共和国未成年人保护法释义／全国人大常委会法工委编. -- 北京：法律出版社，2007.2(2018.11 重印)
ISBN 978-7-5036-7052-7

Ⅰ. ①中… Ⅱ. ①全… Ⅲ. ①未成年人保护法—法律解释—中国 Ⅳ. ①D922.183.5

中国版本图书馆 CIP 数据核字(2007)第 008216 号

中华人民共和国未成年人保护法释义
ZHONGHUA RENMIN GONGHEGUO WEICHENGNIANREN BAOHUFA SHIYI

全国人大常委会法工委 编

责任编辑 麦 锐
装帧设计 李 瞻

出版 法律出版社
总发行 中国法律图书有限公司
经销 新华书店
印刷 北京玺诚印务有限公司
责任印制 吕亚莉

编辑统筹 法规出版分社
开本 850 毫米×1168 毫米 1/32
印张 14
字数 310 千
版本 2007 年 2 月第 1 版
印次 2018 年 11 月第 3 次印刷

法律出版社／北京市丰台区莲花池西里 7 号(100073)
网址／www.lawpress.com.cn
投稿邮箱／info@lawpress.com.cn
举报维权邮箱／jbwq@lawpress.com.cn
销售热线／010-83938336
咨询电话／010-63939796

中国法律图书有限公司／北京市丰台区莲花池西里 7 号(100073)
全国各地中法图分、子公司销售电话：
统一销售客服／400-660-6393
第一法律书店／010-83938334/8335 西安分公司／029-85330678 重庆分公司／023-67453036
上海分公司／021-62071639/1636 深圳分公司／0755-83072995

书号：ISBN 978-7-5036-7052-7 **定价**：58.00 元
(如有缺页或倒装，中国法律图书有限公司负责退换)